Beth O'Leary
# DRIVE ME CRAZY –
Für die Liebe bitte wenden

Beth O'Leary

# DRIVE ME CRAZY

## Für die Liebe bitte wenden

Roman

Aus dem Englischen
von Pauline Kurbasik und Babette Schröder

**DIANA**

Von Beth O'Leary sind im Diana Verlag erschienen:
*Love to Share – Liebe ist die halbe Miete*
*Time to Love – Tausche altes Leben gegen neue Liebe*
*Drive Me Crazy – Für die Liebe bitte wenden*

Penguin Random House Verlagsgruppe FSC® N001967

Deutsche Erstausgabe 10/2021
Copyright © 2021 by Beth O'Leary
Die Originalausgabe erschien 2021 unter dem Titel
*The Roadtrip* bei Quercus, London
Copyright © 2021 der deutschsprachigen Ausgabe
by Diana Verlag, München,
in der Penguin Random House Verlagsgruppe GmbH,
Neumarkter Straße 28, 81673 München
Redaktion: Lisa Scheiber
Umschlaggestaltung: Favoritbuero GbR, München
Umschlagmotiv: © Sarah Wilkins; Golden Sikorka/Shutterstock.com
Satz: Leingärtner, Nabburg
Druck und Bindung: GGP Media GmbH, Pößneck
Alle Rechte vorbehalten
Printed in Germany
ISBN 978-3-453-36102-7

www.diana-verlag.de
Dieses Buch ist auch als E-Book lieferbar.

*Für meine Brautjungfern*

# JETZT

# Dylan

»Was ich sagen will: Der Strom der Freundschaft rann niemals sanft«, erklärt mir Marcus und nestelt an seinem Sicherheitsgurt herum.

Es ist das erste Mal, dass ich von Marcus eine aufrichtige Entschuldigung höre. Dabei hat er bislang schon sechs Klischees erfüllt und zweimal auf Literaturzitate zurückgegriffen. Außerdem meidet er es, mir in die Augen zu sehen. Das Wort »Entschuldigen« kam zwar vor, diesem ging jedoch ein »Ich bin nicht gut im« voraus, was dem Wort irgendwie etwas von seiner Wirkung nahm.

Ich schalte einen Gang hoch. »Heißt es nicht *der Strom der Liebe* rann niemals sanft? Ich glaube, das ist aus *Ein Sommernachtstraum*.«

Wir befinden uns auf Höhe des 24-Stunden-Tescos. Es ist halb vier Uhr morgens und stockdunkel, doch das fahle gelbe Licht des Supermarktes fällt wie ein Scheinwerfer auf die drei Insassen im Wagen vor uns. Ganz vorn fährt ein klappriger Laster, dem wir dicht an dicht folgen.

Für den Bruchteil einer Sekunde blitzt das Gesicht der Fahrerin im Rückspiegel auf. Sie erinnert mich an Addie – wenn man intensiv genug an jemanden denkt, meint man, ihn auf einmal überall zu sehen.

Marcus schnaubt. »Ich spreche über meine Gefühle, Dylan.

9

Das fällt mir schwer. Also bitte konzentriere dich jetzt und hör mir richtig zu.«

Ich lächele. »In Ordnung. Ich höre.«

Ich fahre an der Bäckerei vorbei, und wieder werden im Rückspiegel die Augen der Fahrerin angestrahlt; sie zieht hinter einem fast eckigen Brillengestell die Augenbrauen hoch.

»Ich sage nur, wir sind in ein paar Stromschnellen geraten. Das verstehe ich, und ich habe mich nicht gut verhalten … und das ist … Es ist wirklich bedauernswert, dass das passiert ist.«

Erstaunlich, was er für sprachliche Pirouetten dreht, um ein einfaches *Es tut mir leid* zu vermeiden. Ich schweige. Marcus hüstelt und nestelt weiter an dem Gurt herum, und allmählich bekomme ich Mitleid und bin versucht, ihm zu sagen, es sei schon okay. Wenn er noch nicht so weit sei, müsse er es nicht aussprechen. Doch als wir am Wettbüro vorbeirollen, erfasst ein weiterer Lichtstrahl das Auto vor uns, und Marcus ist vergessen. Die Fahrerin hat das Fenster geöffnet und hält sich mit der Hand am Wagendach fest. Um ihr Handgelenk trägt sie jede Menge Armbänder, die im Licht der Scheinwerfer rötlich silbern glänzen. Die Geste ist mir schmerzhaft vertraut – der schlanke blasse Arm, die Haltung und die Armbänder mit den kindlich runden Perlen, die sich um ihr Handgelenk sammeln. Ich würde sie überall wiedererkennen. Kurz setzt mein Herz aus, als hätte ich eine Treppenstufe verfehlt, denn sie ist es tatsächlich. Es ist *Addie*. Unsere Blicke treffen sich im Rückspiegel.

Und dann schreit Marcus auf.

Vorhin war ihm ein ähnlicher Entsetzensschrei entfahren, als wir an einer Reklame für vegane Würstchen in Blätterteig vorbeigekommen sind, darum reagiere ich nicht prompt.

Als der Wagen vor uns abrupt bremst und ich den siebzig-tausend Pfund teuren Mercedes von Marcus' Vater nicht recht-zeitig zum Stillstand bringe, habe ich gerade noch genug Zeit, das zu bereuen.

# Addie

*Bang.*

Mein Kopf wird dermaßen abrupt zurückgeschleudert, dass meine Brille über die Kopfstütze nach hinten fliegt. Jemand schreit. *Au! Fuck!* Ein stechender Schmerz im Nacken und ich denke nur: *Gott, was habe ich gemacht? Bin ich wo dagegen gefahren?*

»Verdammte Scheiße«, sagt Deb neben mir. »Alles in Ordnung mit dir?«

Ich taste nach meiner Brille. Sie ist nicht da, logisch.

»Was zum Teufel war das gerade?«, bringe ich noch heraus.

Mit zitternden Händen fasse ich erst ans Lenkrad, dann an die Handbremse, dann an den Rückspiegel. Ich will mir ein Bild machen.

Ich sehe ihn im Spiegel. Ein wenig verschwommen ohne Brille. Ein wenig unwirklich. Aber er ist es, keine Frage. Er ist mir derart vertraut, dass ich mich kurz so fühle, als würde ich mein eigenes Spiegelbild anblicken. Plötzlich schlägt mein Herz wie wild, als würde es sich Platz machen wollen.

Deb steigt aus. Vor uns fährt der Müllwagen weg, und durch sein Scheinwerferlicht huscht der Schwanz des Fuchses, für den er gebremst hat. Das Tier schlendert zum Bürgersteig. Ganz langsam setzen sich die einzelnen Bilder zu etwas Größerem zusammen: LKW bremst wegen Fuchs, ich bremse wegen LKW und hinter mir bremst Dylan einfach gar nicht. Dann … *Bang.*

Ich schaue in den Rückspiegel zu Dylan, er guckt mich immer noch an. Alles scheint langsamer, ruhiger oder blasser zu werden, als hätte jemand die Welt runtergefahren.

Ich habe Dylan schon seit zwanzig Monaten nicht mehr gesehen. Er hätte sich irgendwie verändern müssen. Alles andere hatte sich verändert. Doch selbst von hier erkenne ich den Umriss seiner langen Nase, seine gebogenen Wimpern, diese gelbgrünen Augen. Ich weiß, dass sie vor Schreck ebenso weit aufgerissen sind wie damals, als er mich verlassen hat.

»Nun«, sagt meine Schwester. »Wir können stolz auf den Mini sein.«

Der Mini. Das Auto. Alles bricht wieder über mir zusammen, und ich will mich abschnallen. Ich brauche drei Versuche. Meine Hände zittern. Als ich anschließend in den Rückspiegel blicke, sehe ich Rodney, der zusammengekauert auf unserem Rücksitz hockt, die Hände auf den Kopf und die Nase zwischen die Knie gepresst.

Mist. Ich habe Rodney völlig vergessen.

»Alles in Ordnung mit dir?«, frage ich ihn, und im selben Moment sagt Deb:

»Addie? Alles okay?« Sie streckt den Kopf wieder ins Auto und zuckt dann zusammen. »Tut dir auch der Nacken weh?«

»Yup«, antworte ich, weil ich es genau in dem Moment bemerke und es tatsächlich *ganz schön* schmerzt.

»Alter …«, sagt Rodney und richtet sich vorsichtig auf. »Was ist passiert?«

Rodney hat in der Facebook-Gruppe »Cherry & Krish trauen sich« gestern Abend nach einer Mitfahrgelegenheit aus Chichester zur Hochzeit gefragt. Niemand hatte geantwortet, also hatten Deb und ich uns erbarmt. Alles, was ich über Rodney weiß, ist, dass er einen Müsliriegel gefrühstückt hat, immer einen Buckel macht und auf seinem T-Shirt steht *Ich drücke ständig auf Esc, aber ich bin noch hier*, ich glaube dennoch, ich weiß ziemlich genau, was er für einer ist.

»Irgendein Arsch in einem Mercedes ist uns hinten draufgefahren«, erklärt Deb ihm und richtet sich auf, um sich den Wagen hinter uns noch einmal anzuschauen.

»Deb …«, sage ich.

»Ja?«

»Ich glaube, das ist Dylan. In diesem Auto.«

Sie kräuselt die Nase und beugt sich wieder hinunter, um mich anzuschauen. »Dylan *Abbott*?«

Ich schlucke. »Genau der.«

Ich wage einen Blick über die Schulter. Mein Nacken ist dagegen. Dann bemerke ich den Mann, der auf der Beifahrerseite des Mercedes aussteigt. Er ist schlank, seine Locken werden von den Schaufenstern hinter ihm beleuchtet. Da meldet sich mein Herz wieder und schlägt viel zu schnell.

»Er ist mit Marcus unterwegs«, sage ich.

»*Marcus?*«, fragt Deb und reißt die Augen auf.

»Ja. Oh Gott.« Das ist schrecklich. Wie soll man sich in so einer Situation verhalten? Irgendwas mit der Versicherung regeln? »Ist mit dem Auto alles in Ordnung?«, frage ich.

Ich klettere raus, als Dylan gerade aus dem Mercedes steigt. Er trägt ein weißes Shirt, Chino-Shorts und ramponierte Bootsschuhe. In seine Gürtelschlaufe ist ein Karabiner gehakt, der in seiner Tasche verschwindet. Das war meine Idee, damit er nicht immer seinen Schlüssel verliert.

Er macht einen Schritt in das Scheinwerferlicht des Mercedes'. Er sieht so gut aus, dass ich einen stechenden Schmerz in der Brust verspüre. Ihn zu sehen ist noch schlimmer, als ich erwartet habe. Ich möchte alles gleichzeitig machen: zu ihm rennen, wegrennen, mich zusammenkauern, weinen. Und zusätzlich habe ich das völlig lächerliche Gefühl, dass irgendjemand etwas verbockt hat; als wäre etwas nicht richtig abgelegt worden, dort oben im Universum, weil ich Dylan doch *dieses Wochenende* sehen sollte, zum ersten Mal seit fast zwei Jahren, aber das hätte erst bei der Hochzeit passieren sollen.

»Addie?«, sagt er.

»Dylan«, bringe ich heraus.

»Hat da etwa ein *Mini* den Mercedes meines Vaters in einen Totalschaden verwandelt?«, fragt Marcus.

Ich fasse mir verlegen an den Pony. Kein Make-up, eine schmuddelige Latzhose, kein Schaumfestiger im Haar. Ich habe *Monate* damit verbracht, das Outfit zusammenzustellen, das ich beim ersten Wiedersehen mit Dylan tragen wollte – und das hätte anders ausgesehen. Doch er mustert mich gar nicht von oben bis unten; bemerkt nicht einmal meine neue Haarfarbe – er erwidert meinen Blick und schaut nicht weg. Ich fühle mich so, als wäre die ganze Welt aus den Fugen geraten und müsste nun Atem holen.

»Verdammt«, sagt Marcus. »Ein Mini! Wie peinlich ist das bitte?«

»Bist du eigentlich völlig bescheuert?«, fragt Deb. »Hast du gepennt? Du bist uns einfach hinten reingefahren!«

Dylan blickt sich verwundert um. Ich reiße mich zusammen.

»Ist jemand verletzt?«, frage ich und reibe mir den schmerzenden Nacken. »Rodney?«

»Wer?«, fragt Marcus.

»Mir geht's gut!«, ruft Rodney, der immer noch auf der Rückbank des Autos kauert.

Deb hilft ihm heraus. *Ich* hätte das tun sollen. Mein Gehirn fühlt sich irgendwie matschig an.

»Mist«, sagt Dylan, der endlich die eingedellte Stoßstange des Mercedes' erblickt. »Tut mir leid, Marcus.«

»Ach, mach dir deswegen keine Sorgen«, entgegnet Marcus. »Weißt du, wie oft ich schon einen Wagen meines Dads zu Schrott gefahren habe? Er wird das gar nicht bemerken.«

Ich mache einen Schritt nach vorne und nehme das Hinterteil von Debs ramponiertem Mini in Augenschein. Es sieht tatsächlich nicht so schlimm aus – der Knall war so laut, dass ich vermutete, irgendetwas Wichtiges wäre abgefallen. Ein Rad, zum Beispiel.

Ehe ich es bemerke, sitzt Deb auf dem Fahrersitz und startet den Motor wieder.

»Alles okay mit ihm, er springt an!«, sagt sie. »Was für ein Auto. Ich habe mein Geld noch nie besser angelegt.« Sie fährt ein wenig vor, bis zur Bordsteinkante, und macht den Warnblinker an.

Dylan sitzt wieder im Mercedes und kramt im Handschuhfach. Er und Marcus sprechen über Pannenhilfe, Marcus leitet ihm eine E-Mail von seinem Handy weiter und mir fällt endlich auf, *was* anders ist: Dylan trägt die Haare kürzer. Das hat sich geändert. Ich weiß, dass ich an den Unfall denken sollte, aber ich spiele hier bloß »Finde die Fehler«, während ich Dylan betrachte und mich frage: *Was fehlt? Was ist neu?*

Er schaut mir wieder in die Augen. Mir wird heiß. Dylans Augen haben etwas Besonderes an sich – man verheddert sich in seinem Blick wie in Spinnweben. Ich zwinge mich dazu wegzuschauen.

»Ihr seid also gerade auf dem Weg zu Cherrys Hochzeit, nehme ich an«, sage ich zu Marcus. Meine Stimme zittert. Ich kann ihn nicht anschauen. Plötzlich bin ich dankbar, dass ich die eingedellte Stoßstange des Minis inspizieren kann.

»Waaaren wir zumindest«, sagt Marcus affektiert und be
trachtet den Mercedes. Vielleicht schafft er es ebenfalls nicht,
mich anzusehen. »Aber wir können dieses Baby auf gar keinen
Fall noch vierhundert Meilen weit fahren. Der Wagen muss in
eine Werkstatt. Eurer übrigens auch.«

Deb brummt ablehnend, sie ist schon wieder aus dem Auto
gestiegen und reibt mit dem abgewetzten Ärmel ihres Hoodies
über einen Kratzer. »Ach, alles in Ordnung«, sagt sie und öffnet
und schließt den Kofferraum prüfend. »Nur verbeult, sonst
nichts.«

»Marcus, das Auto dreht durch!«, ruft Dylan.

Ich kann selbst von hier aus die aufblitzenden Kontroll-
leuchten innen im Mercedes sehen. Aber die Warnblinker
leuchten zu hell. Ich drehe den Kopf weg. Ist es nicht wieder
typisch, dass Dylan sich kümmert, wenn Marcus' Auto kaputt
ist?

»Der Abschleppwagen, der das Auto in die Werkstatt bringt,
ist in dreißig Minuten hier«, sagt Dylan.

»In dreißig Minuten?«, fragt Deb ungläubig.

»Das ist alles Teil des Service«, erklärt ihr Marcus und zeigt
auf das Auto. »Mercedes eben, Schätzchen.«

»Ich heiße Deb. Nicht Schätzchen. Wir haben uns schon
einige Male gesehen.«

»Sicher. Ich erinnere mich«, sagt Marcus so dahin. Hört sich
nicht sonderlich überzeugend an.

Ich spüre, wie Dylans Blick zu mir schwenkt, während wir
alle versuchen, die Sache mit der Versicherung zu regeln. Ich
fummele mit meinem Telefon herum, Deb wühlt im Handschuhfach nach Papieren und die ganze Zeit über bin ich mir
Dylans Anwesenheit so bewusst, als würde er zehnmal so viel
Raum einnehmen wie jeder andere hier.

»Und wie kommen wir jetzt zur Hochzeit?«, fragt Marcus, als wir fertig sind.

»Mit öffentlichen Verkehrsmitteln«, sagt Dylan.

»*Öffentlichen* Verkehrsmitteln?«, fragt Marcus, als hätte jemand vorgeschlagen, auf einem Muli zu Cherrys Hochzeit zu reiten. Immer noch ein kleiner Großkotz, der gute Marcus. Das hat sich nicht geändert.

Rodney räuspert sich. Er lehnt an einer Seite des Minis und starrt auf sein Handy. Ich fühle mich schlecht – ich vergesse ihn immer wieder. Im Augenblick hat mein Hirn keine Kapazitäten mehr für Rodney frei.

»Wenn ihr jetzt losfahrt«, sagt Rodney, »seid ihr laut Google um … dreizehn Minuten nach zwei da.«

Marcus blickt auf die Uhr.

»Na«, sagt Dylan, »das ist doch prima.«

»Am Dienstag«, spricht Rodney zu Ende.

»Wie bitte?«, rufen Dylan und Marcus wie aus einem Mund.

Rodney verzieht entschuldigend das Gesicht. »Es ist halb fünf Uhr früh an einem Sonntag an einem langen Wochenende, und ihr versucht, von Chichester an einen abgelegenen Ort in Schottland zu kommen.«

Marcus wirft die Hände in die Luft. »Dieses Land ist einfach eine einzige Katastrophe.«

Deb und ich schauen uns an. *Nein, nein, nein, nein …*

»Komm, wir machen uns auf«, sage ich und gehe in Richtung Mini. »Möchtest du fahren?«

»Addie …«, setzt Deb an, während ich auf den Beifahrersitz klettere.

»Was soll das jetzt?«, ruft Marcus.

Ich schlage die Tür zu.

»Hey!«, sagt Marcus, während Deb sich auf den Fahrersitz setzt. »Du musst uns zur Hochzeit mitnehmen!«

»Nein«, sage ich ruhig zu Deb. »Ignorier ihn. Rodney! Steig ein!«

Rodney gehorcht. Wie nett! Ich kenne diesen Mann eigentlich wirklich nicht gut genug, um ihn so anzuherrschen.

»Was soll der Scheiß? Addie. Mal ehrlich. Wenn du uns nicht fährst, schaffen wir es nicht pünktlich«, sagt Marcus.

Er steht nun neben meinem Fenster, klopft mit den Fingerknöcheln gegen die Scheibe. Ich kurbele sie nicht runter.

»Addie, komm schon! Mein Gott, du bist Dylan doch bestimmt noch einen Gefallen schuldig.«

Dylan sagt etwas zu Marcus. Ich verstehe es nicht.

»Meine Güte, ist das ein Arschloch«, sagt Deb und runzelt die Stirn.

Ich schließe die Augen.

»Glaubst du, du schaffst das?«, fragt Deb mich. »Die beiden mitzunehmen?«

»Nein. Nicht alle beide.«

»Dann ignorier ihn. Wir fahren einfach.«

Marcus klopft wieder gegen die Scheibe. Ich beiße die Zähne aufeinander – mir tut immer noch der Nacken weh – und blicke starr nach vorne.

»Unser Roadtrip sollte doch Spaß machen«, erkläre ich.

Deb verbringt das erste Wochenende ohne Riley, ihren kleinen Sohn. Wir haben seit Monaten über nichts anderes gesprochen. Sie hat jeden Zwischenstopp und jeden Snack geplant.

»Wird er trotzdem«, sagt Deb.

»Wir haben nicht genug Platz«, versuche ich es.

»Ich kann mich klein machen!«, sagt Rodney.

Langsam mag ich Rodney nicht mehr.

»Es ist *so* eine lange Fahrt, Deb«, sage ich und drücke mir die Fäuste auf die Augen. »Stundenlang mit Dylan in einem Auto. Ich bin fast zwei Jahre lang immer auf der Hut durch Chichester gehuscht, damit ich diesem Mann nicht einmal für eine Sekunde über den Weg laufe, da wird mir beim Gedanken an acht Stunden mit ihm echt schlecht.«

»Ich sage nicht, dass wir es machen *müssen*«, erklärt Deb. »Los, lass uns fahren.«

Dylan hat den Mercedes an einem sichereren Ort abgestellt, bis das Abschleppfahrzeug kommt. Ich drehe mich auf meinem Sitz um, gerade als er wieder aus dem Auto steigt, schlank, bisschen verstrubbelt, groß.

Als sich unsere Blicke treffen, weiß ich, dass ich ihn nicht hier zurücklassen werde. Er weiß es auch. *Es tut mir leid,* sagt er lautlos.

Wenn ich für jedes Mal, wenn Dylan Abbott sich bei mir entschuldigt hat, ein Pfund bekommen hätte, wäre ich reich genug, mir diesen Mercedes leisten zu können.

## Dylan

Manchmal fällt mir auf Anhieb ein ganzes Gedicht ein. Es ist, als hätte es mir jemand zu Füßen gelegt wie ein Hund sein Spielzeug. Als ich hinten in Debs Wagen einsteige und den schmerzlich vertrauten Duft von Addies Parfum wahrnehme, tauchen sofort zweieinhalb Verse in meinem Kopf auf. *Unverändert und verändert/ihr Blick trifft meinen/Und ich bin ...* Ja, was? Was bin ich? Ich bin durcheinander. Jedes Mal, wenn ich Addie ansehe, springt etwas in mir hoch wie ein Delfin. Man sollte doch meinen, dass es nach zwanzig Monaten nicht mehr so wehtut, aber das tut es. Es *tut* weh und zwar so, dass man *schreien* möchte.

»Rutsch mal«, sagt Marcus und schubst mich gegen Rodneys Schulter. Reflexartig stütze ich mich mit einer Hand ab und kann so gerade noch verhindern, dass ich direkt auf Rodneys Schoß lande.

»Sorry«, sagen Rodney und ich gleichzeitig.

Meine Handflächen sind feucht, und ich schlucke unablässig, als könnte ich so meine ganzen Gefühle hinunterschlucken. Addie sieht anders aus: Ihr Haar ist fast so kurz wie meins und silbergrau gefärbt, und sie trägt eine dicke hipstermäßige Brille – die wie durch ein Wunder nach dem Crash aus dem Kofferraum des Minis aufgetaucht ist. Sie ist unübersehbar schöner als je zuvor. Es ist, als würde ich Addies eineiigem

Zwilling begegnen: gleich und doch anders. *Unverändert und verändert.*

Ich sollte etwas sagen, aber mir fällt nichts ein. Früher konnte ich so etwas gut – da war ich *lässig*. Ich quetsche mich auf den schmalen Mittelplatz und beobachte, wie der Wagen von Marcus' Vater auf einem Abschleppwagen die dunkle Straße hinunterfährt. Ich wünschte, ich könnte nur ansatzweise so unerschrocken sein wie bei meiner ersten Begegnung mit Addie, als ich noch nicht die geringste Ahnung hatte, dass sie mein Leben vollkommen auf den Kopf stellen würde.

»Warum seid ihr überhaupt so früh aufgebrochen?«, fragt Addie, als Deb den Wagen auf die Straße lenkt. »Du findest es doch schrecklich, so früh zu starten.«

Sie schminkt sich mithilfe des Spiegels an der Sonnenblende über dem Beifahrersitz und trägt eine Paste von ihrem Handrücken auf ihre cremefarbene Haut auf.

»Du bist nicht mehr ganz auf dem neuesten Stand«, antwortet Marcus an meiner Stelle, macht es sich auf seinem Platz bequem und rammt mir dabei den Ellbogen in die Rippen. »Jetzt ist Dylan absolut davon überzeugt, dass man eine lange Autofahrt unbedingt um vier Uhr morgens beginnen muss.«

Ich blicke verlegen auf meine Knie. Wie viel besser es ist, in der Stille vor Morgengrauen aufzubrechen, wenn der Tag noch voller Hoffnung ist, habe ich von Addie übernommen, aber es stimmt: Als wir noch zusammen waren, habe ich mich stets darüber beklagt, dass sie so früh aufbrechen wollte.

»Na, gut, *dass* wir so früh gestartet sind!«, meldet sich Rodney mit schwacher Stimme und überprüft sein Smartphone, wobei er die Ellbogen möglichst eng an den Körper presst.

Marcus ist weniger um Rücksicht bemüht: Breitbeinig sitzt

er neben mir, sein Knie an meins gelehnt, den Ellbogen halb auf meinem Schoß. Ich seufze.

»So wie es aussieht, wird es ziemlich knapp mit dem Familien-Grillfest«, ergänzt Rodney. »Noch über acht Stunden Fahrt, und es ist schon halb sechs!«

»Ach, du bist bei dem Barbecue vor der Hochzeit dabei?«, frage ich.

Er nickt. Die Frage ist der offenkundige Versuch herauszufinden, was Rodney hier macht. Ich hoffe jedoch, er versteht es als freundliches Interesse. Einen schrecklichen bleiernen Moment lang, als er aus dem Auto stieg, dachte ich, er käme als Addies Begleitung mit zur Hochzeit – Cherry hatte vor einigen Monaten gesagt, dass Addie vielleicht jemanden mitbringen würde. Aber zwischen ihnen läuft ganz offensichtlich nichts; Addie scheint ihn größtenteils zu ignorieren.

Eigentlich ignoriert sie mehr oder weniger alle. Seit jenem ersten herzschlagbeschleunigenden, magenverkrampfenden Moment, in dem sich unsere Blicke begegnet sind, weicht sie mir jedes Mal sorgsam aus, wenn ich versuche, ihre Aufmerksamkeit auf mich zu ziehen. Derweil trommelt Marcus irgendeinen stumpfsinnigen Rhythmus gegen das Autofenster. Deb wirft ihm im Rückspiegel einen gereizten Blick zu und versucht, sich auf die Umgehungsstraße von Chichester einzufädeln.

»Können wir ein bisschen Musik hören?«, fragt Marcus.

Noch bevor Addie die Play-Taste drückt, weiß ich, was kommt. Sobald ich die ersten Klänge höre, unterdrücke ich ein Lächeln. Diesen Song kenne ich zwar nicht, aber es ist unverkennbar American Country – schon nach den ersten paar Akkorden weiß man, dass man Geschichten über nächtliche Küsse auf Veranden, Ausflüge in irgendwelche Spelunken und lange Fahrten mit hübschen Mädchen auf dem Beifahrersitz hören wird. Addie und Deb stehen seit ihrer Teenie-Zeit auf Country. Früher habe ich Addie damit aufgezogen, was ziemlich scheinheilig von einem Typen ist, auf dessen Langzeit-Playlist fast nur Songs von Taylor Swift stehen. Jetzt kann ich die Klänge eines Banjos nicht mehr hören, ohne daran zu denken, wie Addie in einem alten T-Shirt von mir zu Florida Georgia Line getanzt hat, wie sie bei offenem Autofenster Rodney Atkins' »Watching You« mitgesungen hat, wie sie sich langsam zu der Melodie von »Body Like a Back Road« ausgezogen hat.

»Vielleicht nicht das«, sagt Addie und lässt die Hand über dem Telefon schweben.

»Mir gefällt's! Lass ruhig«, sagt Deb und dreht die Lautstärke auf.

»Was zum Teufel ist das?«, fragt Marcus.

Ich beobachte, wie sich Addies Schultern anspannen.

»Das ist Ryan Griffin«, antwortet Addie. »Es … es heißt ›Woulda Left Me Too‹.«

Ich verziehe das Gesicht. Marcus schnaubt vor Lachen.

»Ach, was?«, sagt er.

»Das ist in den Country Charts«, sagt Addie. Auf der Haut in ihrem Nacken erblüht ein blassrosa Fleck, dessen unregelmäßige Ränder an Blütenblätter erinnern. »Und das werden wir die nächsten acht Stunden hören. Du solltest dich also besser daran gewöhnen.«

Marcus öffnet die Autotür.

»Was zum …«

»Marcus, was zum Teufel …«

Auf der Rückbank entsteht ein Gerangel. Marcus schiebt mich mit dem Ellbogen fort. Die Tür ist zwar nur wenige

Zentimeter geöffnet, doch durch den Wagen fegt ein heftiger Luftstoß. Rodney beugt sich über mich, versucht, den Griff zu fassen und die Tür wieder zuzuziehen. Schließlich klammern sich vier oder fünf Hände an die Wagentür, wir kratzen uns gegenseitig, ich habe Rodneys fettige Haare im Gesicht, und mein Bein ist irgendwie mit Marcus' verknotet …

»Ich trampe!«, schreit Marcus, und ich höre das Adrenalin in seiner Stimme, die Begeisterung darüber, etwas Dummes zu machen. »Lasst mich raus! Das ertrag ich keine acht Stunden! Mach das aus!« Er lacht sogar, als ich ihm so fest auf die Hand schlage, dass meine Handfläche brennt.

»Du bist ja verrückt!«, stellt Rodney fest. »Wir fahren fast hundert Sachen!«

Das Auto schlingert. Ich werfe einen Blick auf Debs Augen im Rückspiegel: Sie hat sie grimmig zusammengekniffen und konzentriert sich darauf, die Spur zu halten. Zu unserer Rechten rauscht ein unendlicher Strom aus grellen Scheinwerfern vorbei und hinterlässt gelblichweiße Streifen in meinem Sichtfeld.

Addie hält den Song an. Marcus schließt die Tür. Nachdem die Musik aus ist, kann man nun jeden Laut im Wagen hören: Rodneys angestrengtes Atmen und das Knarren des Fahrersitzes, als Debbie sich entspannt und zurücklehnt. Das durch das Gerangel ausgeschüttete Adrenalin löst ein erstaunliches Verlangen in mir aus, Marcus eine zu verpassen.

»Was zum Teufel ist mit dir los?«, zische ich.

Da merke ich, wie Addie sich zu mir umdreht – vielleicht überrascht –, doch ehe ich ihren Blick auffangen kann, hat sie ihn wieder auf die Straße gerichtet.

Marcus schluckt und sieht mich von der Seite an. Mir ist klar, dass er es schon bereut, sich danebenbenommen zu haben, aber ich bin zu wütend, als dass mich das besänftigen würde. Nach einem Moment lacht er gezwungen.

»Wir wollen Automusik!«, sagt er. »Mach Springsteen an, okay?«

Addie schweigt eine ganze Weile.

»Deb«, sagt sie schließlich, »bitte fahr an der nächsten Raststätte raus.«

»Musst du mal pinkeln?«, fragt Deb.

»Nein«, antwortet Addie. »Wir müssen Marcus absetzen. Damit er trampen kann. Wie gewünscht.«

Sie drückt die Playtaste, und der Countrysong startet von Neuem.

*Addie*

Die nächste Raststätte ist eine gefühlte Ewigkeit entfernt. Als wir endlich an einer Tankstelle ankommen, muss ich wirklich dringend pinkeln. Und frische Luft schnappen. Plötzlich habe ich das Gefühl, ich würde im kleinsten Auto der ganzen Welt sitzen.

»Setzen wir Marcus wirklich hier aus?«, fragt eine besorgte Stimme hinter mir.

Ich gehe strammen Schrittes von der Tankstelle zu den Toiletten im Rasthof. Wenn ich mich schnell genug bewege, kann Dylan mich nicht einholen und mit mir reden. Bislang habe ich es geschafft, direkten Blickkontakt mit ihm zu vermeiden, seitdem wir alle im Mini sitzen. Und das möchte ich auch die nächsten gut vierhundert Meilen so beibehalten.

Für einen derart unbeholfenen Mann bewegt Rodney sich wirklich schnell. Ich blicke über die Schulter zu ihm.

»Wahrscheinlich nicht, nein«, sage ich. »Marcus macht gern Theater. Am besten erstickt man das schon im Keim, sonst verhält er sich den ganzen Tag wie die Axt im Walde.«

»Woher kennst du ihn?«

Rodney prescht voran, um mir die Tür aufzuhalten, als wir an der Raststätte ankommen. Ich blinzele. Er ist so schlaksig. Er wirkt wie ein Jugendlicher, muss aber schon mindestens dreißig sein.

»Dylan und ich waren mal zusammen.«

»Oh. *Oh*. Oh mein Gott, das ist ja total krass!«, sagt Rodney und presst sich beide Hände auf den Mund.

Ich lache und überrasche mich selbst damit. »Ja, kann man so sagen.«

Ich schnappe mir am Ende des Ganges einige Schokoriegel. Deb und ich haben genug Wegzehrung für uns beide eingepackt, aber Dylan frisst wie ein Scheunendrescher. Wir würden schon in Fareham nichts mehr haben, wenn er die Süßigkeiten wittert.

»Tut mir leid, dass du da irgendwie zwischen die Fronten geraten bist«, sage ich zu Rodney. »Aber es wird schon gehen. Dylan und ich können uns einige Stunden lang wie zivilisierte Menschen benehmen, mach dir keine Sorgen.«

»Ah, also habt ihr euch, ähm, in Freundschaft getrennt?«, fragt Rodney und hält mir einen Einkaufskorb hin. Ich werfe die Schokoriegel hinein, dazu noch fünf Packungen Kekse und einige Tüten voller gemischter Süßigkeiten.

»In Freundschaft? Geht so.«

An dem Abend, als Dylan mich verlassen hat, habe ich ihn angeschrien. Und zwar nicht schreien im herkömmlichen Sinne, sondern ich habe wirklich gebrüllt: Mit weit aufgerissenem Mund zerkratzten die Worte meine Kehle. Ich habe ihm mit den Fäusten gegen die Brust getrommelt und so sehr geschluchzt, bis mein ganzer Körper durchgeschüttelt wurde. Anschließend habe ich drei Tage lang nichts gegessen.

»Sagen wir so: auf eine gewisse Art schon«, antworte ich schließlich.

Als wir wieder zurückgehen, lehnt Dylan an einer Seite des Autos, hat die Arme verschränkt und schaut nach links. Die Sonne geht hinter ihm auf. Er sieht aus, als würde er Reklame für etwas machen. Für eine Indie-Band oder ein teures Parfum. Er sieht immer noch zerzaust und verträumt aus, wie früher, aber er ist inzwischen erwachsener – irgendwie kantiger.

Ich schaue ihn ein kleines bisschen zu lange an, und er blickt ganz kurz zurück, bevor ich mir wieder auf die Füße starre.

»Addie«, sagt er, als wir näher kommen.

Er macht einen Schritt auf mich zu, um mir mit den Taschen zu helfen. Ich drehe mich zur Seite und gehe an ihm vorbei zum Kofferraum.

»Addie, komm schon«, sagt er, dieses Mal ruhiger. »Wir sollten reden. Wir werden den Großteil des Tages zusammen in einem Auto sitzen. Willst du nicht, dass es, ähm, etwas weniger seltsam wird?«

Ich schlage die Kofferraumtür zu. Ich habe die zusätzlichen Snacks gerade eben noch reinbekommen, aber nun sieht man nicht mehr gut aus dem Heckfenster. Dylan und Marcus haben allem Anschein nach wie Mariah Carey gepackt, und dann ist da noch Debs ganzer Abpumpkram für Muttermilch …

»Ich vertrete mir noch ein wenig die Beine«, sagt Rodney. »Wir sehen uns in fünf Minuten, okay?«

Ich hätte das mit dem »in Freundschaft getrennt« nicht bejahen sollen. Er hätte mich nicht mit Dylan allein gelassen, wenn ich gesagt hätte, dass er mein Leben ruiniert hat.

»Addie … kannst du mich nicht einmal anschauen?«

Ich bin mir ehrlich gesagt nicht sicher, ob ich es kann. Wenn ich versuche, ihn anzublicken, tut es mir weh. Es fühlt sich so an, als wären wir zwei gleiche Magnetpole, die sich gegenseitig abstoßen. Stattdessen schaue ich auf die Wiese, wo einige Leute ihre Hunde ausführen. Ein kleiner Pudel läuft im Kreis herum, ein Dackel trägt ein lächerliches pinkes Geschirr. Ich sehe Marcus, der sich zu einem Deutschen Schäferhund hinunterbeugt. Ich hoffe, der Hund ist mürrisch. Marcus soll nicht gebissen werden, aber ein wenig anknurren könnte nicht schaden.

»Wo ist Deb?«, frage ich.

»Deine Mum hat sie wegen Riley angerufen.«

Ich schaue ihn kurz an. »Sie hat dir von Riley erzählt?«

Sein Blick wird sanft. »Erst jetzt gerade. Ich dachte, du … Ich hätte gedacht, du würdest mir so etwas erzählen. Also dass Deb ein Baby bekommen hat.«

»Wir haben vereinbart, dass wir keinen Kontakt haben.«

»*Du* hast das gesagt, nicht wir.«

Ich runzele die Stirn.

»Sorry«, sagt er. »Sorry.«

Ich spiele mit meinen Armbändern herum. Meine Nägel sind für die Hochzeit frisch lackiert, aber sie sind so kurz, dass sie ein wenig lächerlich aussehen. Kurze rote Stumpen.

»Ich freue mich auf jeden Fall sehr für Deb«, sagt Dylan, als ich nicht antworte.

»Und du bist ein wenig überrascht?«

Er lächelt, und ich grinse auch, bevor ich es mir verkneifen kann.

»Willst du nicht wissen, wer der Vater ist?«

»Ich vermute mal, sie hat keinen gebraucht«, sagt Dylan. »Wie Gaia, weißt du, als sie Uranus geboren hat?«

Ich komme einfach nicht gegen das Lächeln an. »Du weißt genau, dass ich das nicht weiß«, entgegne ich trocken.

»Ach stimmt«, sagt er rasch. Er streicht sich das Haar aus der Stirn, als wäre es immer noch lang genug, um ihm in die Augen zu fallen – ein alter Tick. »Griechische Mythologie, eine sehr hochtrabende und bescheuerte Antwort, verzeih. Ich wollte nur sagen, dass Deb nie einen Mann gebraucht hat, oder? Also, nicht dass *irgendwer* einen Mann braucht, aber … ach verdammt …«

»Alle ab ins Auto!«, ertönt eine Stimme hinter uns. Marcus drängelt sich an uns vorbei und öffnet die Tür zu den Rücksitzen. »Vielleicht magst du den Motor schon einmal starten. Rodney kommt gerade angaloppiert.«

Ich drehe mich um, Deb taucht auf und steckt sich das Telefon in die Tasche ihres Kapuzenpullovers. Sie klettert hinter Marcus ins Auto und ich setze mich auf den Fahrersitz. Ich bekomme Panik: Heißt das, Dylan kommt zu mir nach vorne?

»Was veranstaltet Rodney da?«, fragt Deb.

Ich schaue zur Wiese hinter mir. Rodney rennt zu uns, er scheint nur aus langen Armen, Beinen und wehendem Haar zu bestehen. Hinter ihm hetzt der Deutsche Schäferhund mit seinem Besitzer im Schlepptau.

»Na, grandios«, murmele ich, klettere ins Auto und fummele den Schlüssel ins Zündschloss.

Marcus schreit auf, während Rodney schwer atmend auf die Rückbank klettert.

»Sorry!«, ruft er. »Sorry! Sorry!«

Deb quietscht laut auf. »Pass mit deinen Händen auf, bitte«, sagt sie. »Diese hier war sehr nah an meiner Vagina.«

»Oh mein Gott, das tut mir so leid«, sagt ein atemloser Rodney verschämt.

Dylan klettert auf den Vordersitz. Er versucht wieder, mich anzuschauen.

»Nichts passiert«, erklärt Deb. »Ich habe da ein Baby rausgequetscht, so schnell geht die nicht kaputt.«

»Oh, nein«, sagt Rodney. »Oh, ich wollte nicht – es tut mir so leid.«

»Ich habe vergessen, wie sehr ich dich mag, Deb«, erklärt Marcus.

»Wirklich?«, fragt Deb interessiert. »Ich mag dich nämlich überhaupt nicht.«

Ich fahre von der Tankstelle runter. Ich kann nicht widerstehen – ganz kurz wandert mein Blick zu Dylan auf dem Beifahrersitz.

»Nur noch dreihundertachtundfünfzig Meilen«, sagt er so leise, dass nur ich ihn hören kann.

Marcus erklärt Deb, dass er »häufig missverstanden« werde und sich »gerade mitten in einer Wandlung« befinde, »wie ein Lebemann aus einem schlecht geschriebenen Roman aus dem neunzehnten Jahrhundert«.

»Dreihundertachtundfünfzig Meilen«, sage ich. »Das vergeht sicher wie im Flug.«

# *Dylan*

Wir rasen über die A34. Die Hitze fühlt sich jetzt schon zäh-flüssig wie Honig an. Es wird ein prächtiger Sommermorgen: Der Himmel ist tiefblau, und die sonnenverwöhnten Felder jenseits der Straße leuchten gelb. Es ist ein Tag, der nach Crushed Ice und Sonnencreme schmeckt, nach reifen Erdbeeren und dem leichten Rausch von zu vielen Gin Tonics.

»Bei diesen Temperaturen schmilzt die Schokolade«, sagt Addie und schaltet die Klimaanlage so kühl es geht.

Ich horche auf.

»Schokolade?«

»Nicht für dich«, sagt sie, ohne den Blick von der Straße zu lösen.

Ich lasse mich in den Sitz zurücksinken. Ich dachte, wir hätten leichte Fortschritte gemacht – vorhin hat sie sich zu mir umgedreht und mir halb zugelächelt, es war wie eine winzige Kostprobe von einer unbeschreiblichen Delikatesse, und mein Herz schlug schneller. Ein echtes Lächeln von Addie ist wie ein Preis: schwer zu bekommen und wenn man es ergattert hat, absolut überwältigend. Beunruhigenderweise scheint sich daran in den letzten zwei Jahren nichts geändert zu haben. Doch jetzt gibt sie sich wieder kühl. Es ist eine halbe Stunde her, dass wir die Raststätte verlassen haben, und bislang hat sie kein Mal direkt mit mir geredet. Ich habe kein Recht, mich zu beschweren, und es dürfte mich nicht wütend machen, doch das tut es – es kommt mir kleinlich vor, und ich bilde mir gern ein, dass wir das nun wirklich nicht sind.

Ich verändere meine Haltung, und sie sieht zu mir herüber, dann dreht sie das Radio lauter. Es spielt scheppernd irgendeinen Pop-Song, etwas Schwungvolles und Monotones, ein Kompromiss zwischen Addies und Marcus' Geschmack. Bei dieser Lautstärke kann ich das geistlose Geschnatter von der Rückbank kaum verstehen. Als Letztes hörte ich, wie Rodney Deb die Regeln von Quidditch erklärt hat, gelegentlich unterbrochen von amüsierten Einwürfen von Marcus.

»Na, los«, sagt Addie. »Was auch immer du sagen willst, spuck's schon aus.«

»Bin ich so leicht zu durchschauen?«, frage ich so locker wie möglich.

»Ja.« Sie klingt aufrichtig. »Bist du.«

»Ich …« Ich schlucke. »Du bestrafst mich immer noch.«

Kaum habe ich die Worte ausgesprochen, bereue ich es.

»Ich bestrafe dich?«

Die Klimaanlage ist schwach, die warme Luft streicht vergeblich über mein Gesicht. Lieber würde ich die Fenster öffnen, aber Marcus hat sich vorhin beschwert, dass der Wind seine Frisur ruiniere, und mir fehlt die Geduld, diese Diskussion noch mal zu führen. Ich drehe leicht den Kopf, sodass der lauwarme Luftstrom auf meine Wange trifft – so kann ich Addie beim Fahren beobachten. Ihre Ohrläppchen, die knapp unter ihrem Haar hervorlugen, sind gerötet. Sie hat jetzt eine Sonnenbrille aufgesetzt, die andere Brille benutzt sie als Haarreif, um die längeren Ponyfransen zurückzuhalten. Am Ansatz ist ein Hauch ihrer natürlichen Haarfarbe zu erkennen.

»Du sprichst immer noch nicht mit mir.«

»Damit wollte ich dich nicht bestrafen, Dylan. Eigentlich ging es gar nicht um *dich*. Ich brauchte Abstand.«

Ich blicke auf meine Hände hinunter. »Ich dachte wohl, den würdest du irgendwann nicht mehr brauchen.«

Sie sieht mich an, doch hinter der dunklen Sonnenbrille kann ich ihren Blick nicht erkennen.

»Hast du gewartet?«, fragt sie.

»Nein ... nicht wirklich *gewartet*, aber ...«

Ich verstumme, und Schweigen breitet sich zwischen uns aus. Kurz nehme ich den Gesichtsausdruck der Person im Nachbarwagen wahr – einer Frau mittleren Alters in einem Taxi, die mit großen Augen unser Auto anstarrt. Ich drehe mich nach den anderen um und versuche, uns mit ihren Augen zu sehen. Ein zusammengewürfelter Haufen fröhlicher junger Leute in den Zwanzigern, an einem Feiertag morgens um halb sieben in einem knallroten Mini.

Sie hat ja keine Ahnung. Wenn man dunkle Geheimnisse in Energie umwandeln könnte, bräuchten wir kein Benzin – der Groll in diesem Wagen würde bis nach Schottland reichen.

# DAMALS

# Addie

Ich starre an die Decke der Hausmeisterwohnung. Sie liegt direkt unter Cherrys Villa – hat dieselbe Größe wie das Erdgeschoss, nur eben im Keller. Sie ist schön, wenn es einem egal ist, dass man keine Fenster hat. Aber wenn das bedeutet, den ganzen Sommer bei freier Kost und Logis in Südfrankreich zu verbringen und dafür noch ein paar hundert Euro zu verdienen, macht mir die Fensterlosigkeit gar nichts aus.

Heute Morgen ist eine Familie angereist, Freunde von Cherrys Eltern. Sie haben sich am Flughafen ein Taxi genommen, was gut ist, weil Deb und ich uns gestern Abend drei Flaschen Wein auf dem Balkon des großen Schlafzimmers reingestellt und dabei die Sterne betrachtet haben, bis es wieder hell wurde. Ich darf wahrscheinlich immer noch nicht fahren, und es ist fast schon Mittag.

Ich bin mir ziemlich sicher, dass dies der Sommer meines Lebens ist. Es fühlt sich so an, als würde epische Hintergrundmusik spielen oder als hätte man die Sättigung hochgeregelt. Diesen Sommer bin ich nicht die kleine Addie, die ewige Zweite. Ich bin nicht mehr das Mädchen, das man vergisst, wenn man seinen Freunden erzählt, wer mit im Pub war. Ich bin nicht diejenige, die geghostet wird, weil man eine Bessere kennengelernt hat. Ich kann sein, wer ich sein möchte.

Das ist einfach *mein* Sommer. Aber das sieht man gerade nicht, weil ich zu verkatert bin, um mich viel zu bewegen.

Ich schaue genervt zur Decke. Irgendetwas stimmt nicht mit dieser neuen Familie. Die Hausmeisterwohnung ist nicht schallisoliert – wir wissen immer ziemlich genau, was oben vor sich geht. Mehr als uns lieb ist normalerweise. Aber gerade kann ich kaum etwas hören. Die Leute sind definitiv hier – das Taxi hat mich aufgeweckt, als es vor einiger Zeit vorgefahren ist. Und ich höre Bewegungen. Aber die sind … gedämpft. Als würde sich nur *ein* Mensch bewegen.

Ein Paar Füße geht durch die Küche zum Weinkühler und wieder zurück. Eine Dusche läuft. Ein Fenster wird offen gelassen, sodass eine Schlafzimmertür zuschlägt, weil der Mistral durchzieht.

Ich wecke Deb um Viertel vor zwei nachmittags. (Sie darf heute ausschlafen.) Sie schlurft in einer ausgeleierten Unterhose und dem Band-Shirt einer französischen Gruppe, das sie mal nach einem One-Night-Stand in Avignon eingesteckt hatte, in die Küche, dann hält sie inne und lauscht.

»Wo sind sie denn alle?«, fragt sie.

»Keine Ahnung. Ich bin mir ziemlich sicher, dass nur ein Mensch da ist.«

Sie gähnt und nimmt sich die Kaffeetasse, die ich ihr hinhalte. »Hm. Seltsam. Vielleicht hat der Typ seine ganze Familie auf der Reise abgemurkst.«

Wir können anhand der Schritte immer sagen, ob es sich um einen Mann oder eine Frau handelt. Männer trampeln.

»Das hältst du für wahrscheinlich?«, frage ich.

Deb zuckt die Schultern und säbelt an dem Brot von gestern herum. Krümel fliegen zur Seite, wie Späne in einer Sägerei.

»Was weißt du sonst noch?«

»Vielleicht kommen die anderen später«, sage ich. »Vielleicht sind sie noch nach Nizza gefahren, um *gute Bekannte* zu besuchen.«

Das ist einer dieser Sommer-Insider, die nächstes Jahr nicht mehr witzig sein werden, Deb und mich dieses Jahr allerdings zum Lachen bringen. Seitdem wir hier wohnen, sammeln wir die Phrasen, die wir durch die Decke hören, oder die von der Terrasse zu uns geweht werden: *gute Bekannte, Dekor, göttlich.* Ich habe noch nie zuvor solche Menschen wie die Gäste der Villa Cerise getroffen. Sie fragen nicht, wie teuer etwas ist, bevor sie es kaufen. Sie trinken Champagner wie ich Wasser. Ihnen gehören mehrere Häuser und Tiere, und sie haben zu wirklich allem eine Meinung. Es ist fast schon zu einfach, sich über sie lustig zu machen.

»Cherrys Mum hätte mir geschrieben, wenn sie sich verspäten«, erklärt Deb.

Ich verziehe das Gesicht. *Ach ja, stimmt.* Deb streicht sich Butter aufs Brot, so dick wie eine Scheibe Käse.

»Ich glaube nicht, dass er alt ist«, sage ich. »Er geht zu schnell.«

Deb zieht die Augenbrauen fragend hoch. »Vielleicht gehört er zum Personal?«

Das haben wir auch gelernt: *Personal* als Berufsbezeichnung.

Unser geheimnisvoller Sologast bewegt sich in der Küche gleich über unseren Köpfen. Wir halten inne, ich mit einem Glas Orangensaft halb am Mund, Deb mit Butter an der Nase.

Der Kühlschrank oben geht auf. Etwas klirrt. Der Kühlschrank geht wieder zu.

»Er trinkt tagsüber«, sagt Deb. Sie denkt nach. »Wenn er die ganze Woche über allein hier ist, müssen wir dann wirklich beide hier sein?«

»Willst du mich schon wieder versetzen?«

Deb blickt mich stirnrunzelnd an und versucht herauszufinden, ob es mir wirklich etwas ausmacht. Ich bin mir nicht sicher, um ehrlich zu sein. Wir hatten geplant, dass wir – solange wir hier sind – Frankreich unsicher machen. Aber wie sich herausstellte, ist Deb abenteuerlustiger als ich. Ich verstehe es ja: Sie ist viel schneller gelangweilt als ich. Und mir gefällt diese Villa – der Infinity Pool, die Weinberge und wie die Luft frühmorgens duftet. Deb ist nicht so rührselig wie ich. Für sie ist es nur ein Haus, wenn auch ein großes.

Manchmal gefällt mir der zusätzliche Platz, wenn sie weg ist. Aber ich hasse es auch irgendwie, zurückgelassen zu werden.

»Außerhalb von Nîmes lebt ein Typ in einem leerstehenden Haus. So ähnlich wie eine Kommune«, sagt Deb. »Aber wie eine Partykommune. Nicht wie ein Kloster. Soll ich da etwa nicht hinfahren?«

Deb ist immer schon ein Alles-oder-nichts-Typ gewesen. Ich drehe mich irritiert weg und belle: »Natürlich solltest du fahren«, über die Schulter, während ich in den Kühlschrank starre.

»Wenn du mich hier brauchst, bleibe ich«, sagt sie.

Ich blicke zu ihr. Sie sieht total aufrichtig aus. Man kann Deb nicht böse sein. Sie möchte einfach irgendwo anders sein, und in ihrem Kopf gibt es keinen Grund dafür, warum mich das betreffen sollte, wenn ich sie hier nicht brauche.

»Nein, fahr du nur«, sage ich und schließe den Kühlschrank. »Such dir einen sexy französischen Hippie.«

Wir halten wieder inne. Oben ist unser Sologast aus der Küche auf die Terrasse getreten. Er redet. Murmelt. Ich kann nicht verstehen, was er sagt.

»Spricht er mit sich selbst?«, fragt Deb und neigt den Kopf. »Vielleicht ist ein Verrückter in die Wohnung eingedrungen. Vielleicht haben wir einen Hausbesetzer.«

Ich gehe näher zur Tür und öffne sie. Die Villa steht auf einem Berg – unsere Tür ist an der rechten Gebäudeseite versteckt, unterhalb eines Wegs, der von der Küche zu der erhöhten Terrasse mit dem Infinity Pool führt.

Durch den Spalt in der Tür sehe ich den Unterkörper des Gasts, wie er an der Balustrade um die Terrasse entlanggeht. Er trägt graue Shorts und keine Schuhe. Eine halbvolle Bierflasche schlägt bei jedem Schritt gegen seinen Oberschenkel. Seine Beine sind leicht gebräunt. Er sieht nicht wie ein Hausbesetzer aus.

»Was …«

Ich bringe Deb zum Schweigen und versuche zu lauschen. Er rezitiert etwas.

»*Hülfe sich der Held bewußt In blut'gem Kampf und grimmen Streites Noth, Zu dem Fee Gloriana ihn entbot.*«

»Liest er Shakespeare vor, oder was?«, fragt Deb gleich neben meinem Ohr. Sie schiebt mich zur Seite und öffnet die Tür weiter.

»Vorsicht, Deb«, zische ich. Hausmeister sollen ihre Gäste nicht ausspionieren. Ich hätte keinen besseren Ferienjob finden können. Immer wieder überkommt mich die Angst, dass eine von uns es so schlimm vermasseln wird, dass jemand Cherrys Eltern Bescheid gibt.

»*Die Herrscherin im holden Zauberreich. So eilt er mutig, wie Gefahr auch droht, Das Ungethüm dem kein's an Stärke gleicht: Den Drachen zu …* Fuck.« Der Mann hält inne und hebt sein Bier hoch. »Verdammte verfickte Scheiße.«

Seine Aussprache klingt vornehm – er hört sich wie Hugh

43

Grant an. Deb legt sich die Hand über den Mund, um ihr Lachen zu dämpfen. Der Mann schweigt. Ich atme tief ein und ziehe sie von der Tür zurück.

»Komm schon.« Ich führe sie zurück ins Wohnzimmer. »Wir sollten ihn nicht gleich am ersten Tag ärgern, wer er auch sein mag.«

»Ich glaube, er ist sportlich«, erklärt Deb und lässt sich aufs Sofa fallen. Wie der Großteil der Möbel in der Wohnung stammt auch die Couch aus der Villa und wurde irgendwann runtergestellt, als Cherrys Mum das Haus oben neu einrichten wollte. Das Möbel ist mit pinkfarbenem Samt bezogen, und auf der rechten Armlehne prangt ein riesiger Rotweinfleck – an dem wir Gott sei Dank unschuldig sind.

»Schlussfolgerst du das wegen seiner Füße?«

Deb nickt. »Füße sind dafür ein guter Indikator.«

Ich habe gelernt, diese Kommentare von Deb einfach zu übergehen, weil auf Nachfragen ganz viel seltsames Zeug aus ihrem Mund kommt.

»Bleibst du dann hier? Wo du jetzt seine sexy Knöchel gesehen hast?«

Deb denkt nach, hält inne und schüttelt dann den Kopf. »Schicke Boys in Chino-Shorts kann ich auch zu Hause haben«, sagt sie. »Ich wünsche mir einen französischen Hippie mit langer Mähne.«

»Glaubst du, dass es dich irgendwann langweilen wird?«, frage ich sie und drücke mir ein Kissen an die Brust.

»Was soll mich langweilen?«

»Immer nur Affären zu haben.«

Deb streckt die Beine auf dem Sofa aus. Der Nagellack auf ihren Zehen ist abgeblättert, und sie hat einen blauen Fleck auf jedem ihrer langen braunen Schienbeine. Deb hat die Hautfarbe ihres Vaters geerbt – ihr Großvater väterlicherseits kam aus Ghana –, während ich schneeweiß bin. Ich finde es komisch, wenn Leute sagen, dass wir *Halbschwestern* sind. Deb ist meine Seelenverwandte, meine andere Hälfte, der einzige Mensch, der mich versteht. Ich bin ihr Anker, zu dem sie immer wieder zurückkehrt. Von *halb* kann bei uns keine Rede sein.

In unserer Kindheit habe ich es immer furchtbar gefunden, wenn Debs Vater zu Besuch kam. Er machte mit ihr einen Ausflug, nur die beiden, sie fuhren in den Park oder nahmen den Bus in die Stadt. Dad sah dann immer verkniffen und traurig aus, bis Deb wieder nach Hause kam und mit ihm Modelleisenbahnen bauen wollte, dann wurde er wieder fröhlich. Es hört sich zwar schlimm an, aber ich war froh, als sich Debs Vater mit Mum zerstritt und er schließlich, als sie ungefähr acht Jahre alt war, gar nicht mehr kam. Wie für Deb typisch, hatte sie ihren biologischen Vater abgeschrieben. Bei Deb bekommt man keine zweiten Chancen.

»Warum sollte ich mich langweilen?«, fragt sie jetzt. »Es ist doch jedes Mal etwas komplett Neues.«

»Aber willst du nicht eines Tages sesshaft werden?«

»Sesshaft werden? Was soll sich denn bei mir setzen? Ich weiß, wer ich bin und was ich will. Ich brauche keinen Mann, der mich vervollständigt, oder was auch immer sie machen sollen.«

»Aber was ist mit Kindern? Willst du keins?«

»Nein.« Sie kratzt sich am Bauch und hebt den Kopf, um an die Decke zu starren. »Da bin ich mir ganz sicher. Keine Babys. Niemals.«

Ich winke Deb nach, als sie mit ihrem launischen und zerbeulten Mietwagen nach Nîmes braust – ich weiß nur, dass sie losfährt, weil ich die Zündung des Motors höre. Deb sagt nicht tschüss. Sie hasst Umarmungen, deswegen gefallen ihr Abschiede nicht, weil die Leute sie immer zu erwarten scheinen. Seit unserer Kindheit haben wir uns immer per Nachricht verabschiedet, nachdem eine von uns schon weg war. Ich mag es irgendwie – sonst schreiben wir uns fast nie, das fällt besonders auf, seitdem jeder ständig WhatsApp benutzt, deswegen sind unsere Nachrichten immer schön.

*Tschüss, Liebes, ruf mich an, wenn du mich brauchst,* lautet meine Nachricht an sie.

*Dito, Kiddo,* schreibt sie. *Wenn du mich brauchst, komme ich.*

Normalerweise stellen Deb und ich uns den Gästen gleich nach ihrer Ankunft vor, doch dieses Mal entscheide ich mich, bis zum Abend zu warten. Man muss die Sache nicht unnötig verkomplizieren, indem man zwei Hausmeisterinnen vorstellt, von denen eine verschwinden wird.

Ich gehe durch den Dienstboteneingang zur Villa. Eine enge Wendeltreppe führt von unserer Wohnung zu einem kleinen Vorraum der Küche des Herrenhauses. Die Tür zwischen Küche und Treppe ist von unserer Seite versperrt, aber ich klopfe dennoch laut. Mir ist vorher schon einmal etwas Unangenehmes passiert: Ich habe einen bierbäuchigen Schotten dabei erwischt, wie er nackt ein paar Cracker snackte.

»Hallo?«, rufe ich durch die Tür. »Mr. Abbott?«

Keine Antwort. Ich schließe die Tür auf und trete vorsichtig ein. Niemand da. Die Küche ist eine Müllkippe; Baguette-Enden, leere Flaschen, Käserinde, ein ganzes Stück Butter, das in der Abendsonne schwitzt. Ich schnalze missbilligend mit der Zunge, dann halte ich inne und höre auf, weil Schnalzen genau das ist, was meine Mutter tun würde.

Ich nage beim Aufräumen an einem der Baguette-Enden rum. Wer dieser Typ auch sein mag, er ist daran gewöhnt, dass jemand hinter ihm herputzt. Und er ist betrunken, was man aus den vielen Flaschen schlussfolgern kann. Ich schlucke den letzten Bissen Brot hinunter und halte inne. Draußen ist es ruhig, bis auf das Zirpen der Grillen. Ich bin hier im Haus nicht an Stille gewöhnt. Manchmal verlässt eine Familie einen Tag lang das Haus, aber normalerweise sind sie gegen Abend wieder da und die meiste Zeit über ist Deb ohnehin bei mir.

Das erschreckt mich ein wenig. Nur ich und ein seltsamer Betrunkener im Haus. Ich zähle die Flaschen. Fünf Bier- und eine halbleere Weinflasche.

Ich schaue mich noch einmal in der Küche um, strecke den Kopf hinaus, um auf die Terrasse zu schauen, dann durchquere ich den großen Eingangsbereich der Villa.

»Hallo?«, rufe ich diesmal nicht ganz so laut.

Hier ist es kühler, weil die großen Flügeltüren fest geschlossen sind und die Wärme draußen halten. Auf der letzten Treppenstufe liegt eine Jacke. Ich hänge sie wieder ans Treppengeländer. Sie besteht aus weichem Jeansstoff und ist mit Fleece gefüttert – dort, wo er vorher war, muss es kalt gewesen sein. Hier würde man darin eingehen. Als ich sie aufhänge, steigt mir der Geruch in die Nase: irgendwie nach Orange und Holz, männlich.

»Mr. Abbott?«

Ich gehe durch die Empfangshalle, den Speisesaal, den Ballsaal, das Wohnzimmer. Alles sieht noch genauso aus, wie wir es hinterlassen haben, als wir die Villa für die neuen Gäste hergerichtet haben. Dann ist er oben. Wir gehen nie hoch, wenn wir Gäste haben, es sei denn, wir sollen für sie einen verstopften Abfluss reinigen oder sonst etwas erledigen. Die Schlafzimmer sind ihr privater Bereich.

Ich bin irgendwie erleichtert. Ich gehe wieder zur Treppe

Richtung Personalwohnung zurück und schließe die Tür hinter mir. Die untere Wohnung wirkt so wie immer: gemütlich, vollgestellt und ohne einen Strahl natürlichen Lichts. Ich versinke im pinkfarbenen Samtsofa und schalte den Fernseher ein. Irgendein französisches Drama, zu rasant, als dass ich folgen könnte, aber eigentlich habe ich es nur wegen des Hintergrundrauschens angestellt. Vielleicht hätte ich Deb bitten sollen zu bleiben. Ich hasse dieses Gefühl der Verlorenheit, wenn ich alleingelassen werde. Ich stelle den Fernseher lauter.

Ich werde morgen noch einmal versuchen, Mr. Abbott Hallo zu sagen. Aber nicht zu früh. Er wird seinen Rausch ausschlafen müssen.


Er weckt mich am nächsten Tag durch das Schlagen seiner Fensterläden. Er schafft es anscheinend nicht, sie festzustellen. Ich schnaube, ziehe mir die Bettdecke über den Kopf. Der Mistral ist stark – bald wird eine Scheibe zerdeppern, wenn die Läden weiterhin vom Wind herumgeworfen werden.

Er spricht in der Küche mit sich selbst. Ich verstehe es durch die Decke nicht, aber an seiner Betonung erkenne ich, dass er etwas rezitiert.

Ich schaue auf mein Handy. Es ist acht Uhr morgens – zu früh, um hochzugehen und mich vorzustellen. Das seltsame Gefühl der Verlorenheit, das mich gestern Abend erfasst hat, ist wieder weg und ich freue mich über den zusätzlichen Platz im Doppelbett. Sich mit Deb ein Bett zu teilen ist wirklich nervig. Neulich hat sie im Schlaf über Politiker der Tory-Partei gesprochen.

Ich lehne mich zurück und lausche unserem Sologast, der oben im Haus herumklappert. Ich frage mich, wie er wohl aussieht. Ich habe noch nicht viel von ihm gesehen, im Grunde nur von der Hüfte abwärts, und ich habe die Stimme gehört. Ich vermute, er hat dunkle Locken und braune Augen, Stoppeln vielleicht, und ein weites Hemd. Und er trägt bestimmt ein Erbstück an einer Kette um den Hals.

Er singt einige Zeilen von einem Popsong, an den ich mich noch halb erinnere. Ich grinse zur Decke. Er trifft keinen einzigen Ton.

Als ich aufstehe, ist es halb zehn und er sitzt mit seinem Kaffee auf der Terrasse. Ich habe die Kaffeemaschine und seine Schritte auf dem Weg draußen gehört, bevor ich die Energie aufgebracht habe, mich aus den Laken zu schälen. Ich denke über mein Outfit nach – Shorts, Rock, Kleid? Schließlich bin ich genervt von mir selbst und schnappe mir ein Tanktop und die Shorts von gestern vom Boden und binde mein Haar mit einem Armband zu einem Dutt.

Auf der Terrasse keine Spur von Mr. Abbott. Kein Kaffeebecher, den hat er wohl mitgenommen, wo immer er auch sein mag. Ich blicke über die trockene, staubige Wiese und die Beete, um die sich Viktor der Gärtner jeden Donnerstag im Schweiße seines Angesichts kümmert, aber auch auf dem Grundstück ist niemand zu sehen. Habe ich mich vielleicht verhört? Ich gehe in die Küche und löse den Dutt wieder.

Heute ist es ordentlicher. Ich finde eine Nachricht.

Hallo, lieber Hausgeist. Das Chaos von gestern Abend tut mir leid, ich war völlig in Gedanken. Ich bin jetzt unterwegs, aber vielleicht könnten Sie während meiner Abwesenheit einen Blick auf die Fensterläden in meinem Schlafzimmer werfen. Ich bekomme einfach nicht heraus, wie ich sie befestigen kann, sodass sie nicht mehr ständig zuschlagen. Das macht mich ganz verrückt.
Dylan Abbott

Ach so, das macht *ihn* also verrückt. Ich verdrehe die Augen, knülle die Nachricht zusammen und stopfe sie in meine Hosentasche. Für die Fensterläden muss man nicht studiert haben. Wenn er sie nur zehn Sekunden lang angeschaut hätte, wüsste er, wie man sie einhängt, damit sie geöffnet bleiben. Trotzdem gehe ich zu seinem Schlafzimmer, um nachzusehen. Ich weiß, welches er sich ausgesucht hat. Ich bin inzwischen ziemlich gut darin zu erraten, welche Türen geöffnet und geschlossen werden. Badezimmer drei und vier sind schwierig zu erkennen, und manchmal verwechsele ich das achte und sechste Schlafzimmer, aber beim Rest macht mir niemand etwas vor.

Er hat sich das beste Zimmer im Haus ausgesucht, die Suite, wo Deb und ich vorgestern auf dem Balkon die Sterne betrachtet haben. Dort steht ein Himmelbett mit schwerem blauem Damast, die riesigen Fenster bieten einen traumhaften Blick auf die Weinberge. Das Bett ist ungemacht, und seine Klamotten hängen unordentlich an der Badezimmertür, als hätte er sie ausgezogen und wäre dann duschen gegangen. Das Zimmer riecht genauso wie die Jacke: nach Orange, Moschus und Mann.

Ich öffne ein Fenster. Mit den Fensterläden ist natürlich alles in Ordnung, da gibt es keine Überraschung. Ich hänge sie für ihn ein und überlege mir, eine Antwort auf seine Nachricht zu schreiben, aber was soll darin stehen? *Schauen Sie sich die Fensterläden an, und machen Sie es das nächste Mal so?* Ich stelle mir vor, wie ich das mache und mit *Hausgeist* unterschreibe, aber nein. Die Sommer-Addie ist kein Geist. Stattdessen hauche ich aus einer Laune heraus auf das Fenster und schreibe meinen Namen auf die Scheibe. *Adeline*. Kein Kuss.

Er kommt so lange nicht zurück, dass ich mich in den Pool wage – Cherrys Mum sagt, wir können ihn benutzen, wenn die Gäste nicht da sind. Ich bin wieder in der Wohnung und wringe gerade meine Haare im Waschbecken aus, als es an der Tür klopft.

Ich blicke an mir hinunter. *Ups.* Nasser Bikini, sonst nichts. Ich eile ins Schlafzimmer und wühle im Kleiderschrank – völlig sinnlos, weil alle guten Sachen auf dem Boden liegen oder in der Wäsche sind. Es klopft wieder. Mist. Ich schnappe mir ein oranges Stoffknäuel – ein Swingkleid ohne auffällige Flecken, das geht – und schlüpfe hinein, während ich zur Tür presche.

Ich öffne sie, und da steht er – der Mann von oben. Ich habe ihn mir völlig anders vorgestellt. Seine Augen sind das Erste, was mir auffällt: Sie sind hellgrün, fast gelb und sehen ein wenig verschlafen aus. Seine Wimpern sind viel länger als die der meisten anderen Männer und sein Haar ist strubbelig und braun mit sonnengebleichten Strähnen. Das Einzige, womit ich recht hatte, ist das Hemd: Es ist aus hellem Baumwollstoff, zerknittert und viel zu weit aufgeknöpft.

Kein Familienschmuck hängt ihm um den Hals, aber er trägt einen goldenen Siegelring am kleinen Finger. Hinter ihm sehe ich meine nassen Fußabdrücke, die vom Pool zur Vordertür der Wohnung führen.

»Oh«, sagt er, wirft sein Haar zurück und muss zweimal hinsehen. »Hallo.«

»Hi.« Das *Mr. Abbott* am Ende des Satzes spare ich mir. Es fühlt sich seltsam an, einen Mann in meinem Alter mit *Mister* anzusprechen. Aus meinem nassen Haar tropft es mir auf den Rücken, und ich bin dankbar für die Abkühlung – ich bin nervös. Dieses ganze Hin- und Hergeflitze.

Er lächelt langsam und verhalten. »Ich hatte gedacht, der Hausgeist wäre ein runzeliger alter Mann.«

Ich lache. »Warum?«

Er zuckt die Schultern. Die Nervosität ist unangenehm – vielleicht liegt es an ihm, die grünen Augen, das aufgeknöpfte Hemd.

»Weil sich Hausgeist einfach … runzelig anhört.«

»Na ja, du entsprichst aber auch nicht gerade meinen Vorstellungen.« Ich richte mich ein wenig auf. »Bei *Die Familie Abbott*, denkt man einfach … ach, ich weiß nicht … an mehr als einen Menschen?«

Er verzieht das Gesicht. »Ja. Genau. Der Rest der Familie ist abgehauen. Deswegen musst du leider mit mir vorliebnehmen. Vielen Dank, dass du meine Fensterläden repariert hast, übrigens. Du bist eine Wundertäterin.«

»Da muss man nur …«, ich spreche nicht weiter. »Gern geschehen.«

Wir blicken uns an. Ich spüre meinen Körper ganz genau: Wie ich meine Schultern halte, wie die Nässe des Bikinis langsam durch mein Kleid dringt. Er schaut mich die ganze Zeit über an. Ein langsames, selbstbewusstes Starren, das einen in einer Bar in seinen Bann zieht, während man auf einen Drink wartet. Es sieht ein wenig zu einstudiert aus, ein wenig zu reflektiert. Als hätte er jemand anderen gesehen, der es macht, es selbst aber noch nie probiert.

»Wobei kann ich dir behilflich sein?«

Ich zupfe an meinem Kleid. Es klebt mir am Bikini.

»Also, zum einen habe ich meinen Schlüssel verloren.«

Er hört kurz auf zu starren und sieht jungenhaft aus. Viel besser. Er ist niedlich, auf eine verwuschelte und unglückliche Art. Wie ein Yorkshire-Terrier-Welpe. Oder das Mitglied einer X-Factor-Boyband vor ihrem großen Durchbruch.

»Mit Schlüsseln bin ich ganz schlecht«, sagt er.

»Sicher, ich kümmere mich darum.«

»Danke. Das ist total lieb. Und …« Er hält inne und schaut mich an, als hätte er sich gerade erst dazu durchgerungen: »Ich suche nach jemandem«, sagt er.

»Du … was meinst du damit?«

»Ich versuche, jemanden zu finden, und ich dachte, du könntest mir vielleicht helfen.«

Neugierig lege ich den Kopf schief. Mein Herzschlag geht etwas schneller. Vielleicht ist er tatsächlich total niedlich. Seine Augen wandern zu den nassen Flecken auf meinem Kleid und dann wieder zu meinem Gesicht. Alles ganz schnell, als hätte er nicht gucken wollen und mache sich Sorgen, dass ich es bemerke. Ich presse die Lippen aufeinander, um ein Lächeln zu unterdrücken. Ich frage mich, ob er entspannter ist, wenn er nüchtern ist, oder ob er immer so ist.

»Hast du ein Auto?«, fragt er.

Ich nicke.

»Meinst du, du könntest mich wo hinfahren?«

# Dylan

Mit ihren nassen dunklen Haaren und den blauen Augen sieht sie aus wie ein Wassergeist, der sich hier in dieser kleinen Wohnung unter dem Haus versteckt ... Es ist, als hätte ich sie ans Licht befördert. Als hätte sie darauf gewartet, dass ich sie aus ihrem fensterlosen Dasein befreie.

Möglich, dass ich etwas zu viel getrunken habe. Hoffentlich merkt sie das nicht. Ich versuche, sie freundlich anzusehen, nicht anzüglich. Nachdem ich zum Mittagessen jedoch eine dreiviertel Flasche Wein getrunken habe, während ich in den Hügeln über der Villa Philip Sidneys *Astrophil und Stella* gelesen habe, muss ich gestehen, dass ich meinem Urteil nicht ganz traue.

Als ich auf dem Beifahrersitz des Mietwagens der Hausmeisterin mit den blauen Augen Platz nehme, versuche ich, nüchtern zu werden und zuzuhören. Sie erzählt mir etwas über die Fensterläden, aber die Stimme in meinem Kopf stammelt eifrig etwas von *flinken kleinen Händen mit angeknabberten Nägeln*.

Als wir durch die Tore der Villa fahren, werfe ich erneut einen Blick auf ihr Profil: eine zarte Stupsnase, auf den Wangenknochen ein Hauch Sommersprossen wie feine Wassertropfen auf Sand. In meinem Magen regt sich etwas, halb Angst, halb Aufregung oder vielleicht ist es auch einfach nur Verlangen.

Ich wusste, dass dieser Sommer wunderbar werden würde. Und hier sitze ich nun, der Wind streicht mir um die Ohren, die Sonne scheint warm auf meine Wange, neben mir eine dunkelhaarige Schönheit, deren helle Schenkel nackt auf dem Ledersitz liegen, ihr …

»Du wirst übrigens die Kühlschranktür kaputt machen«, sagt sie.

Ich stutze. »Hm?«

»Die Kühlschranktür. Du reißt sie immer unten am Griff auf. Versuch, sie oben aufzuziehen – sonst müssen Deb und ich einen Handwerker rufen, und die halten uns hier alle für Idioten. Am Ende müssen wir sie noch selbst reparieren.«

Ich bin etwas ernüchtert.

»Woher weißt du das?«, frage ich und sammele mich. »Hast du mich beobachtet, kleiner Hausgeist?«

Sie mustert mich streng aus ihren blauen Augen. Auf der Oberlippe, direkt links neben dem sanft geschwungenen Amorbogen, sitzt ein Muttermal.

»Nenn mich nicht klein. Das ist herablassend.«

Ich bin verunsichert. Das erhabene Gefühl von einem wunderbaren Sommer entgleitet mir. Mache ich denn alles falsch? Zu meiner Verteidigung muss ich sagen: Sie *ist* klein, zart und zierlich, ihr Schlüsselbein zeichnet sich wie eine Wurzel unter ihrer Haut ab. Ihre Handgelenke sind so schmal, dass ich sie mit einer Hand umfassen könnte. Schmunzelnd richtet sie den Blick wieder auf die Straße. Ich glaube, sie hat gemerkt, dass sie mich aus dem Konzept gebracht hat.

»Und ich habe dich nicht beobachtet«, fährt sie fort. »Nur gelauscht. Wenn man die Tür so aufreißt, klappern die Töpfe oben auf dem Kühlschrank.«

»Gelauscht?« Aha. Ich habe in den letzten zwei Tagen

größtenteils laut aus *Die Feenkönigin* rezitiert, meine Hauptinspirationsquelle für die Gedichtsammlung, an der ich gerade arbeite – eine Art Hommage an Spenser. Und gestern habe ich auf der Terrasse ganz allein Taylor Swifts »22« gesungen und zwar von Anfang bis Ende mit einer Weinflasche als Mikro.

»Du hast eine gute Stimme«, sagt sie und beißt sich auf die Unterlippe. Ich beobachte, wie ihre weißen Zähne an der rosafarbenen Haut ziehen, und eine heiße gewagte Sekunde lang stelle ich mir vor, wie sich diese Zähne in meine nackte Schulter graben.

»Wirklich?«

Sie sieht mich ungläubig an. »Nein. Natürlich nicht. So ein Quatsch. Das kannst du doch unmöglich denken!«

Wieder schlucke ich. Es fällt mir irgendwie schwer, mich zu sammeln. »Du bist ganz schön unhöflich. Hat dir das schon mal jemand gesagt, Hausgeist?«

»Ich heiße Addie«, sagt sie. »Und ich bin nicht unhöflich. Ich bin … ehrlich. Das ist beeindruckend.«

Sie sagt das, als hätte sie es gerade erst selbst herausgefunden, dann schenkt sie mir ein Lächeln, das mich wie ein Blitz durchfährt. Der Vers, den ich im Kopf hatte, ist weg, weil ich mich ganz auf den Schwung ihrer Lippen konzentriere und darauf, wie sich ihr Kleid um ihre Brüste schmiegt. Auf das beunruhigende Gefühl, dass sie mich immer wieder zurückstößt. Ich korrigiere mein Urteil: Sie ist wie ein Wassergeist, ja, aber ein kleiner grimmiger Wassergeist mit Zähnen und Klauen, süß und wild zugleich. Sie würde Marcus gefallen.

Es ist komisch, ohne Marcus hier zu sein. Er und ich sind den ganzen Sommer über zusammen gereist – ich habe unseren Trip für einen Familienurlaub hier in Cherrys Villa für drei Wochen unterbrochen. Meine Verwanden haben jedoch allesamt abgesagt, nachdem ein Klassiker der Familie Abbott zur Wiederaufführung gelangt ist: der Dauerbrenner »Alle haben mich enttäuscht«. Dieses alte Glanzstück endet stets damit, dass mein Vater uns Schimpfwörter an den Kopf wirft und klagt, dass mein Bruder und ich leichtsinnig Riesensummen ausgeben, um ihn zu kränken. Dieses Jahr war ich nachsichtig mit ihm: Indem ich allein hergefahren bin, habe ich ihn lediglich um die Chance gebracht, das Geld für diesen Urlaub zurückzubekommen.

Meine Mutter hinterlässt dreimal am Tag eine Nachricht auf meiner Mailbox. Immer mit dem gleichen Inhalt: *Dylan, Liebling, deinem Vater tut es sehr leid. Ruf uns zurück.*

Komisch, dass mein Vater nie selbst anruft, wenn es ihm doch so leidtut.

Meine lange Sommerreise war seine Idee. Wie der klassische englische Gentleman sollte ich mir abseits von zu Hause die Hörner abstoßen, bevor ich zum Ernst des Lebens zurückkehre. Den ganzen Sommer über habe ich diese Idee natürlich entschieden von mir gewiesen – ich bin hier, weil ich Grace suche.

Aber Grace erweist sich als schwer auffindbar. Und hier ist die zierliche und wunderschöne Addie, die feengleich zu meinen Füßen lebt.

»Also, wer hat deine Freundin in La Roque-Alric gesehen?«, fragt Addie, während wir über die gewundenen Straßen durch die Weinberge fahren. Außer uns beiden ist niemand auf der Straße, und sogar durch das Rauschen des Fahrtwinds hört man noch das seltsame Lied der Grillen aus dem trockenen Unterholz neben dem Asphalt.

»Eine Freundin von einer Freundin.« Ich mache eine vage Geste. In Wahrheit stammt der Hinweis von Leuten, die auf

57

Instagram Graces letzten Post gelikt hatten. Das erzähle ich Addie lieber nicht. Allmählich werde ich etwas nüchterner – vielleicht liegt es an der frischen Bergluft –, und ohne den leichten Glimmer fühle ich mich ihr nicht ganz gewachsen. Addie ist schlau, cool und hat wirklich ziemlich phänomenale Beine, und ich glaube nicht, dass ich meine Haare heute Morgen gestylt habe. Verstohlen taste ich über meinen Kopf – nein, ich habe nichts hineingetan, *verdammt.*

»Wird sie vermisst?«, fragt Addie.

Ich denke einen Moment nach. »Sie ist etwas schräg«, sage ich schließlich. »Sie gibt den Leuten gern Rätsel auf.«

Addie zieht die Augenbrauen hoch. »Das klingt ja nervig.«

Ich stutze. »Sie ist wunderbar.«

»Wenn du meinst.«

Grace war fast das ganze dritte Studienjahr mit Marcus zusammen, wobei sie ihre Beziehung nie als solche bezeichnet haben. Nach einem Tutorenessen im letzten Semester hatte sie auf unerhörte Weise mit mir geflirtet, und Marcus hatte gelacht. *Warum nicht?*, hatte er gesagt, als Grace auf meinen Schoß stieg und ich ihn betrunken und etwas verloren ansah. *Wir teilen doch auch sonst alles.* So wurden Grace und ich … nun ja, was auch immer wir kurz vor dem Sommer waren, und dann ist sie verschwunden. *Ich bin unterwegs, Jungs,* hatte ihre Nachricht gelautet. *Sucht mich doch. G*

Eine Weile war es aufregend, und es gab Marcus' und meinem ziellosen Reisen quer durch Europa eine Struktur, doch gefunden haben wir sie noch nicht. Die Hinweise, die sie uns hinterlässt – seltsame Textnachrichten, nächtliche Sprachnachrichten, Botschaften von Jugendherbergseltern – werden knapper und seltener. Allmählich mache ich mir ziemliche Sorgen, dass sie das Interesse an uns beiden verliert und die Spur erkaltet.

Wenn es dazu kommt, bleibt mir nichts anderes übrig, als die Frage zu beantworten, was zum Teufel ich mit meinem Leben anstellen will – eine Frage, vor der ich mich mit allen Mitteln drücke.

Vor uns schlängelt sich die Straße durch ein dunkles Waldstück den Hügel hinauf, dann wieder durch Weinberge mit trockenem Kalkboden. Ich will ja nicht meckern, aber Addie fährt *viel* zu langsam – diese abgelegenen Straßen sind zum Heizen gemacht, aber sie kriecht den Hügel hinauf und bremst vor jeder Kurve wie eine alte Dame in einem Skoda.

»Du wirkst wie ein Typ, der sich eher fahren lässt, als dass er selbst fährt«, bemerkt Addie. »Aber ich spüre, dass du am liebsten das Steuer übernehmen würdest.«

»Mein *Vater* lässt sich fahren«, sage ich. »Ich fahre selbst.«

»Na, sieh an.« Addie lacht. »Was bist du doch für ein Durchschnittstyp!«

Ich mache eine finstere Miene und bin genervt – eine Sekunde von ihr, dann von mir –, doch ehe ich mir eine passende Antwort überlegen kann, biegen wir um eine Kurve und vor uns erscheint ein in den Felsen gebautes Dorf. Seine Schönheit beansprucht meine ganze Aufmerksamkeit. Die Häuser haben denselben Sandton wie der schroffe Fels, auf dem sie stehen, die kunterbunt angeordneten Dächer neigen sich mal in diese mal in jene Richtung; dazwischen wachsen Zypressen und Olivenbäume. Ganz oben auf dem Berg thront eine Burg, die Fensterschlitze an ihrem Turm wirken wie zusammengekniffene Augen, die uns betrachten.

Ich stoße einen Pfiff aus. »Dieser Ort sieht aus wie aus einem Märchen.«

»Für meine Schwester ist es der Ort hier in der Gegend, den sie am wenigsten mag«, sagt Addie. »Sie hat Höhenangst.«

»Du hast eine ziemlich negative Weltsicht«, stelle ich fest, als wir uns zum Ort hinaufschlängeln. Olivenwälder weichen dichten Hecken und Steinmauern, aus deren Ritzen dürres ausgebleichtes Gras wächst.

Addie wirkt überrascht. »Ich?«

»Die märchenhafte Burg liegt zu weit oben, meine schräge Freundin ist nervig, meine Stimme gefällt dir nicht …«

Sie hält inne und schürzt nachdenklich die Lippen. Das Muttermal bewegt sich. Plötzlich ist mir der Anblick ihrer Lippen zu viel: Ich bin völlig weggetreten und stelle mir vor, sie zu küssen, ihren Mund auf meiner Haut zu spüren. Sie sieht mich an, und ihre Augen glänzen.

Ich schlucke. Sie wendet sich wieder der Straße zu und fährt an die Seite, als ein klappernder offener Laster den Hügel herunterrast.

»Ich finde mich nicht negativ. Praktisch vielleicht.«

Versehentlich ziehe ich eine Grimasse – ich bin noch immer angetrunken –, sie bemerkt es und lacht.

»Was ist?«

»Nur … ach. *Praktisch*. Das klingt nach einer fülligen alten Matrone, die gut Socken stopfen kann.«

»Na, *vielen Dank*«, erwidert Addie trocken und zieht die Sonnenbrille vom Kopf auf die Nase, als uns nach einer weiteren Biegung die tiefstehende Sonne direkt ins Gesicht scheint.

»*Du* hast praktisch gesagt«, erkläre ich. »Ich würde dich eher als … streitlustig bezeichnen.«

»Nicht, wenn du nicht aus dem Auto geworfen werden willst.«

»Nicht?«

Zugegeben, ich wusste, dass sie das provozieren würde.

»Wie wäre es mit pampig? Unverschämt?«

Sie versteht, und ein Lächeln spielt um ihre Mundwinkel. »Du willst mich ärgern, stimmt's?«

Offenbar wird sie gern geärgert. Das merke ich mir.

»Ich zeige dir, wie lernfähig ich bin. Nachdem ich den Fehler mit *klein* gemacht habe.«

»Und mit dem stummen Urteil über mein Fahren.«

»Genau.«

Ich mache mich – ihr Ton wird wärmer. Inzwischen haben wir den Ort erreicht, und der Ausblick zwischen den Häusern hindurch ist atemberaubend: in der Ferne diesige Hügel, davor abfallende Felder mit Olivenbäumen und Weinstöcken. Die Aussicht hat etwas Mystisches. Die Landschaft wirkt wie eine Kulisse, vor der Geschichten erzählt werden sollten, und wieder überkommt mich ein erhabenes Gefühl, als ich den typischen Geruch der Olivenbäume einatme.

Addie parkt vor einem kleinen Café. Unter einem Bambusdach stehen Plastiktische. Neben der Tür sitzt eine Gruppe Franzosen und beobachtet mit mäßigem Interesse, wie wir hineingehen.

Ich frage die Frau hinter der Kasse, ob sie eine große, hippiemäßige junge Frau mit taillenlangen rosafarbenen Haaren und goldenem Nasen-Piercing gesehen hat, die die englische Rose auf ihre Schulter tätowiert hat. Nein, erwidert die Frau, also versuche ich es mit violettem oder blauem Haar – Grace wechselt so oft die Haarfarbe wie Marcus die hübschen Erstsemesterstudentinnen, die noch nichts von seinem schlechten Ruf wissen.

Oh, ja, die mit den blauen Haaren – die war vor ungefähr einer Woche mit einem Mann hier, berichtet die Frau an der Kasse. Ein älterer Mann mit einem dicken Bauch und einer Taschenuhr. Sie saß auf seinem Schoß und hat ihn mit Gruyère-Würfeln gefüttert. Nein, sie hat keine Nachricht hinterlassen.

Ich kneife die Augen zusammen. So gern ich sagen würde, dass das nicht nach Grace klingt, im Grunde gibt es nichts, was *nicht* nach ihr klingt – sie ist vollkommen unberechenbar. Ich glaube, das gefällt Marcus an ihr.

»Du sprichst gut Französisch«, stellt Addie fest, als wir uns beide mit einer Orangina draußen an einen Tisch setzen.

»Ich komme zurecht. Und du?« Plötzlich frage ich mich, wie viel sie von dem Gespräch verstanden hat.

»Ach, eigentlich ziemlich schlecht. Aber ich habe verstanden, dass deine Freundin mit einem Kerl hier gewesen ist«, antwortet Addie und wirft mir einen Seitenblick zu. Sie streckt die Beine aus, und ich spüre, wie die Franzosen sie beobachten und ihre Bewegungen mit Blicken verfolgen. »Stört dich das?«

»Nicht besonders, nein.« Ich streiche mir durch das schrecklich ungestylte Haar und versuche, nicht auf Addies Beine zu starren.

Sie sieht mich mit hochgezogener Augenbraue an, und das neckische Lächeln kehrt zurück. »Du scheinst dich ziemlich um diese Frau zu bemühen, dafür dass sie noch nicht mal Bock hat, dir eine Postkarte zu schicken.«

»So ist das nicht«, sage ich. Sie soll nicht denken, dass ich einer Frau hinterherjage, die nicht gefunden werden will.

Addie nimmt das mit einem Kopfnicken zur Kenntnis. »Wie kommt es, dass deine Familie nicht hier ist?«, fragt sie. Ich überlege, ob sie nervös ist. Wenn, dann überspielt sie es sehr gut. Ihre zarten elfengleichen Gesichtszüge sind schwer zu deuten, glatt wie eine unbeschriebene Seite in einem Notizbuch.

»Familienstreit. Nichts Besonderes.«

»Wo sind die anderen? Zu Hause? Sie lassen sich einfach so drei Wochen in der Villa Cerise entgehen?« Ich zucke mit den

Schultern, *ja,* und sie macht große Augen. »Wer tut denn so was? Das Haus ist so toll.«

Das ist es. Jetzt bin ich ziemlich stolz, dass ich hergekommen bin. Etwas vage sage ich, dass ich das Privileg zu schätzen weiß, woraufhin Addies Blick milder wird. Sie sieht mir einen Moment zu lange in die Augen, und mein Puls schlägt heftig.

»Wie hast du dir hier die Zeit vertrieben?«, frage ich.

Sie wirft mir einen gerissenen Blick zu, der besagt, dass sie weiß, worauf die Frage eigentlich abzielt.

»Sex mit Gästen«, sagt sie todernst. »Ununterbrochen. Im Ernst. Wir haben es überall getrieben.«

Ich beobachte, wie sie mit dem Strohhalm von ihrer Orangina trinkt. Nur zu hören, wie sie *getrieben* sagt, ist peinlich erregend. Ich will sie. Ich habe seit zwei Monaten keinen Sex mehr gehabt, und plötzlich kann ich an nichts anderes mehr denken. Ich werde fast ohnmächtig, so überwältigend ist das Verlangen, mich vorzubeugen und sie zu küssen.

»Wirklich?«

»Nein, natürlich nicht. Das wäre schrecklich unprofessionell.«

Ach, stimmt. Ich fange mich und reiße den Blick von ihren Lippen los.

Sie lacht. »Ich mache nur Spaß.«

Jetzt bin ich total verwirrt. Hat sie es nun überall getrieben oder nicht? Schläft sie aus Prinzip nicht mit Gästen? Gott, hoffentlich nicht. Falls doch, könnte ich vielleicht in ein nahegelegenes Hotel ziehen, wobei das etwas … verzweifelt wirken würde.

Addie sieht mich verschmitzt an. Ich trinke einen Schluck Orangina und versuche, meine Gedanken zu sammeln.

»Die meisten Gäste sind – wie würdest du das nennen? –

*runzelig.* Väter und Großväter, reiche Kerle mit scharfen Freundinnen, die ständig an ihrem Arm hängen.«

»Ah?«, bringe ich hervor. »Also …«

»Also habe ich die letzten zwei Monate meinen Job gemacht.«

»Klar. Natürlich.«

»Und mich mit dem Wein betrunken, den sie zurückgelassen haben. Und mich gesonnt. Und in diesem irren Infinity Pool auf dem Rücken gelegen und die Sterne beobachtet.«

Ich glaube, das heißt, es ist in Ordnung, wenn ich noch mal auf ihre Beine sehe.

Sie folgt meinem Blick, der über ihren Körper gleitet, und ein Lächeln umspielt ihre Lippen. »Ich wüsste zu gern, woran du gerade denkst.«

Mein Herz schlägt schneller. »Das … eignet sich nicht für ein Gespräch in der Öffentlichkeit.«

»Nicht?« Sie hebt die Brauen. Ihr Lächeln wächst, und meine Nerven beruhigen sich etwas. Sie verändert ihre Haltung, und ihr nackter Fuß streift mein Bein – sie hat unter dem Tisch die Sandalen ausgezogen. »Vielleicht sollten wir uns dann einen privateren Ort suchen.«

»Wie lange dauert die Rückfahrt zur Villa?«, frage ich schneller als beabsichtigt.

Sie schiebt mir über den Tisch die Autoschlüssel zu. »Kommt drauf an, wer fährt, würde ich sagen.«

»Ich wette um hundert Euro, dass ich deine Zeit hierher um eine Viertelstunde schlage.«

Sie macht große Augen. »Abgemacht«, sagt sie. »Aber ich muss dich warnen. Ich scheue keine schmutzigen Tricks.«

Meine Fantasie geht mit mir durch. Ich nehme den Strohhalm aus der Flasche und leere den Rest. Addie lacht. Ich weiß jetzt, wozu dieser wunderschöne Ort gebaut wurde: Er wurde vor Jahrhunderten genau für diesen Moment geschaffen, in dem Addie in ihre Sandalen schlüpft und mit verheißungsvoll schwingenden Hüften vor mir her zum Auto geht.

Ich wette, unter diesen Umständen könnte niemand besonders gut Auto fahren.

Addie schiebt ihr Kleid erst über die eine, dann über die andere Schulter. Ich würde sagen, dass mein Blick ungefähr zwanzig Prozent der Zeit auf die Straße gerichtet ist, und gerade ist mir wieder eingefallen, wie viel Wein ich heute Mittag getrunken habe. Oh, aber schon vergesse ich es aufs Neue, weil Addie ihr Kleid bis zur Taille hinuntergeschoben hat und ich fasziniert vom Anblick so viel cremefarbener Haut bin. Ihr Bikini ist dunkelorange, zwei winzige Dreiecke, die von zwei Bändchen in ihrem Nacken gehalten werden. Sie sieht mich mit verruchtem Blick aus großen Augen an und lacht.

Mein Hals ist extrem trocken. Einen flüchtigen Moment lang wünschte ich, Marcus könnte das sehen: Ein Mädchen, das sich auf dem Beifahrersitz auszieht, während ich eine schmale französische Straße hinunterrase und mir die Sonne in die Augen scheint. Dann berührt sie mein Bein, und ich denke augenblicklich nicht mehr an Marcus. Meine Fahrweise ist äußerst waghalsig, aber ganz ehrlich, besser geht es nicht.

Als wir vor dem Eingang zur Villa Cerise halten, zittere ich vor Erregung. Ich drehe mich zu Addie und begegne ihrem lustvollen Blick, es liegt etwas Aufreizendes, Herausforderndes in ihm, aber auch etwas Verletzliches. Auf ihrer cremefarbenen Haut hat sich durch die kühle Luft der Klimaanlage eine Gänsehaut gebildet. Unter dem Stoff des Bikinioberteils zeichnen sich ihre Nippel ab. Mein Atem geht schnell. Ich weiß gar nicht, wo ich anfangen soll. Ihr Blick gleitet zu meinen Lippen – dann sieht sie aus dem Fenster, weil draußen ein Geräusch ertönt.

Gerade habe ich den Mut aufgebracht, eine Hand auf ihren nackten Schenkel zu legen, als sie sagt:

»Das ist nicht Debs Wagen.«

Ich zögere, die Hand über dem Schaltknüppel, und folge ihrem Blick zu einem Mietwagen, der jetzt unter den Platanen vor der Villa parkt. Ich starre sie verständnislos an. Da steht ein Wagen, ja. Das sehe ich, aber warum ist das irgendwie wichtiger, als dass ich Addie in diesem Moment küsse?

»Erwartest du jemanden?«, fragt sie.

Unwillentlich entfährt mir ein verzweifeltes Stöhnen, als sie ihr Kleid wieder anzieht, doch ich versuche, es zu überspielen und als männliches Räuspern zu tarnen.

»Äh, nein.« Widerwillig richte ich den Blick erneut auf das andere Auto und versuche, meinen Atem zu beruhigen. Ist das etwa – mir wird mulmig, und mein Blutdruck steigt –, aber nein, das ist nicht mein Vater. Ich erkenne die Jacke, die vor dem Haus über der Bank hängt, von der aus man auf die Springbrunnen und das Tal dahinter blickt. Eine braune Lederjacke von Gucci, die mein Onkel Terence in den gesamten zweiundzwanzig Jahren, die ich auf der Welt bin, fast jeden Tag getragen hat.

»Herrgott.« Ich schalte den Motor aus und presse die Stirn gegen das Lenkrad.

»Was ist?«

»Onkel Terry.«

»Dein *Onkel* ist hier?«

»Das war so geplant. Vor dem Familienkrach.«

Ich richte mich auf und schließe einen Moment die Augen, dann öffne ich die Wagentür.

»Dylan, mein Junge!«, ertönt eine dröhnende Stimme von der Terrasse. »Ich dachte schon, du bist geflohen! O-ho, wer ist denn diese wunderhübsche junge Dame? Wo hast du die gefunden?«

Also, das hat gereicht. Es gibt keinen größeren Stimmungskiller auf dieser Welt als meinen Onkel Terence.

»Hallo, Terry«, sage ich müde. »Das ist Addie. Sie arbeitet in der Villa Cerise.«

»Hallo«, sagt Addie und winkt zu Terry hinauf. »Kann ich etwas für Sie tun, Sir?«

Ich sehe sie schief von der Seite an. Sie hat eine andere Miene aufgesetzt, ein seltsam künstliches Lächeln. Das ist wohl ihr Kundengesicht – ich freue mich, dass es so ganz anders ist als das laszive schiefe Grinsen, das sie mir geschenkt hat, kaum dass wir uns kennengelernt hatten.

»Abendessen! Machen Sie Abendessen?«, fragt Terry.

Ich zucke innerlich zusammen. »Addie ist nicht ...«

»Gern«, erwidert Addie ruhig. Sie bindet ihr Kleid im Nacken etwas höher. »Ich kann Ihnen einen Koch besorgen – hier in der Gegend gibt es ein paar fantastische Köche. Ich bringe Ihnen die Liste.«

Ich sehe ihr hinterher, und mein Begehren ist überwältigend.

»Hübsch«, ruft Terry zu mir herunter. »Aber du bist vermutlich immer noch hinter der Blondine aus Atlanta her.«

Wieder zucke ich innerlich zusammen, als Addie einen Moment im Eingang zur Küche stehen bleibt, eine Hand auf die Steinmauer gelegt. Terry ist in jeglicher Hinsicht nicht auf dem neuesten Stand – diese Jacke sieht schon seit den Neunzigern nicht mehr gut aus, und Michelle aus Atlanta spielt schon seit dem Herbstsemester im dritten Jahr keine Rolle mehr. Herrgott.

»Was machst du hier, Onkel Terry?«

»Der Familienfunk hat mich informiert, dass du dich entschlossen hast, den Urlaub allein durchzuziehen!« Er grinst zu mir herunter. »Drei Wochen voller Sonne und Wein mit meinem Lieblingsneffen? Und keiner vom Rest der Bande? Wie könnte ich mir das entgehen lassen? Komm rauf, Junge, machen wir zur Feier eine Flasche auf.«

Ich schleppe mich die Treppe hinauf und über die Terrasse. Auf der anderen Seite liegt der glitzernde hellblaue Pool. Die Weinreben dahinter wirken irreal in der gleißenden Sonne.

Terry schlägt mir auf den Rücken. Seine Stirnglatze ist inzwischen so weit zurückgewichen, dass bis auf ein Haarbüschel über der Stirn nur noch ein Haarkranz übrig ist, der an einen mittelalterlichen Mönch erinnert.

»Schön, dich zu sehen, Dylan.«

Ich beiße die Zähne aufeinander. »Find ich auch, Terry.«

Meine Familie ist wie eine hartnäckige Erkältung, ein grässlicher Popsong, den ich nicht aus dem Kopf bekomme. Wie werde ich sie nur los?

Und, noch dringender: Wie werde ich Onkel Terry los?

# JETZT

# Addie

Die Sonne ist inzwischen aufgegangen und knallt durch die Windschutzscheibe, sodass ich selbst mit Sonnenbrille blinzeln muss. Die Straße vor uns sieht dadurch ein wenig staubig aus, als müsste alles mal gewischt werden.

Dylan hat seit über einer halben Stunde nichts mehr gesagt. Wir sind dreihundert Meilen von Ettrick entfernt und weil er im Auto sitzt, fällt mir das Atmen schwer. Er trägt immer noch dasselbe Aftershave. Leicht und holzig mit einem Hauch Orange.

»Ich bin tatsächlich ein sehr moderner Mann, vielen Dank auch«, erklärt Marcus Deb. Sie hat ihn gerade als Höhlenmenschen bezeichnet. Er hat etwas Sexistisches gesagt, das ich nicht verstanden habe – wahrscheinlich auch besser so.

»Oh, tatsächlich?«

»Weißt du, was ich gestern gemacht habe? Ich habe *Feuchtigkeitscreme* benutzt.«

Ich muss mir ein Lachen verkneifen. Ich hatte vergessen, wie charmant er sein kann, wenn er möchte.

»Und weißt du, wozu Dylan mich überredet hat?«,

»Wozu hat Dylan dich überredet?«, fragt Rodney, als Deb nicht antwortet. Sie telefoniert, das wird Marcus verärgern. Er mag ungeteilte Aufmerksamkeit.

»Er hat mich überredet, zu seiner *Therapeutin* zu gehen«, flüstert Marcus schockiert.

Ich blinzele und lasse es sacken. Marcus macht eine Therapie? *Dylan* macht eine Therapie? Das ist so seltsam. Als hätte einer von ihnen mit Stricken angefangen oder so.

Ich wette, die Therapeutin hat mit diesen beiden ordentlich Arbeit. Und zwar jahrelang.

»Wie findest du die Therapie?«, frage ich Dylan und versuche, unbeschwert zu klingen.

Ich blicke ihn gerade lang genug an, um zu sehen, wie sich sein Adamsapfel beim Schlucken senkt. »Gut, danke«, sagt er.

Ok, dann eben nicht. Wir fahren eine Weile schweigend. Ich würde zu gerne fragen, warum er sich für eine Therapie entschieden hat. Wann hat er angefangen? War es meinetwegen? Aber das klingt so egozentrisch.

»Ich habe bemerkt, dass ich ein wenig, äh … Also dass einige Beziehungen in meinem Leben nicht ganz gesund waren.« Er schluckt erneut.

Auf dem Rücksitz sind alle sehr, sehr still.

»Ich dachte, ich könnte bei der Aufarbeitung etwas Hilfe gebrauchen. Weißt du. Professionelle Hilfe.«

Meine Wangen sind schon wieder rot. Das wird mir eine Lehre sein, es dreht sich eben wirklich nicht alles nur um mich.

»Lass uns ein Spiel spielen«, sagt Marcus. »Ich langweile mich.«

»Nur langweilige Leute langweilen sich«, sagt Deb.

»Nur langweilige Menschen sagen so etwas«, korrigiert Marcus sie. »Fünf Fragen. Ich fange an. Stell mir irgendeine Frage. Los jetzt.«

»Was ist das Schlimmste, was du jemals gemacht hast?«, fragt Deb direkt.

Marcus schnaubt. »Anhand von welchem sozialem Konstrukt soll ich ›das Schlimmste‹ bewerten? Ich richte mich nicht unbedingt nach dem Standard-Moralsystem.«

»Wie rebellisch von dir«, sagt Deb nur.

Marcus sieht verärgert aus. »Ich habe mal eine Ente unseres Nachbarn gefangen, die er als Haustier hielt. Und ich habe sie gebraten«, sagt er einen Moment später. »Reicht das?«

Alle atmen hörbar ein. »Das ist – einfach ekelhaft!«, ruft Rodney. »Warum hast du das getan?«

Marcus zuckt die Schultern. »Wir hatten nichts zu essen daheim, und die Läden waren zu.«

»Du hast sie *gegessen*?«, fragt Rodney, und ich höre, wie er sich wieder auf den Sitz fallen lässt.

»Mit Hoisin-Soße. Nächste Frage?«

»Warst du jemals verliebt?«, fragt Deb. »Oder passt das nicht in dein unkonventionelles Moralsystem?«

Die Stille wird unangenehm. Ich schaue Dylan nicht an.

»Ich verliebe mich etwa hundert Mal pro Monat, Schätzchen«, sagt Marcus süffisant.

Das nächste Lied ist *I Did Something Bad* von Taylor Swift.

»Niemand verliebt sich hundert Mal«, rutscht mir heraus. »Das könnte man nicht. Es würde einen umbringen.«

Marcus schnaubt kaum hörbar. Ich erröte.

»Ich habe mich nur einmal verliebt, und zwar als die Hebamme mir meinen Sohn überreicht hat«, sagt Deb.

Ich gucke sie dankbar an, der Themenwechsel war gut. Ich fühle Marcus' Blick in meinem Nacken. Er würde wegschauen, wenn sich unsere Blicke im Spiegel begegnen, das weiß ich, aber das ist mir gerade zu viel.

»Er ist der einzige Mann, den ich jemals getroffen habe, der mir die ganze Mühe wert ist, ganz ehrlich«, spricht Deb weiter und lächelt mich kurz an. »Die nächste Frage für Marcus?«

»Was ist das Netteste, das du jemals für jemand anderen getan hast?«, fragt Rodney.

Wir alle schauen ihn erstaunt an.

»Oder ist das zu intim?«, fragt er unterwürfig.

»Verdammt, du bist eine wandelnde Entschuldigung, nicht wahr?«, sagt Marcus.

»Was – ich …«

»Er ist nur höflich, Marcus«, sage ich. »Das ist nicht verwerflich. Die meisten Menschen finden das gut.«

Marcus wackelt mit den Augenbrauen, und ich erkenne etwas in seinem Gesichtsausdruck im Spiegel: vielleicht eine Kampfansage.

»Ooh. Dylan, pass gut auf. Du hast Konkurrenz«, sagt er.

»Halt die Klappe, Marcus«, zische ich. »Du weißt, dass das nicht stimmt.«

»Kommt schon, Leute«, sagt Dylan und will das Radio lauter stellen. »Ist gut jetzt.«

»Es stimmt nicht?«, fragt Marcus. »Nun. Das haben wir schon einmal gehört, nicht wahr?«

Wut steigt in mir auf, und ich spüre, dass meine Wangen puterrot werden. Ich hasse ihn. Ich hasse ihn. Ich hasse ihn, und Gott, ich traue mich immer noch nicht ihm zu sagen, dass er sich einfach nur verpissen soll, obwohl ich das gern würde.

»Marcus.« Dylans Stimme wird schneidend. »Sag nichts, was du bereuen wirst.«

Das Auto wird gefühlt immer kleiner, seine schmutzigen Fenster rücken näher und näher zusammen.

»Ich werde es bereuen, dass ich hier sitze, während du sie anschmachtest und ich nichts sage. Diese Frau hat dich gebrochen, Dylan. Ich dachte, das hättest du inzwischen kapiert. Es wäre besser, wenn du aus diesem Auto springst und auf der Überholspur landest, als wenn du sie wieder in dein Leben schleichen lässt.«

Was zum Teufel? Mir ist heiß, mein Herz pocht wie verrückt, ich bin *außer mir vor Wut*. Ich öffne den Mund, um ihn anzuschreien, aber Deb übernimmt das für mich.

»Wie sprichst du bitte über Addie? Als würdest du irgendetwas über meine Schwester wissen, du ...«

»Oh, ich weiß so einiges über deine Schwester.«

»Marcus, halt verdammt noch mal dein Maul«, ruft Dylan, und ich zucke zusammen. Ich klammere das Lenkrad so fest, dass es schmerzt.

»Nein! Ich habe es satt, dass du mich wie einen Bekloppten behandelst, den du geraderücken musst, wenn ...«

»Ähm, Addie?«, Rodney unterbricht ihn leise.

»Du kannst froh sein, dass du Dylan hast«, erklärt Deb Marcus. »Du kannst froh sein, dass du überhaupt jemanden hast, um ehrlich zu sein.«

»Und was genau ist *dein* Problem?«, schreit Marcus sie an.

»Addie«, sagt Rodney immer nachdrücklicher, »*Addie* ...«

»Ich weiß. Ich weiß«, keuche ich. »Oh mein Gott ...«

»Was *mein* Problem ist?«, faucht Deb, während Dylan sagt: »Marcus, du hast gesagt, du würdest es versuchen, du hast gesagt ...«

Und Rodney sagt weiterhin meinen Namen, lauter und lauter und ...

»Ruhe!«, schreie ich.

Das Auto rutscht. Erst dachte ich, es läge an mir – ich bin so durcheinander – aber es liegt ganz sicher am Auto. Was bedeutet es, wenn das Auto nach links zieht? Mein erster Gedanke lautet Glatteis, und irgendwas mit Gegenlenken, aber es ist so heiß, dass die Sonne über dem Asphalt flimmert. Glatteis kann es ganz bestimmt nicht sein.

Ich fahre auf die linke Spur. Das Auto bricht aus, ich reiße das Lenkrad viel zu sehr nach rechts, um gegenzulenken, und fahre über die Seitenlinie. Ich versuche abzubremsen. Eine seltsame Sekunde lang denke ich, dass mein Fuß auf dem falschen Pedal steht. Das Auto reagiert nicht vernünftig, wenn ich bremse. Es fühlt sich an, als würde ich rufen wollen und keinen Ton herausbringen. Ich drücke das Pedal fester herunter, und das Auto wird ein wenig langsamer, zieht mich aber immer noch nach links und ich gebe ein Geräusch von mir, ein frustriertes, erschrockenes *Guhh* ...

»Da ist der Standstreifen, Addie, fahr da drauf«, sagt Deb hinter mir. Alle anderen sind still. Ich kann sie atmen hören.

Ich schalte nacheinander runter: dritter Gang, zweiter, erster. Ich hoffe, dieser Standstreifen hört nicht so bald auf. In meinen Ohren pfeift es, als wäre die ganze Welt gedämpft. Mein Nacken schmerzt noch vom Schleudertrauma, bemerke ich abwesend. Von unserem letzten Crash.

»Moment«, sage ich mit zusammengebissenen Zähnen.

Wir fahren inzwischen nicht mehr schneller als fünfzehn Kilometer die Stunde, aber als ich die Handbremse anziehe, werden dennoch alle nach vorne geschleudert. Das Auto ächzt. Wir sitzen schweigend da, und dann lehne ich den Kopf ganz langsam gegen das Lenkrad.

Während ich darauf warte, dass mir das Herz nicht mehr aus der Brust zu springen droht, greift Dylan über mich hinweg und schaltet den Warnblinker ein. Wir lösen uns alle aus der Erstarrung.

»Fuck«, sagt Marcus hinter mir.

»Heilige Scheiße«, sagt Rodney.

»Alle unverletzt?«, fragt Deb.

Ich drehe den Kopf, der immer noch auf dem Lenkrad liegt und schaue Dylan an. Sein Gesicht ist ausdruckslos wegen des

Schocks. Kurz erinnert es mich daran, wie er in der Einfahrt zu unserer Wohnung aussah, als ich ihm mit den Fäusten auf die Brust getrommelt habe und ihm gesagt habe, nein, er könne mich nicht verlassen.

Marcus lacht schrill auf dem Rücksitz. »Verdammt, Addie Gilbert, du hast uns gerade das Leben gerettet.«

Ich atme immer noch nicht ruhiger. Ich frage mich, ob Nahtoderfahrungen durch Wiederholung mehr oder weniger gruselig werden. Also sollte ich entspannter sein, weil ich heute schon einen Unfall hatte? Oder noch größere Panik bekommen, weil ich immer noch so viel Adrenalin im Blut habe?

Es klopft am Autofenster auf der Beifahrerseite. Ich schreie auf. Meine Hand fliegt zu meiner Brust. Hinter mir kreischen alle. Aber Dylans Reaktion ist am überraschendsten – er reißt einen Arm nach vorn, als würden wir uns noch bewegen und gleich in etwas hineinfahren.

»Hallo? Alles in Ordnung da drinnen?«

Ich kneife die Augen zusammen. Die Sonne steht hinter dem Mann am Fenster – ich kann nur seine Umrisse erkennen. Er ist von breiter Statur und sieht ziemlich tough aus, vielleicht Mitte fünfzig. Er hat grau melierte Stoppeln auf seinem Doppelkinn. Unter seiner weißen Weste sehe ich nur den halben Text eines Tattoos: *bedingungsl …*

»Braucht ihr Hilfe?«, fragt er.

Dylan kurbelt das Fenster herunter.

»Hi«, sagt er und räuspert sich. »Wir haben eine Panne. Ich glaube, das haben Sie gesehen.«

Der Mann verzieht irgendwie mitfühlend das Gesicht. »Ja, das habe ich gesehen«, sagt er und zeigt nach oben. Wir sind kurz vor einer großen Betonbrücke zum Stehen gekommen, die über die Autobahn führt. Links neben uns führen Stufen die Böschung hinunter. Er muss runter gekommen sein, als er uns gesehen hat. Was für ein netter Mann. Also falls er kein opportunistischer Mörder ist.

»Müssen wir, den, äh, Pannendienst rufen?«, fragt Rodney.

»Wir sollten aussteigen, oder?«, frage ich den untersetzen guten Samariter, der uns gerade durch die Fensterscheibe beobachtet.

»Oh, ja«, sagt er und nickt. »Ja, aber steigt in diese Richtung aus.« Er zeigt auf die Beifahrerseite.

Dylan klettert als Erster aus dem Auto, dann Deb, Rodney und Marcus. Ich steige als Letzte aus, über den Schaltknüppel, gar nicht so einfach.

Als ich draußen bin, schaut unser kräftiger guter Samariter verzückt Deb an.

»Hallo, du Schöne«, sagt er.

Deb wirft ihm einen flüchtigen Blick zu, und ich unterdrücke das Verlangen, die Augen zu verdrehen. Dafür haben wir jetzt keine Zeit.

»Ich muss den Pannendienst anrufen«, sage ich und blicke auf mein Telefon. »Kann jemand zu der nächsten Notrufsäule gehen und durchgeben, wo wir sind?«

»Ich gehe«, sagt Dylan. Er räuspert sich peinlich berührt – er hat sich ganz quietschig angehört.

Deb hat bereits die Motorhaube geöffnet und wühlt im Innenraum herum. Rodney schleicht zu dem guten Samariter.

»So«, sagt er zu ihm mit der gespielt fröhlichen Stimme von jemandem, dem Smalltalk nicht liegt. »Was machen Sie beruflich?«

Ich schließe die Augen. So sollte dieses Wochenende *nicht* ablaufen. Warum rase ich nicht über die Autobahn und singe aus vollem Hals Dolly Parton und Deb isst auf dem Beifahrersitz

M&Ms? Das war der Plan. Und diese Vorstellung ist jetzt gerade so unglaublich verlockend.

Dylan ruft mir die Nummer zu, als er zurück zum Auto kommt. Sein T-Shirt bläht sich im Wind auf, und er hat die Hände in seine Jeanstaschen gesteckt. Er sieht so gut aus – es tut weh. Ich drehe mich weg, starre auf den Verkehr, während ich die Pannenhilfe anrufe.

Das ist gefährlich. Nicht das kaputte Auto, das meine ich nicht, sondern Dylan. Für einen Sekundenbruchteil, als ich ihn auf dem Standstreifen mit seinem im Wind wehenden Haar langlaufen sah, habe ich es nicht bereut, dass ich Dolly Parton und M&Ms mit meiner Schwester verpasse. Ich wollte hier sein. Mit ihm.

Zwei Stunden. Zwei *Stunden.*

»Meine Versicherung garantiert mir Pannenhilfe innerhalb von dreißig Minuten«, sagt Marcus, während wir auf einem Stück Wiese neben der Autobahn eine Decke ausbreiten.

Gott, ich hasse ihn. Und er verunsichert mich immer noch. Wenn irgendjemand anderes das gesagt hätte, bevor das Auto den Geist aufgegeben hat – diesen Kack, dass ich aus Dylan einen gebrochenen Mann gemacht habe – hätte ich ihn am Straßenrand abgesetzt. Aber mit Marcus muss ich sogar jetzt noch kämpfen, dass ich nicht wieder in die Verhaltensweisen der alten Addie zurückfalle. Der kleinen Addie, der leicht zu übersehenden Addie, der Addie, die immer an zweiter Stelle kommt. Marcus bringt das Schlechteste in mir zum Vorschein.

»Ja, nun«, sage ich und versuche, mir nichts anmerken zu lassen. »Ich wette, meine Versicherung ist viel günstiger als deine.«

»Siehst du, was du davon hast«, sagt er. »Du bekommst genau das, wofür du bezahlst.«

Er blickt mich immer noch nicht an. Dylan, Rodney und Deb sind alle in verschiedene Richtungen auseinandergegangen, um zu pinkeln, und als ich mit Marcus das Picknick vorbereiten muss, wünsche ich mir eine schwache Blase.

Ich muss einfach darüberstehen. Erwachsen sein.

»Ich und Dylan können die Vergangenheit einen Tag lang ruhen lassen, Marcus. Vielleicht solltest du das auch versuchen?«

Er schnauft. »Das würde dir so passen.«

»Ähm …«, sagt der gute Samariter hinter mir. »Ich mache mich dann wieder vom Acker, okay?«

»Oh Gott, Entschuldigung«, ich erröte, drehe mich um und schaue ihn an. »Vielen lieben Dank für Ihre Hilfe.«

Ich habe gerade einfach nicht den Kopf, um höflich zu Gästen zu sein. Rodney ist schlimm genug. Er strahlt absolute Unfähigkeit aus. Als würde man ihn immer im Auge behalten müssen, wie ein Kleinkind oder meinen Dad bei einer Party.

»Ich habe Ihren Namen nicht verstanden, sorry?«, frage ich.

»Kevin«, antwortet der gute Samariter. Der vorbeirauschende Verkehr sorgt die ganze Zeit über für Wind. Wir alle heben ein wenig die Stimme, als wären wir in einem lauten Pub. »Ich bin LKW-Fahrer.«

»Kevin, der LKW-Fahrer«, sagt Marcus. »Sie sehen wie ein Mann aus, der viel erlebt hat – warum setzen Sie sich nicht und erzählen uns ein paar Geschichten?«

Ich blicke zweimal hin. Irgendwie hat Marcus, als ich in die andere Richtung geblickt habe, meine Tasche mit den Ersatzsnacks gefunden. Er hat schon einen halben Nussriegel abgebissen und kaut gerade darauf herum. Ich verziehe die Augen zu Schlitzen.

Kevin lächelt nicht, eigentlich nicht, aber irgendwie … lächelt er, ohne zu lächeln. Wie ein Hund. Nun, wo ich mich beruhige und die Sonne nicht hinter ihm steht, nehme ich mir kurz Zeit, um ihn zu mustern. Er ist klein, stämmig und wettergegerbt. Ich glaube nicht, dass sich Kevin viel Zeit für Selbstfürsorge nimmt. Sein Körper ist voller Tattoos: ein Union Jack auf der Wade, direkt über dem Strumpf; ein Datum, 05.09.16 unterm Haaransatz; ein kleiner und überraschend niedlicher Hund auf seinem Unterarm mit dem Schriftzug *Cookie, RIP.*

Kevins Blick schweift zu Deb, während sie zu uns zurückkommt. »Warum nicht? Dieser Job ist nur ein Gefallen für einen Freund. Ich bin eigentlich nicht im Dienst«, sagt er.

Und so kommt es, dass Kevin der LKW-Fahrer neben uns auf der Picknickdecke Platz nimmt.

Wir sitzen um einen Berg mit Snacks herum. Die Sonne steht so hoch am Himmel, dass man sofort einen Sonnenbrand bekommt, und ich trage Sonnencreme auf, während Deb ihr T-Shirt hochzieht, um sich den Bauch zu bräunen.

»Wir sind schon fast zwei Stunden zu spät«, sagt Deb und blinzelt, während sie auf ihr Handydisplay schaut. »Wir werden es nie rechtzeitig schaffen, bei den Vorbereitungen für das Barbecue zu helfen. Wir sind immer noch in ... wo sind wir?«

»Kurz hinter Banbury«, erklärt Kevin und trinkt gierig aus der großen Limoflasche, die er und Deb sich teilen.

»Verdammte Axt«, sagt Deb und legt sich wieder auf die Decke. »Wir sind nicht weit gekommen! Sollten wir nicht Cherry anrufen und ihr Bescheid geben?«

Dylan und ich blicken uns an. Cherry wird nicht begeistert sein, wenn wir zu spät zu den Hochzeitsfeierlichkeiten kommen.

»Lass uns ein wenig warten«, sage ich. »Die Männer von der Pannenhilfe könnten auch früher kommen. Sie meinten, es würde im schlimmsten Fall zwei Stunden dauern. Außerdem haben wir echt viel Zeit für Pausen eingeplant, Deb.«

»Was führt euch denn zusammen?«, fragt Kevin und hat dabei den Blick auf Deb gerichtet. »Ihr seid ganz schön viele für einen Mini.«

Dylan hustet. Ein LKW rast auf der linken Spur vorbei, und Debs Haar bauscht sich auf.

»War das die falsche Frage?«, fragt Kevin.

Marcus zeigt auf mich. »Addie hat Dylan das Herz gebrochen« – er dreht sich um und zeigt auf Dylan – »vor etwa eineinhalb Jahren, und dann hat er ihr Auto heute früh zu Schrott gefahren. Sie fühlt sich schuldig, weil sie sein Leben zerstört hat, deswegen nimmt sie uns mit, weil wir alle zu Cherrys Hochzeit fahren. Cherry ist der einzige Mensch auf der Welt, der sowohl Dylan als auch Addie mag.«

Mein Herz schlägt schneller, die Wut brodelt wieder in mir. *Addie hat Dylan das Herz gebrochen.* Und meins hat er *herausgerissen.* Ich kämpfe mit mir, um mich zu beherrschen, weil ich nicht darauf anspringen sollte. Nicht darauf anspringen *darf.*

Deb stützt sich auf die Ellbogen. »Das ist Unsinn«, sagt sie. »Die richtige Version lautet: Dylan hat Addie im Dezember 2017 verlassen. Das war natürlich der größte Fehler seines Lebens, und das weiß er auch.«

Dylan blickt auf das Gras zu seinen Füßen.

»Dann ist uns Dylan hinten reingefahren und hat dabei sein Auto geschrottet. Wir haben ihm angeboten, ihn und Marcus mit zu Cherrys Hochzeit zu nehmen, weil wir so nette Menschen sind. Und *ich* mochte Dylan und Addie auch beide«, fügt sie hinzu. »Zumindest eine Zeit lang.«

Kevin schaut zwischen uns allen hin und her. Man sieht, wie es in seinem Kopf arbeitet.

»Und er?«, fragt er und zeigt auf Rodney.

»Ach, Rodney fährt einfach nur mit«, sagt Deb und legt sich wieder auf die Wiese.

»Sorry«, sagt Rodney.

Marcus verdreht die Augen. Dylan starrt immer noch aufs Gras. Ich wünschte, ich könnte sein Gesicht richtig sehen.

»Willst du es ihr nicht erzählen, Dylan?«, verlangt Marcus und macht eine Kopfbewegung in Debs Richtung.

»Mann, zeig mal, dass du Eier hast. Sag ihr, dass es nicht so war.«

Die Autobahn braust durch die Stille.

»Scheiße, Mann«, sagt Marcus, steht auf und klopft seine Jeans ab. »Wird sonst noch jemand ins Jahr 2017 zurückkatapultiert, oder bin ich der Einzige?«

»Marcus«, sagt Dylan leise, »lass es einfach, okay?«

»Es lassen? Es *lassen*?«

»Marcus.« Dieses Mal klingt es schärfer.

Rodneys Kopf schwenkt zwischen Marcus und Dylan hin und her, als würde er sich ein Tischtennis-Match ansehen. Ich balle die Hände in meinem Schoß. Ich will abhauen. Meine Muskeln sind schon ganz angespannt.

»Was ist mit *Etienne*, Dylan?«

Ich grabe mir die Nägel in die Handfläche. Mein Herz rast. Ich hätte wirklich nicht gedacht, dass Marcus es *aussprechen* würde.

»Red nicht über Dinge, von denen du keine Ahnung hast«, zischt Deb.

Kevin blickt zwischen uns allen hin und her und hat die Stirn gerunzelt. »Meine Güte, das ist ja wie bei *Vera am Mittag* hier.«

»Was gibt es denn da nicht zu verstehen?«, fragt Marcus. Er hört sich wirklich sauer an, und ich kann ihn nicht anschauen. Ich kann hier einfach nicht länger sitzen. Mein Körper schmerzt vor lauter Anspannung.

Ich stehe so schnell auf, dass ich Rodneys kleinen Plastikbecher mit Orangensaft umwerfe. Er jault auf und stellt ihn wieder hin, aber der Saft fließt schon über die Decke.

Ich gehe weg. Die Böschung hinauf zu der Treppe, die Kevin zu uns heruntergekommen ist. Mein Herz schlägt wie verrückt. Ich höre Deb, die nach mir ruft. Ich schaue mich nicht um. Ich brauche eine Weile, um zu bemerken, dass mir jemand folgt und noch einige Sekunden, um zu verstehen, dass es Dylan ist.

»Geh zurück zu den anderen«, sage ich und blicke ihn über die Schulter hinweg an.

»Nein«, sagt er.

»Dylan, geh einfach.«

Dieses Mal entgegnet er nichts, aber ich kann ihn immer noch hören, trotz des Verkehrs. Ich gehe schneller und erreiche die Straße, die unter der Autobahnbrücke entlangführt. Dort befindet sich ein Pfad, der so schmal ist, dass nur ein Mensch allein drauf gehen kann. Zu beiden Seiten liegen Felder, die von der Straße durch eine Rasenbank mit weißen Blumen abgegrenzt sind. Wenn die Autos hinter mir nicht so laut rauschen würden, hätte ich glatt auf dem Land sein können.

»Addie, komm schon, mach langsam.« Er rennt, um mich aufzuholen. »Alles in Ordnung mit dir?«

Ich halte an und drehe mich so schnell auf dem Absatz um, dass er stolpert und fast in mich hineinläuft.

»Ob mit mir alles in Ordnung ist? Marcus ist so ...« Ich schaue weg. Es ist schwer, so nah bei Dylan zu stehen und ihn anzuschauen. »Er ist so ein Arsch.«

»Ich weiß. Ich spreche mit ihm.«

»Nein, lass das. Gib mir einfach eine Minute.«

»Ich weiß, dass das schwer ist, aber am besten ignoriert man ihn einfach.«

»Ach, und ignorierst du ihn etwa?«

Ich kenne das so gut. Als würde man in ein paar alte Schuhe schlüpfen. Ich bin wütend, weil ich mich schäme, das weiß ich, aber ich sage trotzdem noch etwas, das ihn verletzen wird.

»Weil es für mich so aussieht, als wärst du immer noch sein treu ergebener Sidekick, der wie ein Welpe hinter ihm hertrottet.«

Dylan öffnet den Mund, um zurückzufeuern, dann schließt er ihn wieder. Er blickt zu Boden. Mein Herz schmerzt. Ich erinnere mich so gut an dieses Gefühl des Selbstekels. Bin ich immer noch so? Nur, weil ich das Gefühl so gut kenne, bedeutet das auch, dass es mich ausmacht?

Vielleicht passen mir diese alten Schuhe nicht mehr. Die Wut ist genauso schnell wieder verflogen, wie sie gekommen ist.

»Entschuldige«, sage ich. »Entschuldige. Ich wollte nicht … Ich rege mich nur auf.«

Er blickt auf. »Die Situation mit Marcus hat sich verändert«, sagt er. »Seit einiger Zeit. *Er* hat sich verändert.«

Ugh. Nein. Ich schaue zur Seite und laufe weiter von der Autobahn weg.

»Er hat sich kein bisschen verändert. Ein Mensch wie Marcus kann sich nicht ändern.«

»Ich verstehe, warum du das denkst.« Dylans Stimme klingt ruhig und besonnen. »Aber ich glaube, dass er mit Erfolg an sich arbeitet. Er ist anders geworden.«

Dylan geht nun neben mir. Sein Arm streift meinen und bleibt kurz an der klebrigen Sonnenmilch auf meiner Haut hängen. Einen Moment lang kann ich ihn riechen. Der Duft macht mich benommen, als würde die Welt sich verformen, so wie im Fernsehen, wenn jemand in der Zeit zurückreist.

»Mir gegenüber verhält er sich nicht anders.«

»Du weißt, dass er nicht die ganze Geschichte kennt«, sagt Dylan ruhig.

»Ich weiß.« Ich biege links in eine Straße mit Neubauten ein, vor denen parkende Autos stehen. Ich blinzele, während die Sonne in eines der Fenster scheint. »Er ist trotzdem ein Arschloch.«

Dylan streitet das nicht ab. Wir gehen eine Weile schweigend weiter. Das fühlt sich seltsam an, als würden wir plötzlich eine Szene improvisieren, die wir schon tausendmal durchgespielt haben. Dylans Gesichtsausdruck ist ernst. Ich schaffe es nicht, diese Wut von eben wieder zu spüren – sie hat mich verlassen, als ich gesehen habe, wie sehr ich ihn verletzt habe. Plötzlich will ich ihn nur noch zum Lachen bringen. Das ist ein dermaßen starkes Gefühl, dass ich mir eine Hand auf den Bauch presse, um es aufzuhalten.

»Wo wir gerade hier sind, nur wir beide, wollte ich … wollte ich nur sagen, dass es mir leidtut, was ich über deinen Entschluss gesagt habe, nicht mehr mit mir zu reden«, sagt Dylan in die Stille. »Das war deine Entscheidung.«

Fairerweise muss ich sagen, dass er diese Entscheidung immer respektiert hat. Obwohl ich sie so oft liebend gern rückgängig gemacht hätte.

»Ich dachte, es würde es einfacher machen. Zu …«, ich spreche nicht weiter.

»Und? War das so?«

Nein. Nichts wurde leichter. Ich war am Boden zerstört, als Dylan mich verlassen hat, und es war nicht leicht, wieder auf die Beine zu kommen. Das ging nur ganz langsam, Schritt für Schritt.

»Das waren keine einfachen Jahre«, sage ich schließlich.

»Nein.« Sein Arm streift meinen wieder, dieses Mal mit Absicht, glaube ich. »Ich wünschte, ich könnte …«

»Lass das«, sage ich erstickt. »Wünsch dir nichts.«

Er bleibt ruhig. »Marcus *hat* sich verändert. Verändert sich noch. Achte einfach mal darauf – bitte. Für mich.«

»Das sollst du auch lassen. Sag nicht *für mich*, als …«

»Es tut mir leid. Aber ich will, dass du Folgendes weißt: Ich würde nicht mit Marcus in einem Auto sitzen, wenn er immer noch derselbe wie damals wäre, als wir zusammen waren.«

Ich blicke ihn kurz an. Er hätte so etwas vor anderthalb Jahren nicht gesagt. Ich mache mich wieder auf die Suche nach Unterschieden zu früher: das kürzere Haar, eine kleine Falte zwischen den Augenbrauen … und nun pampt Dylan Marcus an, wenn er doof zu mir ist. Auch das ist neu.

Die Missbilligung, die Frisur, das Anpampen – alles verleiht ihm einen bodenständigeren Touch. Ein wenig verletzt, ein wenig stärker. Selbstbeherrschter.

»Wir sollten wahrscheinlich …« Er seufzt und blickt hinter sich. »Wir haben eine sehr seltsam zusammengewürfelte Truppe am Fahrbahnrand zurückgelassen.«

Ich reibe mir über das Gesicht und lache mir zittrig in die Hände. »Oh Gott. Kevin der Trucker hat sie wahrscheinlich alle umgebracht.«

»Oder Rodney. Es sind immer die Stillen.«

Wir lächeln uns an. Ich mache mich zuerst auf den Rückweg, mein Arm streift seinen noch einmal.

»Ich hatte unrecht«, sage ich spontan. »Wegen des Nichtredens. Es war schlimm. Ich … ich wünschte, ich hätte dich nicht gebeten, mich in Ruhe zu lassen.«

Ich sehe, wie sich seine Mundwinkel nach oben bewegen.

Es gab eine Zeit, in der ich alles dafür getan hätte, ihn so zum Lächeln zu bringen.

»Vielen Dank, dass du mir das gesagt hast«, entgegnet er nur.

Schweigend gehen wir zurück zum Mini. Es ist schwer, jetzt noch die richtigen Worte zu finden. Ich gehe langsamer, als ich sollte. Mir gefällt es, ihn neben mir zu spüren.

Wir halten beide an, als wir die Treppe erreichen, die zur Autobahn führt.

»Oh, verdammt«, sagt Dylan. »Man kann sie nicht einmal für fünf Minuten allein lassen, oder?«

# Dylan

Unten an der Autobahn bietet sich uns ein bizarres Bild – Rodney, Kevin und Marcus scheinen eine Art Amateur-Olympiade auszutragen. Rodney hält eine leere Flasche wie einen Speer in der Hand, der andere Arm ist zur Seite gestreckt (zum Glück zielt er nicht auf die volle Autobahn). Sein Gesicht wirkt auf komische Weise hoch konzentriert. Derweil machen Marcus und Kevin Kniebeugen und heben dabei zwei Koffer hoch.

»Die Kraft kommt allein aus den Beinen«, sagt Marcus, während er meinen Koffer nimmt. »Kraft in den Oberarmen braucht man nicht unbedingt.«

Addies Schwester überwacht das Ganze von der Picknickdecke aus, wo sie – soweit ich das beurteilen kann, mein Wissen in diesen Dingen ist begrenzt – mit einer Art Saugvorrichtung, von ihrer Brust Muttermilch abpumpt.

Mit geübter Leichtigkeit hievt Kevin den Koffer hoch. »Kraft in den Oberarmen ist allerdings hilfreich.« Er stemmt den Koffer wie bei einer Hantelübung, während Marcus – dem stets die Geduld und das erforderliche Engagement gefehlt haben, um regelmäßig ins Fitnessstudio zu gehen oder überhaupt irgendetwas regelmäßig zu tun – versucht, den Koffer wie ein Champion im Gewichtheben über den Kopf zu stemmen. Er schafft es gerade bis zur Hälfte, dann setzt er ihn mit hochrotem Kopf wieder ab.

»Ich muss ihn nur besser in den Griff kriegen«, sagt er.

Kevin gluckst und macht ein paar lässige Kniebeugen.

Addie seufzt neben mir. »Es gefällt mir nicht, wie Deb den Trucker ansieht.«

»*Kevin?* Im Ernst?«

»Seit sie Riley bekommen hat, hatte sie keinen Sex mehr. Sie hat so etwas in der Richtung gesagt wie, dass sie dieses Wochenende wieder *in den Sattel steigen* will.«

Ihr Gesichtsausdruck entspricht meinem eigenen.

»Macht Rodney überhaupt mit?«, frage ich und beobachte, wie er den Wurf andeutet, bevor er ihn tatsächlich ausführt. Mit den knubbeligen vorstehenden Knien und den nach außen gerichteten Fußspitzen erinnert er etwas an ein animiertes Strichmännchen. Die Flasche segelt die Böschung hinauf und erreicht nicht ganz oben die Baumreihe, dann purzelt sie plump wieder nach unten.

»Ich glaube, er macht einfach auf seine eigene Weise mit«, sagt Addie in sehr liebevollem Ton. »Er scheint sich nicht in Deb verknallt zu haben wie die beiden anderen, oder?«

»Kevin ist ganz bestimmt verknallt in sie, aber ich würde sagen, Marcus ist …« Ich zögere. »Marcus tut, was er immer tut, wenn eine Frau in der Nähe ist. Nicht dass Deb jemals was mit ihm anfangen würde. Ach, verdammt, das war ja mal wieder klar«, sage ich, als Marcus unten umfällt und der Koffer neben ihm auf den Boden kracht. »Musste er ausgerechnet meinen Koffer nehmen?«

Vorsichtig setzt Kevin Marcus' Koffer ab. Rodney streckt eine Hand aus; Kevin braucht einen Moment, um zu begreifen, dass er sich mit ihm abklatschen will. Rodneys beglückte Miene, als ihre Handflächen aneinanderklatschen, lässt vermuten, dass er es gewöhnt ist, von Leuten hängen gelassen zu werden.

»Ihr seid echt witzig«, sagt Kevin und wippt auf den Zehen, anscheinend hat das Gewichtheben neue Energie in ihm geweckt.

»Echt? Sogar Rodney?«, fragt Marcus und klopft sich den Staub ab, als er aufsteht. »Kevin, du musst deinen Horizont erweitern. Weißt du, ich hab mal eine Frau kennengelernt, die konnte ihre eigenen Zehen fellationieren. Also, *die* war lustig.«

»Gott«, sagt Rodney, während Kevin schallend lacht und Marcus auf den Rücken schlägt.

Deb entdeckt uns und winkt, dann entfernt sie die Milchpumpe. Nur mein extrem schnelles Denkvermögen rettet mich davor, den Nippel von Addies Schwester zu sehen.

»Wenn ihr noch was anderes zu essen oder zu trinken haben wollt, von hier aus ist es nicht weit zu Tesco«, sagt Kevin mit derart heiserer Stimme, dass ich mich frage, ob er vielleicht mehr von Debs Brust gesehen hat als ich.

Deb stemmt sich hoch. »Warum zeigst du ihn mir nicht?«, fragt sie Kevin schnell.

»Ich hab's doch gesagt«, bemerkt Addie.

»Was? Du meinst doch nicht – die werden doch nicht etwa auf dem Weg zum Supermarkt miteinander vögeln, oder?«

»Du hast dich wirklich verändert«, erwidert Addie trocken, doch als sie merkt, was sie gesagt hat, wird sie rot. Zu Recht – kaum hat sie es gesagt, ist es um mich geschehen. Ich denke an all die Nächte, in denen wir nicht warten konnten, bis wir zu Hause waren. Wir hatten Sex an Mauern, auf Autorücksitzen, auf dem kargen Boden des Weinbergs neben der Villa Cerise …«

»Gehen wir shoppen!«, sagt Kevin mit einem fröhlichen Winken. Sein breites Grinsen wirkt mehr wie eine Grimasse – ich habe den Eindruck, dass er es nicht gewohnt ist zu lächeln.

Kevin zu beobachten hilft gegen meine erotischen Gedanken. Darum sehe ich zu, wie er die Böschung hinaufsteigt, und versuche, mich auf seinen grausigen Kahlkopf zu konzentrieren.

Es funktioniert nicht. Ich kann nur noch an Addies weiche geschwungene Hüfte denken. An Addies nackte Schenkel, ihre langen dunklen Haare, die sich über meine Brust ergießen, während sie die Lippen auf den Bund meiner Boxershorts drückt. Es scheint mir jetzt unglaublich, dass das nicht immer nur eine Fantasie gewesen ist, dass sie ihren Körper tatsächlich an meinen gepresst hat – dass ich sie einmal berühren durfte.

# DAMALS

...ge immer noch scheu zod

# Addie

*Kann das Mädchen uns noch eine Flasche Vino bringen? Sie hat doch bestimmt irgendwo ein geheimes Versteck, da bin ich mir ganz sicher.*

Das Mädchen. Das Mädchen. In den letzten sechs Monaten waren viele übergriffige Gäste in der Villa Cerise gewesen, aber Dylans Onkel Terry setzt dem Ganzen die Krone auf. Er und Dylan sitzen, seitdem wir aus La Roque-Alric zurückgekommen sind, auf der Terrasse – ich habe hier unten und im Haus gearbeitet, aber ich kann sie immer noch hören. Terry ist vom Typ her *der Spaßvogel*, der mit Freunden an der Quiz-Maschine eines Pubs steht. Derjenige, der niemals flachgelegt wird, aber so tut, als hätte er es mit jedem Mädchen in der Bar getrieben. Genau so ein Typ mit zwanzig Jahren mehr auf dem Buckel. Immer noch »lustig«, immer noch untendurch bei den Frauen.

Ich runzele die Stirn, als ich mein Spiegelbild an der Wohnzimmerwand der Wohnung betrachte. Das war zickig. Das habe ich nicht nötig. Ich muss nur … Eine Verschnaufpause machen.

Ich betrachte mich eingehender. Der Spiegel ist ein wenig konvex – oder dieses andere … konkav. Wie dem auch sei, meine Nase ist winzig und meine Augen wirken riesig, wie die eines Käfers. Ich bewege den Kopf ein wenig vor und zurück und frage mich, was Dylan sieht, wenn er mich anblickt. Ob er es morgen immer noch sehen wird.

Ich hatte immer schon das Gefühl, ein Allerweltsgesicht zu haben. Deb hat diese schönen buschigen Augenbrauen, die sie nie zupft – die verleihen ihr etwas Einzigartiges, als wäre sie ein Model. Meine Augenbrauen sehen nur aus wie ... ich weiß nicht. Ich weiß nicht einmal, wie ich sie beschreiben soll.

Uff. Ich blicke nicht mehr in den Spiegel und schnappe mir die Weinflasche, die ich mir gerade aus Debs und meinem »geheimem Versteck« geholt habe, denn – so unschön es auch ist, dass Terry recht hat – wir haben tatsächlich eins. Mein Herz schlägt zu schnell, während ich hoch zur Terrasse gehe. Es ist lächerlich, wie sehr mein Körper auf Dylan reagiert. Ich habe schon seit Ewigkeiten niemanden mehr so gut gefunden.

»Hier, bitte sehr«, sage ich und überreiche ihnen die Flasche.

Meine Laune wird bei Dylans Gesichtsausdruck etwas besser – dieser coole, einstudierte eindringliche Blick, mit dem er mich zuvor angeschaut hatte, ist weg und er starrt einfach nur noch, als würde er sich nach mir sehnen, als wollte er mich langsam ausziehen. Mein Magen zieht sich zusammen. Ich war davon ausgegangen, dass das Starren mit Terrys Ankunft beendet wäre. Als würde ein zusätzlicher Betrachter Dylan zu der Erkenntnis bringen: *Oh, so toll ist sie eigentlich nicht.*

»Braves Mädchen«, sagt Terry und greift nach der Flasche. »Ich wusste doch, dass du mir gefallen würdest.«

Ich lache schrill und völlig anders als sonst.

»Kann ich Ihnen noch etwas bringen?«

»Willst du dich nicht dazusetzen?«, fragt Terry und zeigt auf einen leeren Stuhl. »Man fühlt sich in diesem Keller doch bestimmt irgendwann einsam ...«

Dylan runzelt die Stirn und rutscht auf seinem Stuhl hin und her. Er muss sich keine Sorgen machen. Ich werde Onkel

Terrys Zoten unter keinen Umständen einen ganzen Abend lang aushalten.

»Ich glaube, ich geh einfach ins Bett«, sage ich. »Ich hatte einen langen Tag.«

Sie lassen mich gehen und protestieren nur ein ganz kleines bisschen. Nachdem ich die Tür zur Wohnung hinter mir geschlossen habe, lehne ich mich mit geschlossenen Augen dagegen. Ich erinnere mich an Dylans Gesicht. Diesen sehnsüchtigen Blick. Ich atme tief ein.

Ich versuche, ins Bett zu gehen – ich habe den ganzen Sommer über wenig geschlafen –, aber ich finde keine Ruhe. Es ist so heiß. Ich strecke ein Bein unter der Bettwäsche raus, dann das zweite, dann gebe ich es auf und strampele das Laken ganz unten an die Bettkante.

Ich liege da und hoffe auf ein Klopfen an der Tür, wenn ich ehrlich bin. Ich bin schon fast eingedöst, als es tatsächlich klopft, und ich glaube kurz, dass ich es geträumt habe. Aber da ist es wieder, ein sanftes, zweifaches Klopfen.

Ich setzte mich abrupt im Bett auf. Ich habe einen schalen Geschmack im Mund, und meine Lippen sind trocken. Gott weiß, wie mein Haar aussieht. Ich flitze ins Bad, schrubbe mir dreimal mit der Zahnbürste durch den Mund und binde mein wirres Haar zu einem unordentlichen Dutt zusammen. Er sieht zu gestylt aus – ich mache ihn noch einmal neu. Als ich an der Tür ankomme, ist mein schläfriger Blick absolut aufgesetzt. Ich bin nun hellwach. Die Abendluft ist immer noch warm, und Dylan bringt den Duft nach sonnenverbrannten Weinreben mit in die Wohnung.

»Ich wusste nicht, ob du aufwachen würdest«, flüstert er, während ich die Tür hinter uns schließe. »Du wirkst so, als hättest du einen festen Schlaf.«

Das stimmt tatsächlich. Mein Ex hat sich immer darüber beschwert, dass ich für so einen kleinen Menschen viel zu laut schnarche, aber da das nicht sonderlich sexy ist, schüttele ich den Kopf.

»Ich habe … zwar nicht gewartet, aber …« Ich werde rot und wünschte, ich hätte etwas selbstsicherer geklungen. Mehr wie die Sommer-Addie.

Ich lächele ein wenig. Er sieht gleich wieder hochnäsig aus. Er tut selbstbewusst, wie damals, als er zum ersten Mal vor meiner Tür stand, aber das ist gespielt. Er nimmt meine Hand und zieht mich sanft an sich.

»Ich glaube, es gibt noch einiges, worüber wir reden sollten«, erklärt er mir leise.

Ich stelle mich so nah vor ihn, dass ich zu ihm hochblicken muss. Meine Hand in seiner reicht aus, um meinen Puls wieder in ungeahnte Höhen schnellen zu lassen. Sein schlaffes braunes Haar ist nun gestylt und fällt ihm in die Stirn. Irgendwie sieht er damit noch zerzauster aus.

»Ja?«, hauche ich. »*Reden?*«

»Vielleicht wollte ich auch sagen, was wir *tun* sollten«, sagt er und lässt meine Hand los, um die Knöpfe des Trägeroberteils zu öffnen, das ich im Bett getragen habe. Seine Finger bewegen sich langsam, er beginnt oben und sein Fingerknöchel streift meine Brust, während er die Knöpfe öffnet. Ich atme schon schwer, als er mir endlich die Träger über die Schultern schiebt und das Oberteil hinter mir auf den Boden fällt.

Wir sind immer noch in der Küche – wir haben uns nur einige Schritte von der Wohnungstür entfernt. Einen Moment lang schaut er nur zu mir hinunter. Seine Augen sind aufgerissen, die Lippen geöffnet. Mir stockt der Atem. Dann bewegt er sich, schiebt mich nach hinten, seine Hände gleiten zu meiner

Taille, seine Lippen legen sich auf meine. Mein Rücken prallt gegen die Tür, als sich unsere Zungen berühren.

Das ist kein erster Kuss, das ist das Vorspiel. Ich habe kein Zeitgefühl mehr, kein Gefühl mehr für irgendetwas, ich bin trunken vor Verlangen, höre mich stöhnen, kralle mich in sein Hemd, bis er sich von mir löst, um es sich über den Kopf zu ziehen. Als meine nackte Haut seine berührt, schnappen wir beide nach Luft.

»Verdammt«, sagt er und streicht mir mit einer Hand das Haar zurück, während er seine Lippen auf meine senkt. »Du machst mich jetzt schon völlig fertig.«

Ich drücke mich an ihn, hebe ein Bein, meine Pyjamahose rutscht hoch. Ich öffne seinen Gürtel, als es an der Tür hinter mir klopft.

Ich fahre so heftig zusammen, dass meine Zähne gegen Dylans schlagen. Wir stolpern ineinander verschlungen von der Tür weg. Dylan dreht sich gerade noch rechtzeitig um, um mich vor Onkel Terrys Blick abzuschirmen, der den Kopf durch die Tür steckt.

Das gibt's doch nicht! Terry ist wirklich ein Mann, der genau gleichzeitig klopft und die Türklinke herunterdrückt.

»Hu-hu!«, ruft er. »Maddy? Oh, hossa, hallo ihr beiden!« Er kichert. »Störe ich?«

Ich klammere mich wieder an Dylan und verstecke mein Gesicht an seiner Brust. Er schließt die Arme um mich. *Maddy.* So werde ich oft genannt. Genauso wie Ali und Annie.

»Hau ab, Terry«, sagt Dylan. »Geh bitte raus, bis sie sich etwas angezogen hat, verdammt noch mal.«

»Dein Wort ist mein Befehl«, antwortet Terry glucksend, und ich höre, wie sich die Tür wieder schließt.

»Oh, Gott«, sage ich an Dylans Brust.

»So ein verficktes kleines Arschloch, mein Onkel Terry«, sagt er und sammelt mein Oberteil und sein Hemd vom Küchenboden auf. Er atmet so schwer, dass sich seine Brust deutlich hebt und senkt. Bei mir ist es nicht viel besser.

»Ich kann dich immer noch hören, mein Junge!«, ruft Terry.

»Was ist in dich gefahren, dass du um zwei Uhr morgens an ihre Tür klopfst!«, ruft Dylan so laut, dass ich zusammenzucke.

»Was ist in *dich* gefahren, dass du um zwei Uhr morgens an ihre Tür klopfst, das würde ich gern wissen«, erwidert Terry.

»Ich glaube, das ist ziemlich offensichtlich, oder?«, fragt Dylan und fährt sich entnervt durchs Haar. »Außerdem heißt sie *Addie*. Nicht Maddy.«

Ich pruste vor Lachen. Das ist ganz offensichtlich schrecklich und kein bisschen witzig, aber irgendwie ist es doch ein *wenig* lustig. Dieses *Hu-hu*, als Terry den Kopf durch die Tür gesteckt hat.

»Ich habe ein Poltern gehört«, sagt Terry. »Als ich nach unten gegangen bin, um mir etwas zu Essen zu machen. Da dachte ich, ich schaue mal besser nach, ob mit der Lady alles in Ordnung ist!«

»Mir geht es gut, danke, Mr. Abbott«, rufe ich, dann lege ich mir die Hände aufs Gesicht. »Oh Gott«, flüstere ich.

»Es tut mir so leid«, sagt Dylan beschwörend. Sein Haar steht ihm in alle Richtungen zu Berge, und seine Lippen sind etwas geschwollen. Seine Protzerei ist weg. So hat er noch mehr Sex-Appeal. Und sieht ein wenig verloren aus.

Ich stelle mich auf die Zehenspitzen und drücke ihm einen Kuss auf den Hals. Ich spüre, wie sich sein Adamsapfel bewegt, als er ein Stöhnen unterdrückt.

»Ein andermal«, flüstere ich. »Du weißt jetzt, wo du mich finden kannst.«

# Dylan

Sie hat mich verzaubert. Ich bin Odysseus auf der Insel der Circe, ich bin Shakespeares Romeo, ich bin ... Ich habe beinahe eine Dauererektion.

Es ist sieben Stunden her, dass Addie in ihrer chaotischen kleinen Küche diesen einzigartigen brennenden Kuss auf meinen Hals gehaucht hat, und seither habe ich kaum eine Stunde geschlafen. Durch meinen Kopf schwirren erotische Gedichte, die an Pornografie grenzen. Wenn ich sie aufschreibe, wirken sie noch schlimmer. In einem Anflug von Irrsinn beschließe ich gegen sechs Uhr morgens, sie zusammenzufalten und unter ihrer Schlafzimmertür hindurchzuschieben. Zum Glück kann ich mich im letzten Moment noch beherrschen, weil mir klar wird, dass das ziemlich sicher gruselig wirkt oder – vielleicht noch schlimmer – verzweifelt. Stattdessen kehre ich in mein Bett zurück und stelle mir vor, dass ich sie ihr hier nackt vorlese, dann muss ich kalt duschen.

Erst um zehn Uhr morgens sehe ich sie wieder, als sie mit einer fettigen Papiertüte mit Croissants in der Hand zu uns auf die Terrasse kommt, wo Terry und ich Kaffee trinken. Sie trägt ein knappes gemustertes Kleid, das sich bei jedem Schritt um ihre Schenkel schmiegt, und sieht frisch aus. Als ich ihr das Gebäck abnehme, streift sie meine Finger. Noch nie waren Croissants mit so viel sinnlicher Energie aufgeladen.

»Danke«, murmele ich.

»Du siehst etwas blass aus«, stellt sie fest, und das Muttermal auf ihrer Oberlippe zuckt, als sie versucht, nicht zu lächeln. »Hast du nicht gut geschlafen?«

»Mein Neffe sagt, ich muss mich bei Ihnen entschuldigen!«, ruft Terry. »Es tut mir leid, dass ich gestern einfach so hereingeplatzt bin, das war nicht sehr gentlemanlike.«

Als sie sich von mir zu Terry wendet, will ich sofort, dass sie ihren Blick wieder auf mich richtet. Ich will sie ganz für mich alleine haben.

»Ich habe alles vergessen«, sagt Terry und wedelt mit dem Arm. »Ich erinnere mich an nichts. In Ordnung?«

Addie zögert einen Moment. »Danke«, sagt sie mit einem zarten Lächeln. »Das weiß ich zu schätzen.« Dann dreht sie sich um und geht davon.

»Wohin gehst du?«, platze ich heraus.

Sie wirft mir einen Blick über ihre Schulter zu. »Hab zu tun«, sagt sie lächelnd. »Wir sehen uns.«

Als wir auf der Terrasse zu Mittag essen, kehrt sie zurück. In einen roten Badeanzug gekleidet macht sie sich daran, die Blätter aus dem Pool zu fischen. Ich glaube, ich heul gleich. Ihre Tätigkeit erfordert, dass sie sich unerträglich oft nach vorn beugt.

Am Nachmittag betrinke ich mich, weil ich denke, es könnte helfen oder zumindest Onkel Terence interessanter wirken lassen. Doch der Alkohol löst nur meine Zunge.

»Ich glaube, sie könnte die Richtige sein«, gestehe ich Terry und lasse mich auf dem Sofa zurückfallen. Es ist zu heiß, um jetzt draußen zu sitzen – wir haben uns in das riesige kühle Wohnzimmer mit den Seidentapeten und den unzähligen Kissen zurückgezogen.

Terry kichert. »Warten wir ab, ob du noch genauso empfindest, nachdem du mit ihr ...« Er macht eine obszöne Geste, und am liebsten würde ich ihm die Weinflasche an den Kopf werfen.

»So ist das nicht«, beharre ich und schenke mir nach. »Sie ist so ... *wundervoll*. Noch nie habe ich so auf eine Frau gestanden.«

Eigentlich wollte ich sagen *eine Frau so sehr gemocht*, aber das trifft es mehr. Ich begehre sie so, dass es *wehtut*.

»Ah, die Leidenschaft der Jugend«, bemerkt Terry gütig. »Warte, wie sie aussieht, wenn sie zwanzig Pfund zugenommen und eine Vorliebe für Shopping-Kanäle entwickelt hat.«

»Onkel Terry. Buchstäblich alles, was du sagst, ist absolut daneben.«

»Deine Generation ist so empfindlich«, sagt er, lehnt sich zurück und balanciert das Weinglas auf seinem Bierbauch.

Ich leere mein Glas. Noch nie ist ein Tag so langsam vergangen.


Terry lädt Addie ein, mit uns zu Abend zu essen, aber sie lehnt ab und sieht dabei zu mir. Ich bin mir nicht sicher, was das bedeutet: Lehnt sie mehr als nur die Einladung zum Abendessen ab, nachdem sie einen Tag zum Nachdenken hatte? Bei der Vorstellung, dass sie vielleicht nicht will, dass ich heute Abend in ihre Wohnung komme, wird mir geradezu schwindelig vor Verzweiflung.

Beim Abendessen hört Onkel Terry nicht auf, von Onkel Rupe zu reden und wie schlecht er in den 1990ern sein Geld angelegt hat. Es könnte mich nicht weniger interessieren – ich spreche nur äußerst ungern über Geld, es ist mir unangenehm. Zudem isst Terry durch das ganze Gerede derart langsam, dass ich ihm am liebsten mit meiner Gabel den Rest des Steaks vom

Teller klauen würde. Kaum hat er mit dem Brot den letzten Rest Soße aufgewischt, stehe ich auf und räume die Teller ab. Als ich ihm seinen entreiße, kreischt er.

»Ich weiß, warum du mich unbedingt loswerden willst«, sagt er, als ich die Teller in die Küche bringe und sie beiseite stelle. »Du willst dich nach unten in die Personalwohnung schleichen, stimmt's?«

Ich beiße die Zähne zusammen. »Ich will Addie besuchen, ja.«

»Sie hat dich schon um den kleinen Finger gewickelt. Schwebt im Badeanzug durch die Gegend und provoziert dich den ganzen Tag lang.«

Ich gehe zurück ins Esszimmer, und er schüttelt lachend den Kopf.

»Mit der wirst du deine liebe Not haben.«

Terry ist immer unerträglich, aber ihn so über Addie reden zu hören ist nicht auszuhalten. Ich balle die Fäuste. Zumindest ist er nicht so schlimm wie Dad. Einen Moment lang stelle ich mir vor, wie es gewesen wäre, wenn die ganze Familie, wie ursprünglich von meinem Vater geplant, in diesen Urlaub gefahren wäre. Onkel Rupe und seine welkende amerikanische Frau. Das Cousin-Trio mit den Hakennasen aus Notting Hill. Mein Bruder Luke ohne seinen Partner Javier, weil Javier nie mit eingeladen wird. Luke hätte still die heimliche Homophobie meiner Familie ertragen. Ich hätte jemanden schlagen wollen, und Dad hätte uns gesagt, wie sehr wir ihn enttäuschen, während meine Mutter wie immer verzweifelt versucht hätte, alles zu kitten.

Nein, dieser Urlaub ist ein Geschenk, trotz Terry. Langsam löse ich die Fäuste.

»Hör zu«, sage ich. Ich bemühe mich, mir die Verzweiflung,

die ich durchaus empfinde, nicht anhören zu lassen. »Wenn du dich heute Abend allein amusierst, machen wir morgen eine Tour zu den Weingütern der Gegend. Den ganzen Tag. Nur wir zwei. Ich trinke auch nichts, damit ich dich fahren kann.«

Terry wirkt hin- und hergerissen. Als selbsternannte Stimmungskanone hasst er es, auch nur einen Moment allein zu sein. Aber Weinproben gehören zu seinen Lieblingsbeschäftigungen, und die Aussicht, einen ganzen Tag lang meine ungeteilte Aufmerksamkeit zu genießen, ist verlockend.

»In Ordnung«, gibt er nach. »Vielleicht könnte ich ... ein Buch lesen.«

Er blickt sich etwas verloren um.

»Im Wohnzimmer steht ein Fernseher«, sage ich. »Und es gibt alle *Fast-and-Furious*-Filme auf DVD. Alle.«

Seine Miene hellt sich etwas auf. »Also. Viel Spaß, Junge.« Er zwinkert mir zu. »Ich schlafe mit Ohrstöpseln.«

Ich unterdrücke ein Schaudern. »Das ist ... gut. Danke. Schlaf gut, Terry.«

## Addie

Dylan ist außer Atem, als er an der Wohnungstür ankommt. Er muss aus dem Esszimmer heruntergerannt sein. Es war niedlich, wie zerknirscht er mir den ganzen Tag lang hinterhergeschaut hat. Gestern wirkte er sexy und interessant – heute scheint er eher niedlich zu sein. Vorhin habe ich ihn dabei erwischt, wie er am Pool in ein in Leder eingebundenes Notizbuch geschrieben hat und dabei die Zunge zwischen den Schneidezähnen herausgestreckt hat.

»Hi«, sagt er außer Atem. »Ich bin in der Hoffnung hier, dass du mich – obwohl du den ganzen Tag lang die streitbaren Ansichten meines Onkels mitgehört hast – trotzdem küssen willst.«

Ich lache und lege den Kopf schief. Ich trage eine Latzhose, die über den Knien abgeschnitten ist und darunter meinen roten Badeanzug. In Latzhosen fühle ich mich am wohlsten. Ich war heute früh von mir selbst genervt, als ich mich für Dylan in dieses kurze Kleid gezwängt habe, nach meiner Rückkehr von der Bäckerei. Mein Plan war aufgegangen – ihm war ganz wortwörtlich der Unterkiefer heruntergefallen – aber es hatte sich ein wenig … billig angefühlt.

»Wie hast du es geschafft, ihn loszuwerden?«

Dylan ballt immer wieder die Hände zu Fäusten, als würde er mich unbedingt anfassen wollen. In meinem Bauch wird es wärmer und wärmer.

»Ich habe ihm einen ganzen Tag ungeteilte Aufmerksamkeit versprochen, weil wir morgen gemeinsam Weingüter besichtigen.« Dylan streicht sich das Haar aus den Augen. »Darf ich reinkommen?«

Ich halte inne, als würde ich überlegen, aber bei seinem gequälten Gesichtsausdruck werde ich weich. Ich lache und mache einen Schritt zur Seite. »Na los.«

»Oh, Gott sei Dank«, sagt er, und dann schließt er die Tür hinter sich, hält mich sanft aber bestimmt an den Schultern fest und drückt mich gegen das Holz. »Wo waren wir stehengeblieben?«

»Ungefähr hier, würde ich sagen.« Ich ziehe ihn näher an mich. Er ist mindestens einen Kopf größer als ich, und ich stehe schon auf Zehenspitzen und lege den Kopf in den Nacken, damit ich ihm in die Augen schauen kann. Sie glühen.

»Ich glaube, du wirst mein Todesurteil sein, Addie. Ich habe in den letzten achtzehn Stunden vor Verlangen nach dir fast den Verstand verloren.«

Ich habe noch nie einen Mann getroffen, der sich so gewählt ausdrückt wie Dylan. Seine Sätze könnte man unverändert zu Papier bringen.

»Niemand ist jemals an Verlangen gestorben«, erkläre ich und schmiege mich an ihn. »Und vielleicht würde dir ein wenig Geduld ganz guttun.«

»Ich habe die Erfahrung gemacht, dass Geduld schrecklich öde ist.«

Er küsst mich. Er kann gut küssen, aber das ist nicht der Grund dafür, warum mein Körper in Flammen aufgeht, als unsere Zungen sich berühren. Es liegt an der Intention hinter dem Kuss. Dieser Kuss sagt: *Dieses Mal bin ich die ganze Nacht lang hier.*

Unser erstes Mal ist wild. Wir bestehen nur aus zitternden Händen und keuchenden Atemzügen. Wir schaffen es nicht aus der Küche heraus, und als wir uns geschwächt und lachend voneinander lösen, klopft er mir Brotkrumen vom Hintern und den Oberschenkeln.

»Gott, du bist unglaublich«, flüstert er.

Er steht hinter mir und hält mich fest, als ich mich umdrehen will. Seine Hand streicht mir immer noch über die Oberschenkel, diesmal mit einem Hintergedanken. Und liebevoller. Ich gucke mir über die Schulter. Er schaut mich an, sein Blick erwischt mich eiskalt und ich will ihn schon wieder. So sehr, dass mein Herz wie verrückt klopft.

Meine Beine sind wackelig; ich stolpere auf dem Weg zum Bett. Als ich mit dem Gesicht nach unten auf die Matratze falle, ist er gleich hinter mir und zieht mich an sich. Er küsst mich sanft auf den Nacken, und ich spüre, wie sich diese Hitze wieder in meinem Magen ausbreitet.

»Da«, sagt er heiser und drückt mit einem Finger auf die Stelle, wo meine Taille in die Hüfte übergeht. »Ich glaube, ich habe noch nie einen Zentimeter mit so viel Sexappeal gesehen.«

»Da?«, frage ich und drehe mich in seinen Armen. »Ernsthaft?«

Er rutscht im Bett ein wenig weiter nach unten. »Vielleicht hier«, sagt er und drückt mir langsame, heiße Küsse auf den Hals. Ich stöhne auf und lege den Kopf in den Nacken.

»Oder hier.« Meine Brüste. »Hier.« Die Einkerbung unter meinen Hüftknochen. »Hier.« Die weiche, sanfte Haut meiner Oberschenkel.

Er ist ganz anders als jeder Mann, mit dem ich bisher geschlafen habe. Jetzt lassen wir uns Zeit. Die Minuten ziehen wie im Nebel vorbei, als würde ich träumen. Er ist wild, dann betont langsam, als wolle er mich necken, dann wieder so sanft und süß, dass ich schockiert bin, als ich meine Rührung bemerke, meine Augen brennen, während er seine Stirn gegen meine lehnt und sich vor und zurück bewegt, nur ein wenig, nicht genug, noch nicht, bis ich weich wie Gelee bin und ihn unbedingt will.

Wir schlafen ineinander verschlungen und verschwitzt ein. Ich wache im Dunkeln auf und bin völlig desorientiert. Sein Brusthaar kitzelt mich an der Wange. Ich setze mich abrupt auf und schaue mir das Durcheinander aus Klamotten und Bettzeug an, das Buch, das ich irgendwann nach Mitternacht vom Nachttisch getreten habe, Dylans nackten Körper, lang und gebräunt, den ich besser erkenne, als sich meine Augen an die Dunkelheit gewöhnen.

Ich lächele und drücke mir die Hand aufs Gesicht. Das fühlt sich nach … mehr als einer Sommerromanze an. Es fühlt sich sagenhaft an.

Die Sonne ist aufgegangen, als ich wieder aufwache und Terry an die Wohnungstür hämmert.

Ich bin mit dem Kopf auf Dylans Arm eingeschlafen. Er zuckt, als Dylan aufwacht und ich weiche ihm aus, damit ich nicht ins Gesicht getroffen werde.

»Oh!«, schreie ich kurz auf.

»Hmm?«, fragt er und blickt mich abwesend an. Ihm fällt das Haar in die Augen, er schaut noch einmal hin und sagt: »Oh, hallo.«

Ich muss einfach lächeln. »Hi. Du hättest mir fast eine verpasst.«

»Wirklich?« Dylan setzt sich auf, lehnt sich gegen das Kissen und streicht sein Haar zurück. Er reibt sich die Wange, als würde er versuchen, sein Gesicht wieder zum Leben zu erwecken. »Oh, verdammt, tut mir leid. Ich bin ein Fuchtler. Sorry. Aber wenigstens bist du eine Schnarcherin, deswegen sind wir quitt.«

»Hallo?«, ruft Terry von draußen. »Dylan!«

Ich seufze und drücke das Gesicht ins Kissen. Wir haben bestimmt nicht mehr als drei Stunden geschlafen. Ich würde gern noch bis neun im Bett bleiben, mindestens.

»Verdammter Onkel Terry«, sagt Dylan in Richtung Decke.

Ich lache in mein Kissen. »Ist deine ganze Familie so seltsam?«

»Oh, ja, definitiv. Aber alle sind anders seltsam. Es wird nicht langweilig.« Er rollt sich zu mir rüber und küsst mich auf die Schulter. »Morgen«, sagt er und schmiegt seinen Kopf an mich. »Bitte bleib genau so liegen, genau so, auf diesem Bett, bis ich vom Alkoholausflug mit meinem Onkel zurückkomme, ja?«

»Komplett nackt?«, frage ich und drehe mich um, um ihn anzuschauen.

»Unbedingt.«

»Dylan! Wir müssen los!«, ruft Terry.

Dylan lehnt sich nach vorn und küsst mich sanft auf die Lippen. »In Ordnung. Du kannst dich anziehen und dich bewegen, wenn es *absolut* notwendig ist. Aber verschwinde nicht. Bitte!«

»Ich bin den ganzen Sommer über hier«, sage ich. »Ich gehe nirgendwohin.«

Dann lächelt er. Lässig, ein wenig zerzaust, das Haar fällt ihm schon wieder in die Augen. »Perfekt«, sagt er. Er küsst mich sanft. »Die letzte Nacht war … unvergesslich. Du bist einfach außergewöhnlich.«

Ich erröte derart stark, dass er in sich hineinlacht – ich bin mir sicher, dass er spürt, wie heiß mein Gesicht ist. Ich will ihn fragen, wie er es schafft, immer genau das Richtige zu sagen, aber es fühlt sich unangemessen an. Ich will ihm dieses Zugeständnis nicht machen. Ich will ihm nicht zeigen, dass ich ihm schon mit Haut und Haaren verfallen bin. Wenn er das weiß, hat er die Macht. Sein Hundeblick, mit dem er mir gestern am Pool hinterhergeschaut hat, würde Geschichte sein.

# JETZT

# Dylan

Die Typen vom Pannendienst sind da und reparieren Debs Wagen. Ich bemühe mich ernsthaft zu verstehen, was mit den Bremsen und der Lenkung los war, aber bei Gesprächen über Autos schalte ich völlig ab. Ähnlich geht es mir immer, wenn mein Vater von Rugby redet. Mit sechzehn konnte ich *Was ihr wollt* komplett auswendig, aber ich weiß immer noch nicht genau, was die Spieler eigentlich machen, wenn sie sich aufeinanderwerfen.

Während sich Kevin mit Deb ausführlich über Bremsflüssigkeit unterhält, steht Rodney eifrig nickend daneben, und ich beobachte Addie. Und Marcus beobachtet mich.

»Wenn du sie weiter so anstarrst, bekommt sie noch Angst«, sagt Marcus und schlendert mit den Händen in den Hosentaschen zu mir herüber.

Wir stehen immer noch am Straßenrand. Ich habe mich schon so an das Verkehrsrauschen gewöhnt, dass ich es gar nicht mehr wahrnehme. Als mir das bewusst wird, muss ich an die Grillen in Frankreich denken. Ich hatte ihr endloses Zirpen ausgeblendet und erst gemerkt, dass sie sangen, wenn sie plötzlich verstummten.

Der Typ von der Pannenhilfe lacht über etwas, das Addie sagt, und erschrocken spüre ich einen Stich, als sie sein Lächeln erwidert. Er ist attraktiv – Spanier vielleicht, er hat einen kurzen Bart und beeindruckende Augen.

»Ich weiß, das willst du nicht hören«, sagt Marcus leise, als er mir am Straßenrand entlang zu den anderen folgt. »Ich will dich nicht ärgern. Vorhin im Auto habe ich die Nerven verloren. Okay, aber es ist trotzdem richtig, Dyl – ich wäre nicht dein Freund, wenn ich nichts sagen würde. Du kannst nicht mehr zurück. Du musst nach vorn schauen. Herrgott, ich dachte, du wärst darüber hinweg. Es ist doch fast zwei Jahre her, oder?«

Am liebsten würde ich ihn schlagen. Vielleicht könnte ich ihm eine verpassen, nur ein einziges Mal? Wie oft habe ich mich schon danach gesehnt, es aber nie getan. Vielleicht könnte ich dieses Verlangen damit für immer aus dem Kopf bekommen und mich dann wieder wie ein erwachsener, hilfsbereiter Freund verhalten.

»Addie«, ruft Deb und wedelt mit dem Telefon. »Addie … das ist Cherry.«

Deb war ziemlich glücklich und zerzaust von ihrem Ausflug zu Tesco zurückgekehrt. Als ich die offensichtlichen Fragen stellte – *Sorry, aber wie? Wo?* –, verkündete sie freudestrahlend, dass Kevin eine Ladung Sessel hinten auf dem Laster hätte und dass sie so zwei ihrer Lieblingsaktivitäten gleichzeitig frönen konnte: Sex und sich auf einem bequemen Sessel fläzen.

»Geh nicht ran«, rufe ich, während Addie im selben Moment sagt:

»Nimm nicht ab!«

Alle starren auf das klingelnde Telefon in Debs Hand.

»Irgendwann müssen wir es ihr sagen«, stellt Deb fest, als der Anruf auf die Mailbox geht. »Jetzt schaffen wir es auf keinen Fall, rechtzeitig zum Barbecue dort zu sein.«

Sie öffnet die Karte auf ihrem Smartphone.

»Wir haben fünfeinhalb Stunden für knapp zweihundert

Kilometer gebraucht und noch fast fünfhundert Kilometer vor uns.«

Addie wirft den Kopf in den Nacken und stöhnt. »*Wie konnte das so schieflaufen?*«

»Lasst uns einfach schneller fahren«, sagt Marcus.

»Wir müssen fünf Stunden stramm durchfahren, und jetzt ist es schon fast elf.«

»Was haben wir gesagt, wann wir dort sein würden?«

»Um drei«, erwidert Addie und verzieht das Gesicht. »Und ich rase nicht. Ich habe schon drei Punkte.«

Ich starre sie mit offenem Mund an, doch sie weicht meinem Blick sorgsam aus.

»Ich auch nicht«, erklärt Deb. »Ich habe einen Sohn. Ich darf nicht sterben.«

»Ich schicke ihr eine Nachricht«, sagt Addie und kaut auf ihrer Lippe. »Das … das ist okay.«

Alle machen zustimmende Laute, als sei das eine geniale Idee, dabei ist allen klar, dass wir uns nur drücken.

»Gut – alle zurück ins Auto. Ach, Kevin!«, ruft Addie und bleibt abrupt stehen. »Sorry. Ich hab ganz vergessen, dass du nicht zur Gang gehörst.«

Das scheint Kevin zu gefallen, doch dann wird sein grimassenhaftes Lächeln brüchig. »Ihr fahrt? Schon?«

»Der Wagen ist repariert«, sagt Addie, deutet auf die Jungs von der Pannenhilfe und wirft ihnen ein Lächeln zu.

Der Spanier hat eindeutig gerade ihren Hintern taxiert. Man darf mir auf keinen Fall ansehen, dass mich das stört. Aber das tut es. Sehr sogar. Gott, sie ist so wunderschön.

Ich merke, dass Marcus mich erneut mit hochgezogenen Augenbrauen beobachtet, und ich bemühe mich eifrig, irgendwo hinzusehen, nur nicht zu Addie.

»Willst du nicht noch zum Mittagessen bleiben? Dir das Fahrerhaus mal von innen ansehen?«, fragt Kevin.

Das war an Deb gerichtet, die eifrig Essen in Plastiktüten packt und Kevin vollkommen ausgeblendet zu haben scheint. Seit sie von Tesco zurückgekommen sind, hat sie ihn mit ähnlich gleichgültigem Blick gemustert wie Addie Rodney. Die Fähigkeit der Familie Gilbert, sich auf das Wichtige zu konzentrieren und alles andere zu ignorieren, ist wirklich bemerkenswert.

»Also«, sagt Kevin, und sein aufgesetztes Lächeln verblasst. Er reibt sich das Kinn. »Macht's gut.«

»Bis dann, Kevin«, erwidert Marcus und nimmt auf dem Beifahrersitz Platz. Seit Deb mit Kevin zu Tesco gegangen ist, hat seine Freundlichkeit stark nachgelassen. Marcus verliert nicht gern, auch wenn sein Interesse an einem Sieg nur gering war.

Der Rest von uns verabschiedet sich, bis nur noch Deb übrig ist. Sie räumt den Abfall und das halb gegessene Essen weg, das wir am Straßenrand zurückgelassen haben, und hält sich beim Aufrichten mit einer Hand den unteren Rücken.

»Mach's gut, Kevin. Danke«, sagt sie, als sie ihre Aufmerksamkeit schließlich auf ihn richtet.

»Vielleicht sieht man sich ja mal wieder!«, startet Kevin einen Versuch.

»Eher unwahrscheinlich«, sagt Deb, öffnet den Kofferraum und wirft die Mülltüte hinein.

»Ruf mich an!«, ruft er, als sie die Autotür zuschlägt.

Deb braucht eine Weile, um sich auf die rechte Spur einzufädeln – der Verkehr rauscht vorbei, die Sonne spiegelt sich auf den glänzenden Motorhauben –, und Kevin wartet am Straßenrand, um uns zum Abschied zu winken. Ich beobachte im Rückspiegel, wie er immer kleiner wird und spüre, wie sich Addies Bein auf der Rückbank gegen meins presst. Warum fällt es uns nur allen so schwer, die Gilbert-Frauen ziehen zu lassen?

Die nächste Stunde verläuft ohne Zwischenfall. Also, eigentlich – was mich angeht, so ist jede Bewegung von Addies Bein, das ich an meinem spüre, ein ganzes Gedicht wert.

Von ihrer Nähe wird mir schwindelig. Unzählige Male habe ich mir vorgestellt, sie wiederzusehen, aber es ist ganz anders, als ich dachte. In meiner Vorstellung sah sie genauso aus wie damals, als ich sie verlassen habe – müde, traurige Augen und dunkles taillenlanges Haar –, aber jetzt ist sie anders. Wärmer, seltsamerweise weniger zurückhaltend. Sie kennt sich besser. Ihre Fingernägel sind nicht abgekaut, und sie strahlt eine vollkommen neue Ruhe aus.

Und da ist natürlich noch ihr Haar, und die Brille – beides finde ich unglaublich sexy.

»Also, Rodney«, sagt Deb über ihre Schulter, während sie den Wagen auf die Überholspur lenkt. »Was ist deine Geschichte?«

»Oh, ich habe keine Geschichte«, sagt Rodney.

Marcus lacht verächtlich. Er hat vorn aus dem Fenster gesehen und war verdächtig still. Im Wagen ist es zu heiß, die Luft ist unangenehm abgestanden wie der Mief in einem nicht gelüfteten Schlafzimmer.

»Jeder hat eine Geschichte«, widerspricht Addie.

Sie sieht mich an, doch dabei kommen sich unsere Gesichter sehr nah – sie sind nur einen Kuss voneinander entfernt –, sodass sie den Blick mit geröteten Wangen sofort wieder nach vorn richtet.

»Rodney?«, drängt sie.

Rodney windet sich. »Ach, im Ernst, ich habe nichts zu erzählen!«

Auf einmal sehe ich ihn mit einem Anflug von Mitleid an, dann wird mir klar – genau wie bei Addie eben –, wie nah unsere Gesichter sich jetzt sind. Ich kann jede Pore auf seiner Nase erkennen.

»Komm schon, Rodney – was machst du zum Beispiel beruflich?«, frage ich und richte den Blick schnell wieder auf die vor uns liegende Straße. Der Mittelplatz ist mit Abstand am schlimmsten. Ich weiß nicht, wohin mit meinen Füßen, und meine Arme fühlen sich ziemlich lästig an, als wären sie eigentlich überflüssig; ich hätte sie im Kofferraum lassen sollen.

»Ich arbeite mit Cherry zusammen«, sagt Rodney. »Ich bin im Verkaufsteam.«

Ohne sie anzusehen, spüre ich genau, dass Addie ebenso überrascht ist wie ich. Ich weiß nicht, warum keiner von uns gefragt hat, woher Rodney Cherry eigentlich kennt, aber mit dieser Antwort habe ich nicht gerechnet. Seit sie in Chichester mit Krishna zusammengezogen ist, arbeitet Cherry für ein edles Reiseunternehmen, das zehntausend Pfund teure Urlaube für vielbeschäftigte Menschen organisiert, die selbst keine Zeit haben, sich darum zu kümmern. Nicht eine von diesen grässlichen Pauschalreise-Seiten, die einen immer auffordern, schnell zu buchen, bevor es jemand anders tut. Nein, eine exklusive Reiseagentur mit einem gemütlichen Büro und Angestellten, die einen erstaunlich zuvorkommend behandeln. Diese Freundlichkeit ist natürlich nur bestimmten Personen vorbehalten. Sie ist äußerst exklusiv.

Rodney wirkt nicht gerade exklusiv.

Ich sollte etwas sagen – meine Reaktion lässt schon viel zu lange auf sich warten. »Das ist ja toll!«, sage ich deutlich zu euphorisch. Addie wirft mir einen amüsierten Blick zu, und ich ziehe schnell eine Grimasse, als wollte ich sagen: *Was hättest du denn gesagt?* Ich spüre ihr Lächeln mehr, als dass ich es sehe.

»Was ist das Peinlichste, was du jemals gemacht hast, Rodney?«, fragt Marcus, ohne sich umzudrehen.

»Marcus«, hebt Addie an.

»Was denn? Fünf Fragen! Das hab ich vorhin schließlich auch gemacht, oder?« Dann dreht er sich um und lächelt. »Komm schon, Rodney, das wird lustig. Wir sind doch hier alle Freunde, oder?«

Das ist eine äußerst unzutreffende Behauptung.

Rodney räuspert sich. »Äh. Das Peinlichste … Also, wartet mal … Ich habe mich mal im Bett eingenässt.«

Darauf folgt langes Schweigen.

»Als ein Mädchen bei mir war«, ergänzt er.

»*Was*?«, rufen alle im Chor.

»Was, als Erwachsener?«

»Nun, ja«, sagt Rodney. »Haha!«

Ich winde mich innerlich, während Marcus in sich hineinlacht. Vermutlich wird Rodney noch aufrichtig bedauern, dass er das erzählt hat.

»Nächste Frage?«, sagt Rodney voller Hoffnung.

»Also, so richtig voll eingepinkelt?«, fragt Deb neugierig. »Oder nur ein paar Tropfen?«

»Oh, Mann«, erwidert Rodney. »Haha! Sparen wir uns die Details, okay?«

»Ich glaube, da täuschst du dich, Rodney«, sagt Marcus. »Die Details sind das einzig Interessante.«

Addie beugt sich einen Moment zu mir herüber und richtet ihren Sicherheitsgurt. Ich frage mich, ob sie die Hitze zwischen uns genauso spürt wie ich, ob ihre linke Körperhälfte

ebenso in Flammen steht wie meine rechte und überempfind-
lich auf jede Berührung reagiert.

»Lassen wir Rodney etwas Würde«, sagt Addie. »Seit wann
seid Cherry und du befreundet, Rodney?«

»Diese Frage ist die reinste Verschwendung«, sagt Marcus.

»Seit der Weihnachtsfeier vorletztes Jahr«, antwortet Rodney
stolz.

Ich erinnere mich, dass Cherry mir von dieser Weihnachtsfeier erzählt hat. Sie hat immer tolle Geschichten auf Lager,
was in hohem Maße daran liegt, dass sie selbst so verrückt
ist – sie gerät ständig in irgendwelche peinlichen Situationen.
Eine Weile hoffte ich, dass ihr wieder etwas Schräges passierte,
denn wenn sie gerettet werden muss, taucht normalerweise
Addie auf. Am Ende hat Cherry immer nachgegeben und mir
genau erzählt, wie es Addie ging, was sie machte, ob sie mit
jemandem zusammen war, und all die anderen Fragen, mit denen ich mich unbedingt quälen wollte.

Besagte Weihnachtsfeier hatte einen Monat vor dem Abend
stattgefunden, an dem Cherry in Chichester mit mir aus war
und Krishna kennenlernte, ihren jetzigen Verlobten. Nach der
Feier war sie mit einem Typen im Bett gelandet, der ihr anschließend ein Jahr lang schlecht geschriebene Gedichte
schickte. Bei dieser Geschichte hatte ich mich immer zutiefst
unwohl gefühlt (peinlich schlechte Gedichte treffen immer
einen Nerv). Wenn ich mich recht erinnere, hatte sie für alle in
der Firma Shots ausgegeben und auf der Feier sieben Kollegen
geküsst. Das war eine typische Cherry-Anekdote. Ich weiß
noch, wie sie es mir kichernd im Pub erzählte, und als Grace
fragte: *Süße, schämst du dich gar nicht?*, hatte Cherry geantwortet: *Wieso sollte ich mich schämen, damit fühlt man sich doch nur
schlecht?*

»Sie ist lustig, oder? Cherry?«, frage ich Rodney.

Er strahlt. »Sie ist wunderbar. Hat mir durch alles Mögliche hindurchgeholfen.«

Ah – dann ist er also eins von Cherrys Sozialprojekten. Cherry sammelt Heimatlose und Streuner wie eine gütige Witwe aus dem neunzehnten Jahrhundert. Einmal hat sie fünfzehn obdachlose Teenager im Garten ihrer Eltern in ein großes Zelt gepackt. Sie besitzt acht gerettete Tiere, die insgesamt noch sechs Gliedmaßen haben. Selbst Addies und Debs Aufgabe als Hausmeister war eine Folge von Cherrys grenzenloser Güte: Deb hatte vorübergehend keinen Job, und Addie wollte den Sommer über zu Hause in einem Alt-Männer-Pub arbeiten, bevor Cherry sich einschaltete und ihnen vier Monate in der Provence bescherte.

Ich schlucke. Der Gedanke an jenen Sommer schnürt mir schmerzhaft die Kehle zu. Ich kann nicht an die Hitze, den Staub und die sexuelle Spannung zurückdenken, ohne mir sicher zu sein, dass ich damals die falsche Entscheidung getroffen habe. Wir waren so unreif. So selbstsicher und so vollkommen verloren.

Wenn wir uns jetzt kennenlernen würden, als Erwachsene, würden wir es dann hinkriegen?

Die Musik wechselt. Taylor Swift: »We Are Never Ever Getting Back Together« – »Wir kommen nie wieder zusammen«.

Eine rechtzeitige Ermahnung des Universums. Oder von Marcus, denn jetzt merke ich, dass er der Herr über die Playlist bei Spotify ist.

## Addie

Verdammte Axt, es ist so heiß in diesem Auto. Die Klimaanlage ist zu schwach für fünf Erwachsene und – ich blicke auf mein Handy – dreißig Grad Hitze. Der Wetterbericht sagt an, dass es am Nachmittag sechsunddreißig Grad werden. Die Mühe mit dem Schminken im Auto hätte ich mir sparen können. Wenn wir in Schottland ankommen, ist mir wahrscheinlich ohnehin alles vom Gesicht geflossen.

Dylan bewegt sich neben mir. Er ist ein Gentleman und beschwert sich nicht über seinen Platz in der Mitte, aber die Knie reichen ihm bis zur Brust und er hat beide Ellbogen eingezogen. Erinnert ein wenig an einen T-Rex. Wir würden viel Platz sparen, wenn ich auf seinem Schoß sitzen würde.

Ich blinzele. Dieser Gedanke war ... unangebracht. Dylans Körper drückt sich an meine Seite. Er strahlt Wärme aus, und während Taylor Swift aus den Lautsprechern tönt – Marcus ist gerade auf einem Taylor-Swift-Trip, vielleicht versucht er, damit etwas auszudrücken – denke ich darüber nach, wie einfach es wäre, eine Hand auf Dylans Knie zu legen. Stattdessen drücke ich beide Hände zwischen meinen Beinen zusammen und versuche runterzukommen.

Das ist Dylan. Er hat mich verlassen. Ich liebe ihn nicht mehr.

Aber Gott, sein orangig-holziger Duft. Mein Körper hat

diese Misere vergessen und erinnert sich nur noch an mein Gesicht, das an die heiße Haut seines Halses gepresst ist, während er sich in mir bewegt. Das nach Luft japsen, die Euphorie. Das Gefühl, nackt in seinen Armen einzuschlafen.

»Möchte jemand einen Haferkeks?«, fragt Rodney.

Ich schlucke und drücke meine Beine fester zusammen. Mein Herz schlägt ein wenig zu schnell. Ich habe den Eindruck, als würde Dylan das merken. Er selbst hält ganz still, als würde er sich nicht trauen, sich zu bewegen. Im Radio ertönt *Lover* – nicht gerade hilfreich.

Ich habe vergessen, wie es ist, jemanden so sehr zu wollen. Hat bei mir jemand anderes jemals dieses Gefühl ausgelöst? Und wird es jemals wieder jemand schaffen? Gott, was für ein schrecklicher Gedanke.

Ich lehne mich nach vorne, damit ich Rodney hinter Dylan sehen kann. Er hält eine große Tupperdose mit selbstgemachten Haferkeksen in der Hand. Keine Ahnung, wo er die hergezaubert hat. Ich inspiziere den Inhalt der Plastikschüssel auf Rodneys Schoß. Ich spüre, wie sich Dylans Blick über meine nackten Schultern bewegt. Meine Nackenhaare stellen sich auf. Schweiß kribbelt zwischen meinen Schulterblättern. Ich will, dass er mich berührt. Mir mit den Fingern die Wirbelsäule hinunterfährt.

Ich lehne mich schnell zurück und blicke nach vorne.

»Ich nicht, danke«, sage ich.

»Dann also nur ich«, sagt Rodney fröhlich und haut rein.

Nach unserer nächsten Pause setze ich mich zwischen Marcus und Rodney. Das wird mich retten.

# DAMALS

# *Dylan*

Ich bin berauscht von ihr.

Hinter uns liegt eine Woche voll nackter Haut und süßer Lust, die Sonne geht unter wie ein Eidotter, das in eine Schüssel fällt. Die Nächte gehören uns, sie sind lang und sinnlich. Terry hat inzwischen akzeptiert, dass Addie einen Teil des Tages mit uns verbringt, aber eigentlich habe ich sie nur so richtig für mich, wenn er im Bett ist. In Terrys Gegenwart ist sie nicht sie selbst, doch sobald sie die Tür zu ihrer Wohnung geschlossen und die Flip Flops abgestreift hat, ist sie Addie in Reingestalt.

Heute Abend haben wir uns auf der Terrasse verabredet, nachdem Terry ins Bett gegangen ist. Sie trägt ihren Pyjama, den pfirsichfarbenen aus Seide mit den knappen Shorts, und die langen dunklen Haare fallen offen um ihre Schultern. Als ich auf sie zugehe, streckt sie eine Hand vor, um mich aufzuhalten und lächelt auf eine Weise, die etwas Neues, Wundervolles verheißt.

Langsam zieht sie sich aus. In der sternenklaren Nacht wirkt ihre helle Haut beinahe silbern, und mir geht eine Zeile durch den Kopf, *Silberstreifen eines Sternenmädchens*, aber ich verdränge sie, als Addie zum Wasser geht und hineintaucht. In der Dunkelheit wirkt ihre schmale weiße Gestalt wie eine Sternschnuppe. Sie taucht so geschmeidig auf, dass sich kaum die Wasseroberfläche bewegt.

Dann schrillt der Poolalarm los.

Gott, ist das laut. Addie keucht und hält sich die Ohren zu, dann watet sie rasch hinüber, um ihn auszustellen. Ich würde ihr helfen, wenn ich mich nicht vor Lachen krümmen würde, aber ich bin immer noch hart. Ehrlich gesagt bin ich *immer* hart, wenn Addie in der Nähe ist. Als der Alarm verstummt, drehen wir uns gleichzeitig um, und da ist es: ein verdächtiges Licht in Onkel Terrys Fenster.

»Fuck, verdammt, *Onkel Terry*«, stöhne ich leise, aber noch immer lachend.

Addie legt sich mit ausgebreiteten Armen wie ein Stern aufs Wasser. »Er denkt bestimmt, das wäre der Wind gewesen. Komm schon. Komm rein.«

Argwöhnisch beobachte ich das Licht.

»Ständig redest du davon, jeden Moment zu genießen, von Sinnsuche und dem Streben nach ›reiner Freude‹ und dann kommst du nicht zu deiner nackten Geliebten in den Pool?«

*Geliebte.* Das Wort hat sich in die Gedichte geschlichen, die ich in mein Notizbuch schreibe, wenn ich ihr Bett verlasse, und es verändert sich bereits, verliert rasch all die überflüssigen Buchstaben und wird zu *Liebe*.

Ich habe keinen Zweifel daran, dass dieses Gefühl wahre Liebe ist – was sollte es sonst sein? Es ist quälend, überwältigend und so groß, dass ich es kaum beschreiben kann.

Einen Moment zögere ich, dann ziehe ich mich aus und springe in den Pool.

»Ein sehr eleganter Sprung«, stellt Addie lächelnd fest, schwimmt auf mich zu und zieht mich an sich. Sie ist kalt und hat eine Gänsehaut, die Tropfen in ihren Wimpern glitzern wie winzige Diamanten.

Knarrend wird die Haustür geöffnet. Wir erstarren. Addie legt einen Finger an die Lippen.

»Hallo?«, ruft Terry.

Addie drückt ihr Gesicht an meinen Hals und versucht, nicht zu lachen. Hier draußen gibt es kein Licht, nur die Sterne, aber wenn er auf die Terrasse kommt, wird Terry unsere blassen Umrisse in dem dunkelblauen Wasser erkennen.

Die Tür wird wieder geschlossen. Er ist zurück ins Haus gegangen.

»Siehst du?«, sagt Addie. »Hab ich doch gesagt.«

Wir umkreisen uns im Wasser, halten einander, lassen uns Zeit. Vor einigen Tagen hätte ich das noch nicht gekonnt – ich hätte sie auf den Beckenrand gehoben und mich an ihren Schenkeln entlang nach oben geküsst. Doch sieben lange Nächte habe ich sie nackt in den Armen gehalten, und jetzt erlebe ich das wundervolle Gefühl, es genießen zu können.

»Addie«, flüstere ich.

»Mh?«

»Du bist unglaublich. Weißt du das?«

Sie drückt ihre nassen Lippen auf mein Schlüsselbein. Ich erschauere. *Genießen*, ermahne ich mich, obwohl mir diese Option sofort weniger verlockend erscheint.

»Ich bin so …«, schnell stehle ich mir einen leidenschaftlichen Kuss von ihr. »Ich treibe völlig ziellos durch den Sommer und versuche herauszufinden, was ich will …«

Ich schlucke. Schon, wenn ich nur darüber rede, kriecht die Panik erneut meine Kehle hinauf, es ist, als würde sich eine Hand schwer auf meine Brust legen, und ich habe die Stimme meines Vaters im Ohr. Ich konzentriere mich auf Addie, ihr glatt zurückgestrichenes Haar, das in der Dunkelheit schimmert. Addie, meine Antwort auf alles.

»Und *du* bist«, sage ich. »Schon perfekt.«

Sie schnaubt und lacht leise an meinem Hals.

»Unsinn. Niemand ist perfekt. Und ganz bestimmt nicht ich. Tu das nicht.«

»Was?«

»Mach mich nicht zu deiner irren elfengleichen Traumfrau.«

Ich rücke von ihr ab, um ihr Gesicht zu sehen, doch in der Dunkelheit ist ihr Ausdruck nicht klar zu erkennen.

»Wie meinst du das?«

»Du weißt schon. Das Mädchen, das im Film dem Helden hilft, sich selbst zu finden? Sie hat nie eine eigene Geschichte.«

Ich stutze. Das macht sie oft, sie verkehrt ein Kompliment in sein Gegenteil.

»An so etwas habe ich überhaupt nicht gedacht.«

»Nur weil ich weiß, was ich werden und wo ich leben will und all das, heißt das nicht, dass ich … fertig bin. Ich bin auch noch auf der Suche. Gott weiß, ob ich es am Ende des Sommers überlebe, vor einer Klasse zu stehen.«

Ich schüttele den Kopf und ziehe sie wieder an mich. »Du bist großartig. Du bist eine wunderbare Lehrerin. Eine Naturbegabung.« Ich neige den Kopf, um sie zu küssen. »*Mir* bringst du ständig neue Sachen bei.«

Sie lächelt widerwillig, und ich rücke näher und hebe sie hoch, woraufhin sie die Beine um meine Taille schlingt.

»Ich habe Angst, dass mich keiner ernst nimmt.«

»Warum?«

Sie nagt an ihrer Unterlippe und streicht mein nasses Haar zurück. »Ich weiß nicht. Die Leute nehmen mich einfach nicht ernst.«

Wieder liegt in ihren Augen diese Verletzlichkeit, die nur

selten durchscheint. Sie taxiert mich, und mich beschleicht das Gefühl, dass das hier so eine Art Test ist.

»Vielleicht wirke ich so. Als könnte ich nichts.«

»Was? Du?« Ehrlich fassungslos lehne ich mich zurück.

Sie lässt ein tiefes heiseres Lachen ertönen und wendet den Blick ab. »Ich bin nur … ich war immer irgendwie *Mittelmaß*. In der Schule mittelmäßig beliebt. Durchschnittliche Noten. Das Einzige, was nicht durchschnittlich ist, ist meine Größe.«

Sie ist winzig. Ich finde es wundervoll, dass ich mit einer Hand fast ihren Rücken umspannen kann, dass sie den Kopf in den Nacken legen muss, um mich zu küssen.

»Addie Gilbert«, sage ich in ernstem Ton. »Hör zu, das ist sehr wichtig.«

»Was?«

Ich beuge mich vor, sodass unsere Lippen sich fast berühren. »Du. Bist. Ein. Sehr. Außergewöhnlicher. Mensch«, flüstere ich.

»Ach, sei still«, sagt sie, macht sich von mir frei und schwimmt rückwärts.

Ich stürze mich auf sie. »Nein, nein«, sage ich so bestimmt wie möglich. »Schluss mit dem Quatsch. Du nimmst dieses Kompliment jetzt an und wenn es dich umbringt.«

Jetzt lacht sie. »Nein, Gott, hör auf«, sagt sie und entwischt mir wieder, meine Hände greifen nur Wasser.

»Du bist absolut außergewöhnlich. Weißt du, was die Leute dafür geben würden, um mit einundzwanzig so *gefestigt* zu sein? Du lässt dir nichts gefallen, noch nicht einmal von mir, und ich bin *sehr* charmant.« Wieder stürze ich vor und fasse ihren Knöchel, bis sie mich kichernd und spuckend wegtritt. »Du kümmerst dich um Menschen – denk nicht, ich hätte nicht bemerkt, dass du Onkel Terrys immensen Alkoholkonsum zu verringern suchst, und du hilfst Victor beim Unkrautjäten, weil er Rückenschmerzen hat.«

»Ach, komm«, sagt Addie und tritt am tiefen Ende des Pools Wasser. »Man muss ein Idiot sein, um nicht zu erkennen, dass Terry bald Probleme mit der Leber bekommt. Und ich hätte Victor schon beim Unkrautjäten helfen sollen, *bevor* er Rückenschmerzen hatte. *Das* wäre außergewöhnlich gewesen.«

Ich rolle mit den Augen. »Es ist dir wichtig, deinen Job äußerst korrekt zu machen, auch wenn nur Terry und ich hier sind. Du kümmerst dich darum, dass alles perfekt ist und achtest auf jedes Detail.«

»Ich habe dir heute Morgen ein frisches Handtuch besorgt und die kaputte Kühlschranktür in Ordnung gebracht. Große Sache.« Addie taucht wie ein Delfin unter Wasser, um mir zu entwischen.

»Addie«, sage ich allmählich verzweifelt. »Es geht eigentlich nicht um diesen theoretischen Kram. Es geht um das alles. Du bist einfach gut im Leben. In all den wichtigen Bereichen. Ich meine, du sagst, ich würde immer davon reden, nach Freude zu streben und von Sinnsuche und davon, den Moment zu genießen, und das tue ich – das machen wir alle …«

»Nun«, sagt Addie, »diejenigen von uns, die so viel Zeit haben, sich über den Sinn des Lebens Gedanken zu machen.«

»Okay, okay, aber ich meine … du kannst das Leben einfach sehr gut so nehmen, wie es ist. Ich kenne niemanden, der das tut.«

»Du kennst nur Leute, die in Oxford studieren«, erklärt Addie. »Und die denken erklärtermaßen zu viel.«

»Nimmst du jemals irgendetwas Nettes an, was ich dir sage?«

Da schwimmt sie endlich auf mich zu. »Du darfst mir sagen, dass ich heute Nacht schön aussehe.«

»Du siehst heute Nacht wunderschön aus.«

»Ach, das sagst du jetzt nur so ...«

Ich packe sie und kitzele sie, so gut das im Wasser geht – sie fuchtelt mit den Armen, spritzt und lacht. Als sie den Kopf zurückwirft, strahlen ihre Augen vor Freude.

Ich jage sie ans Ende des Pools. Als sie sich umdreht, breitet sie wie im Traum die Arme aus, hält sich am Beckenrand fest und schlingt erneut die Beine um mich. Schwer atmend kommen wir zur Ruhe. Wieder streicht sie mir mit den Fingern durchs Haar, diesmal etwas fester.

»Ich mag dich, Dylan«, flüstert sie. »Mehr als ich sollte.«

Mein Puls beschleunigt sich. »Da gibt es keine Grenzen.«

»Doch, natürlich. In ein paar Monaten jagst du der nächsten Blondine aus Atlanta hinterher. Du mit deinen romantischen Anwandlungen, deinen schönen Worten und deinem Notizbuch voller Gedichte ...« Sie lehnt den Kopf zurück und sieht zu den Sternen hoch. »Du wirst mir das Herz brechen, Dylan Abbott. Das spüre ich.«

Ich runzele die Stirn, fasse ihr Kinn und ziehe es wieder nach unten. »Nein. Das ist ... das war mal ... Wir sind nicht so. Du und ich. Mit uns ist das etwas anderes. Ich werde dir nie das Herz brechen, Addie.«

Sie lächelt schief. »Sagte der Gentleman zu dem Mädchen aus der Dienstbotenwohnung.«

## Addie

Es stimmt, ich drehe durch.

Es geht alles viel zu schnell. Das kann jeder sehen. Wir kennen uns erst seit acht Tagen. Natürlich schaut er mich noch so an, als wäre ich eine Königin – wir schlafen jede Nacht miteinander, und er kennt mich einfach noch nicht gut genug, um etwas zu finden, das ihm missfallen könnte.

Ich wünschte, ich hätte gestern Nacht nicht das ganze Zeug gesagt, darüber, wie mittelmäßig ich bin. Ich sollte auf cool machen und ihn mich weiter jagen lassen. So macht es Deb, und Männer entlieben sich bei ihr nie. Sie selbst findet es aber ziemlich nervig.

Das Problem ist, dass Dylan einfach so süß ist. Seine verschlafenen grün-gelben Augen. Die Art und Weise, wie er mich zu sehen scheint. Das alles sorgt dafür, dass ich mich in ihn verliebe, und das ist auf jeden Fall das Dümmste, was eine Frau tun kann, nachdem sie eine Woche mit einem Typen ins Bett gegangen ist. Im Urlaub.

Ich verbringe den Morgen außerhalb der Villa. Wir brauchen Lebensmittel, und ich trödele im Supermarkt. Anschließend fahre ich ins Dorf und quatsche in gebrochenem Französisch mit dem Cafébesitzer, während ich ein riesiges Pain au Chocolat mampfe. Ich bringe ihn zum Lachen und richte mich ein wenig auf. Ich brauche Dylan nicht. Es war mein

Sommer, bevor er gekommen ist, und – siehe da – alles ist wunderbar.

Nach meiner Rückkehr will ich direkt in die Wohnung gehen, aber Dylan sitzt auf der steinernen Balustrade der Terrasse und liest laut Gedichte vor. Ich stehe im Hof, er befindet sich etwa zehn Meter von mir entfernt. Seine Beine baumeln über dem Rand, und er sagt etwas zu sich selbst über *Silberstreifen eines Sterns*. Ich muss einfach zu ihm hinaufblicken und strecke den Unterarm nach oben, um die Sonne abzuschirmen. Das Gefühl erfasst mich wie ein Windstoß.

»Oh, schön«, ruft er zu mir runter. »Jemand, dem ich ein Ständchen bringen kann. Ein Ständchen ohne ein Objekt ist jämmerlich.«

»Ein Objekt!«

»Damit meine ich bloß die grammatische Funktion«, sagt er übereilt, und ich lache. »Subjekt-Verb-Objekt und so weiter.«

»Ist das eins deiner Gedichte?«, frage ich. Er zeigt mir nie seine eigenen Arbeiten, liest mir aber liebend gern Auszüge aus diesem Zeug aus dem sechzehnten Jahrhundert vor. Das ergibt keinen Sinn für mich. Wo Dylan etwas Tiefschürfendes hört, höre ich nur etwas, das man auch mit viel weniger Worten sagen könnte.

»Ja, aber nur, weil ich abgelenkt wurde. Ich lese gerade Philip Sidney«, sagt Dylan und winkt mir mit einem ramponierten Taschenbuch zu. »*Sir* Philip Sidney, um genau zu sein. Höfling, Diplomat, Poet.«

»Ein alter Typ?«, rate ich.

Er lächelt. »Ja. Ist 1586 gestorben.«

»*Sehr* alter Typ.«

Dylans abgelatschte braune Havaianas baumeln an seinen Füßen, die über die Balustrade hängen.

»Lies mir etwas vor«, rufe ich. Ich will diese Gedichte verstehen. Aber sie sind mir so fremd.

»*Meine wahre Liebe hat mein Herz*«, setzt er an, »*und ich habe seins.*«

»Seins?«

»Eine Frau spricht, nicht Philip selbst«, erklärt Dylan. »Er sagt nicht, dass er in einen Mann verliebt ist. Er war mit ziemlicher Sicherheit ein homophober Frömmler, halt ein reicher Kerl im sechzehnten Jahrhundert. Kommst du hoch? Ich will dich umarmen.«

Ich kann mir ein Grinsen nicht verkneifen. »Philip!«, sage ich und gehe die Treppen zu der Terrasse hoch. »Ihr seid dicke Kumpels, nicht wahr?«

»Phil. Phlips. Philster«, sagt Dylan mit einem Poker-Face.

Nun kichere ich. »Dann mal weiter. Also deine wahre Liebe hat dein Herz, und du hast seins?« Ich klettere neben ihn auf die Balustrade, und er legt mir einen Arm um die Taille und zieht mich an sich. Ich schnappe mir sein Bier und nehme einen Schluck.

*Meine wahre Liebe hat mein Herz, und ich habe seins. Durch einen Handel wurde eins für das andere getauscht. Ich halte seins lieb, und meins kann er nicht missen. Nie wurde eine bessere Übereinkunft getroffen.*

Das verstehe ich irgendwie, glaube ich. Liebe ist ein Geschäft. Wenn man jemandem sein Herz schenkt, ist das gruselig, aber machbar, wenn der andere Mensch das in genau dem Moment auch tut, wie zwei Soldaten, die ihre Waffen senken.

Beim Rest des Gedichts handelt es sich um Wortwirrwar in der falschen Reihenfolge – *Für dies von mir scheint sein Schmerz leicht* und so ein Zeug. Als er mit dem Vorlesen fertig ist, tausche ich sein Bier gegen das Buch.

»Echt?«, fragt Dylan. Er sieht so glücklich aus, als ich das Buch nehme. Das ist süß, aber irgendwie auch angsteinflößend, weil er mir schon so oft etwas vorgelesen hat und ich es nicht verstanden habe.

»Wenn es mir gefällt«, frage ich, »zeigst du mir dann eins von deinen Gedichten?«

Er verzieht das Gesicht. »Oh, Gott, das ist so, als würde ich dir meine Tagebücher als Teenager zeigen. Oder …«

»Den Suchverlauf deines Browsers?«

Dylan grinst. »Warum, was würde ich denn in deinem finden?«

»Brauchst du das?«, frage ich und runzele die Stirn. »Auge um Auge, Zahn um Zahn?«

»Ich glaube, für dich sind meine Gedichte zahnlose Tiger«, sagt Dylan. »Aber ich denke gerade eher an einen Tiger im Bett …«

»Pst. Du weißt, was ich meine. Du willst, dass ich dir dann auch etwas Peinliches erzähle?«

»Das würde bestimmt helfen.« Dylan nippt an seinem Bier, und ich weiß, dass er sich ein Grinsen verkneift.

Ich zögere einen Augenblick, dann schwinge ich die Beine über die Balustrade und lasse das Buch auf dem Vorsprung liegen. Der Morgen, den ich außerhalb der Villa verbracht habe, hat mir das Gefühl gegeben, dass ich wieder die Kontrolle habe. Es ist nicht schlimm, wenn ich mich ihm etwas mehr öffne, oder?

»Komm schon.«

Ich führe ihn zurück in die Wohnung und zu dem Schrank, wo Deb und ich unsere Taschen lagern. Dylan lehnt im Türrahmen und beobachtet mich, während ich meinen Koffer herausziehe und öffne.

Er lacht, als er den Inhalt sieht, und ich werde direkt rot.

Ungeschickt will ich den Reißverschluss wieder zuziehen, als sich seine Arme von hinten um mich schlingen.

»Nein, nein, mach das nicht. Ich finde das *grandios*. Bitte sag mir, dass du zum Spaß Modelleisenbahnen baust.«

Ich winde mich in seinen Armen. Warum habe ich das getan?

»Ich finde das toll, Addie«, sagt er sanfter. »Ich habe nicht über dich gelacht. Es war ein entzücktes Lachen. Ein überraschtes.«

Er drückt mir einen Kuss auf die Wange. Nach einem langen, schmerzhaften Moment hebe ich den Flying Scotsman aus der Tasche. Ich hatte ihn ganz unten im Koffer verstaut, gut gepolstert, damit er nicht zerdrückt wird. Ein Rad fehlt, davon abgesehen hat er die Reise nach Frankreich ziemlich gut überstanden.

»Das mache ich immer mit meinem Dad zusammen«, erkläre ich. Dylan versucht, mich in seinen Armen umzudrehen, aber ich bleibe, wie ich bin. So ist es einfacher, wenn ich ihn nicht anschaue. »Er liebt das. Wir haben es schon früher zusammen gemacht, mit Deb, als ich noch klein war. Sie hatte mal eine Phase, in der sie verrückt nach Eisenbahnen war, und so hat das Ganze angefangen und dann hat Dad einfach nicht mehr aufgehört. Ich arbeite normalerweise immer an einem Zug mit ihm, wenn ich nach Hause fahre. Den hier haben wir gemacht, bevor ich nach Frankreich gekommen bin.«

»Das muss *ewig* dauern«, sagt Dylan. »Darf ich?«

Ich lasse ihn den Zug nehmen und trete zur Seite. Ich blicke kurz zu ihm. Er lacht nicht. Er betrachtet den Zug, als wäre er absolut faszinierend.

Es ist so, als hätte er die letzte Münze in den Spielautomaten geworfen. Das ganze Geld prasselt unten heraus, und ich verliebe mich in ihn, das tue ich, ich kann mich nicht davon abhalten.

»Das ist grandios«, sagt er und inspiziert die Verbindungen. »Ist das schwer?«

Ich schüttele den Kopf. Ich habe so intensive Gefühle für ihn, ich bin mir sicher, er sieht, wie ich sie ausstrahle.

»Man braucht nur Geduld«, bringe ich heraus.

»Ah, dann wäre ich furchtbar darin.«

Ich lache. »Ja, du wärst schlecht.«

Er küsst mich wieder auf die Wange. Sie ist immer noch heiß.

»So, und jetzt du«, sage ich und gehe weg. Entweder weggehen, oder mich an seiner Brust verstecken. Die Gefühle werden mir zu groß.

»Wirklich?« Er verzieht das Gesicht und reibt sich mit einer Hand über den Arm. »Muss ich wirklich?«

»Ich habe dir meine Eisenbahn gezeigt!«

»Deine Eisenbahn ist bezaubernd. Meine Gedichte sind … aufgeblasene Selbstdarstellung.«

»Ich wette, sie sind brillant.«

Er schüttelt den Kopf. »Nein. Geschreibsel. Wirklich, Addie, sie sind Schund.«

»Komm schon. Ich weiß, dass du dein Notizbuch in der Hosentasche hast.«

»Wie? Ich freue mich nur, dich zu sehen.«

Ich stürze mich auf ihn. Er rennt weg, flitzt durch die Küche in den Hof, durch den Garten. Ich hole ihn auf der Wiese ein und kitzele ihn. Er schreit auf, weil wir in einen Rosmarin-Busch fallen.

»Mein Gott!«, lacht er außer Atem. »Bist du insgeheim auch noch Rugby-Spielerin?«

»Von der Statur her schon«, sage ich und taste nach seiner

Hosentasche. »Lässt du mich das ganze Buch klauen oder möchtest du mir ein Gedicht vorlesen?«

»Vorlesen, lieber vorlesen«, sagt er, rollt aus dem Gestrüpp und klopft sich ab. Er reicht mir eine Hand, um mir hochzuhelfen, dann zieht er mich zur Bank am Rand der Wiese. Die Aussicht von hier ist großartig. Die Weinreben stehen in perfekter Anordnung auf den Bergen, wie grüne Nadelstreifen.

Dylan blättert durch das Notizbuch. Ich lege die Beine über seinen Schoß und schmiege mich an ihn.

»Ein kurzes?«, fragt er leise.

»Ok. Ein kurzes.«

Er räuspert sich und fängt an.

### Ehe Ich Ihren Namen Vernahm

*Diese ganze Zeit – vergiftet*
*In der Dunkelheit, wartend,*
*Ziellos, rastlos, sinnlos –*
*Und es war kein Leitstern, nein,*
*Es war ein Herz, meins.*
*Sie hatte es schon,*
*Noch ehe ich ihren Namen vernahm.*

Meine Augen brennen. Ich verstehe den Inhalt irgendwie nicht richtig, aber ich glaube, das ist egal. Ich weiß, dass er es für mich geschrieben hat.

»Addie? Ads?«

Ich schlucke. Ich drücke mein Gesicht gegen seinen Hals. »Ich liebe es«, flüstere ich. »Ich liebe es.«

## Dylan

Zum ersten Mal verbringen wir die Nacht in meinem Zimmer anstatt in Addies Wohnung. In dem riesigen Haus wirkt sie kleiner als je zuvor, ihre zierlichen Hände gleiten über das Eichengeländer, ihre winzigen Schuhe bleiben am Fuß der Treppe zurück. Sie wirkt ein bisschen scheu, windet sich tänzelnd aus meinem Griff und tritt so leise auf, dass man sie kaum hören kann. Doch sobald wir im Bett sind, ist sie wieder sie selbst: Sie ist leidenschaftlich und wunderschön und beklagt sich mit laszivem Blick, wenn ich sie warten lasse.

Heute Nacht will ich ihr sagen, dass ich sie liebe. Das ist riskant, klar – es besteht die reale Chance, dass ich sie verschrecke. Sie zieht sich immer aufs Neue zurück, dann kommt sie wieder, manchmal verschwindet sie für Stunden im Ort und bei ihrer Rückkehr kuschelt sie sich an mich wie eine Katze. Sie gewährt mir einen Blick in ihr Innerstes, dann wünscht sie scheinbar, sie hätte es nicht getan und versucht schnell, den Vorhang wieder zuzuziehen. Sie kommt und geht wie Ebbe und Flut, mein Wassergeist.

Addies Kopf liegt auf meiner Brust, die dunkelblaue Bettdecke ist um ihre Beine gewickelt, ihr Haar ergießt sich über meinen Arm. Ich betrachte sie voller Sehnsucht, ich liebe sie, liebe jede zarte Sommersprosse auf ihrer Wange, und ich muss es ihr sagen, es brennt mir auf der Zunge.

»Addie, ich …«

»Heilige Scheiße.«

Sie schießt aus dem Bett hoch und drückt sich flach gegen die Schlafzimmerwand, ehe ich überhaupt begriffen habe, was sie gesagt hat.

»Addie? Was ist los?«

»Da! Da draußen! Da war ein Gesicht!«

»Draußen? Wir sind im zweiten Stock!«

Mein Herz beginnt schneller zu schlagen. Ich bin nicht gut in diesen Sachen. Ich bin nicht der Typ, der aus dem Bett steigt und sich in die Dunkelheit begibt, um dem Lärm auf den Grund zu gehen. Ich bin eher der Typ, der sagt: *Da ist sicher nichts*, unter der Decke liegen bleibt und leise vor sich hin zittert.

»Ich habe hundertprozentig ein Gesicht gesehen«, behauptet Addie. Sie ist ganz bleich. »Es war eine Sekunde lang direkt vor der Fensterscheibe, dann ist es verschwunden.«

Ich gleite aus dem Bett, schnappe mir meine Boxershorts und werfe Addie ihr Kleid zu. Sie schlüpft mit zitternden Händen hinein.

»Ich schwöre, dass ich es gesehen habe«, sagt sie.

»Ich glaube dir.« Ich *will* ihr nicht sonderlich gern glauben, aber jegliche Hoffnung, dass es nur ein Witz war, verpufft, als ich ihr verschrecktes Gesicht sehe. »Vielleicht erlaubt sich Terry einen Spaß?«

»Das war nicht Terry.« Addie reibt sich die Arme. »Wo ist der Schlüssel?«

»Was?«

»Der Schlüssel für die Tür«, sagt sie ungeduldig. »Zum Balkon.«

»Oh, guter Gott, nein. Du willst doch nicht etwa da rausgehen?«, sage ich. »Auf keinen Fall. Was, wenn da draußen ein Mörder ist?«

Sie starrt mich fassungslos an. »Was willst du sonst machen? Hier drin auf ihn warten?«

»Ja! Nein, ich meine, hier drin sind wir sicher! Hier sind Wände und verschlossene Türen zwischen uns und den Mördern!«

Darüber muss Addie beinahe lachen. Ihr Kiefer ist jetzt angespannt, und sie hebt das Kinn. »Ich sitze hier nicht in der Falle und warte. Das ist viel schlimmer. Dylan, Süßer, komm – gib mir den Schlüssel.«

Sie hat noch nie *Süßer* zu mir gesagt, und ich weiß nicht, ob mir das gefällt – es klingt, als würde sie mit einer Freundin sprechen oder vielleicht mit einem ängstlichen Kind. Ich richte mich auf und straffe die Schultern.

»Ich gehe und sehe nach, wer da draußen ist.«

Addie zieht leicht die Augenbrauen nach oben. »Ja? Bist du dir sicher?«

Überrascht stelle ich fest, dass ich mir tatsächlich sicher bin. Das erfüllt mich mit Demut, denn es heißt: Es ist Liebe. So erklären sich einige irrationale Taten aus der Geschichte – jeder Mann, der je in den Krieg gezogen ist, muss *sehr* für eine Frau geschwärmt haben.

Ich nehme den Schlüssel vom Nachttisch, gehe zur Balkontür und bemühe mich, das Atmen nicht zu vergessen.

Als ich gerade am Schloss herumnestele, schlägt jemand seine Hände flach gegen die Scheibe. Ein kreidebleiches Gesicht. Weit aufgerissene Augen. Gebleckte Zähne.

Ich erschrecke so, dass ich rücklings über den Teppich stolpere, taumele und mit einem dumpfen Laut auf dem Boden lande, woraufhin ein heftiger Schmerz meinen Rücken hinaufschießt. Addie stößt einen panischen Schrei aus, und einen schrecklichen Moment lang denke ich, ich hätte mir vielleicht vor Angst in die Hose gemacht. Der Schlag, die Augen, die Zähne. Als ich gefallen bin, habe ich den Blick abgewendet, und eine endlose Sekunde lang wage ich es nicht, wieder hinzusehen.

Als ich es tue, ist das Gesicht noch immer da. Es rüttelt grinsend am Türgriff. Es dauert noch einen weiteren Moment – ich wanke, mir ist eiskalt –, bis ich ihm in die Augen schaue und begreife, wer da auf meinem Balkon steht.

»Oh, meine Güte ... Addie. Keine Sorge. Das ist Marcus.«

Ich stehe vorsichtig auf. Marcus schlägt noch immer lachend mit den Händen gegen die Balkontür, und ich versuche kopfschüttelnd, sie zu öffnen.

»Lass den Griff los«, sage ich. »Du machst es nur noch schlimmer.«

»Du *kennst* diesen Kerl?«, fragt Addie.

Ich drehe mich zu ihr um. Mit bleichem Gesicht und weit aufgerissenen Augen umklammert sie den Kragen ihres Kleides. Sie erinnert mich an ein Tier, an ein Koboldäffchen oder eine Eule. Ihr Haar ist zerzaust von der Nacht im Bett, und eine seltsame Sekunde lang verwandelt sich das Adrenalin in meinem Körper in Lust, und ich begehre sie aufs Neue. Marcus auf dem Balkon ist vergessen.

»Also, hallo«, sagt Marcus, presst das Gesicht an die Scheibe und richtet den Blick auf Addie. »Wo hat er dich denn gefunden? Du siehst ja aus wie ein Püppchen.«

»Wie bitte?«, sagt Addie und tritt neben mich. »Wer ist dieser Typ, Dylan?«

Als Marcus ins Zimmer platzt, bin ich absurderweise stolz auf Addie. *Versuch, dich ohne mich nicht zu langweilen,* hatte Marcus gesagt, als ich in die Provence geflogen war, und jetzt stehe ich hier mit Addie mit den leuchtend blauen Augen und dem fließenden dunklen Haar, und ich habe sie ganz allein gefunden.

Marcus streckt ihr eine Hand hin und schenkt ihr sein charmantestes Raubtierlächeln. Er riecht nach Alkohol, ein beißender Gestank wie faulendes Obst. »Vergibst du mir?«, fragt er.

Addie hebt eine Augenbraue. »Warum sollte ich?«

»Hey?«

»Normalerweise muss man etwas dafür tun, damit einem vergeben wird«, sagt sie, schnappt sich vom Fußende ihre Wäsche und stopft sie in die Tasche ihres Kleides. »Das auf dem Balkon … war nicht lustig.« Sie geht zur Tür.

»He, he«, sage ich und eile zu ihr. »He, geh nicht. Ich dachte, du wolltest hier schlafen.« Der Tag ist mir wie Sand durch die Finger geglitten, und ich habe ihr immer noch nicht die Worte gesagt, die schwer in der Luft hängen. Ich möchte sie ihr jetzt sagen: *Geh nicht, ich liebe dich*, aber …

»Ich brauche etwas Zeit, um mich zu beruhigen«, sagt sie.

Als ich jetzt nah vor ihr stehe, sehe ich, dass ihr Körper bebt, und ihre Wangen stark gerötet sind.

»Geht's?«

Sie schenkt mir ein sparsames Lächeln. »Ja.« Sie sieht zu Marcus. »War nett, dich kennenzulernen«, sagt sie einigermaßen ironisch, wenn ich mich nicht täusche, dann verlässt sie das Zimmer.


»Ich will sie.«

Das ist das Erste, was Marcus zu mir sagt.

»Du …« Ich sehe noch immer etwas verloren auf die Tür. Addie ist so schnell gegangen, und …

»Sie. Ich will sie. Sie ist interessant.«

Plötzlich meldet sich der Beschützerinstinkt, den ich vorhin so dringend gebraucht hätte, als wir das Geräusch auf dem Balkon gehört haben, mit aller Macht. *Du kannst sie nicht haben*, möchte ich sagen. Ich spüre, Aggression in mir aufsteigen, oder vielleicht ist es Adrenalin – ein starkes triebhaftes Gefühl, das entfernt an die Erregung erinnert, die meinen Herzschlag beschleunigt, wenn Addies Lippen meine berühren.

Marcus mustert mich abschätzig. Er steckt sich eine Locke hinters Ohr und schmollt.

»Ach, du *magst* sie«, stellt er fest. »Ich dachte, du würdest sie nur vögeln.«

Ich schrecke zurück. Marcus lacht.

»Oh, du magst sie *wirklich*. Ich darf noch nicht mal *sagen*, dass ich sie vögeln will.«

»Hör …« *… einfach auf, sag das nicht, sag das nicht.*

»Hast du mir ihretwegen verschwiegen, dass deine Familie nicht gekommen ist? Wir hätten hier schon vierzehn Tage zusammen haben können!«, sagt Marcus, und dreht sich mit ausgebreiteten Armen um die eigene Achse. Er trägt ein lockeres weißes Shirt und Shorts, die bei mir absurd kurz aussehen würden, zu ihm aber irgendwie passen. Sein Haar ist inzwischen so lang, dass er es im Nacken zu einem Zopf zusammenbinden kann, und selbst *das* sieht gut aus.

»Ich bin mit meinem Onkel Terry hier«, erwidere ich. »Ich dachte nicht, dass du kommen willst.«

Marcus zieht die Augenbrauen hoch und nimmt mir die Lüge ganz offensichtlich nicht ab. »Du wusstest, dass ich sie dir wegnehmen würde, darum«, sagt er und beugt sich vor, um mich gegen den Arm zu boxen.

Es tut weh. Ich drehe mich halb lachend zur Seite, damit er

nicht sieht, dass mir der Schlag die Tränen in die Augen getrieben hat. Mein ganzer Körper sehnt sich danach, Addie zu folgen – ich sollte unten bei ihr sein, nicht hier mit Marcus.

Er greift in die Hosentasche, holt eine kleine Plastiktüte mit Gras heraus und wedelt damit herum.

»Hier oder draußen?«, fragt er.

Seit ich hier bin, habe ich nicht mehr gekifft. Es war ganz angenehm, zur Abwechslung einen klaren Kopf zu haben, und ich überlege abzulehnen, weiß aber eigentlich schon, dass ich das nicht tun werde.

»Draußen«, sage ich, weil Addie sonst morgen den Geruch aus den Vorhängen und Bettdecken entfernen muss. »Komm. Wir gehen runter zum Pool.«

Als wir unten auf der Terrasse, mit den Füßen im Wasser, über Markus' Woche reden, denke ich an Addie und Deb. Nach dem, was Addie mir erzählt hat, sind sie und ihre Schwester genau wie Marcus und ich: wie siamesische Zwillinge, unzertrennlich. Ich frage mich, ob es Addie manchmal stört, immer Debs kleine Schwester zu sein, ihre Komplizin.

»Bist du *sicher*, dass ich die hübsche Kleine mit den blauen Augen nicht haben kann?«, fragt Marcus unvermittelt und lässt den Fuß ins Wasser platschen.

Ich brauche einen Moment, um zu begreifen, dass er von Addie spricht. »Du bist so ein Höhlenmensch.«

»Was! Ich frage, ich bin höflich.« Er streckt die Hände von sich, als wollte er sagen: *Sieh mich an, habe ich mich nicht gemacht?*

»Du kannst sie nicht haben.« Überrascht höre ich, wie fest meine Stimme klingt. Ich schlage Marcus nicht oft etwas ab – keiner tut das.

»Ach, sie gehört dir, stimmt's? Meine Güte, jetzt werden wir besitzergreifend! Wer ist hier der Höhlenmensch?«

»Sie ist …«

Addie ist über diese Art von Gerede erhaben. Sie ist frei und unabhängig, scharfsinnig und intelligent, sie entzieht sich mir immer wieder. Sie gehört mir nicht. Ich gehöre ihr.

»Sie ist anders«, sage ich schließlich. »Addie ist anders.«

## Addie

Ich brauche eine Ewigkeit, um mich zu beruhigen. Was für ein Arschloch. Wer macht so etwas? Wer klettert bei einem fremden Haus einfach auf den Balkon und versucht einzubrechen, anstatt wie ein normaler Mensch an der Tür zu klopfen?

Ich werfe Wäsche in die Waschmaschine. Sieht so Dylans Leben zu Hause aus? Mit Menschen wie seinem Onkel Terry und diesem Vollhonk, der mich als *Püppchen* bezeichnet hat? Es ist schon Mitternacht – normalerweise wasche ich jetzt nicht mehr –, aber ich kann nicht schlafen und *will* etwas tun.

Ich wünschte, Deb wäre hier und wir würden gemeinsam über das Ganze lachen. Sie fände das alles nicht so dramatisch – Marcus ist natürlich ein Idiot, aber es gibt Schlimmeres. Ich hingegen … Mein Traum zerplatzt gerade. Ich hätte wissen müssen, dass das mit Dylan zu schön ist, um wahr zu sein.

Am nächsten Morgen verhalte ich mich wie immer und fahre ins Dorf, um für uns alle Croissants zu holen. Als ich zurückkomme, liegen Terry und Marcus rechts und links neben Dylan auf der Terrasse. Sie sind ruhig und tragen alle Sonnenbrillen. Die Steine fühlen sich warm an unter meinen nackten Füßen.

»Oh, für mich?«, fragt Marcus und schiebt die Sonnenbrille hoch, als ich näher komme.

Dylan steht schnell auf und kommt mir entgegen.

»Hey«, flüstert er. Als sich unsere Finger berühren, fühlt es sich so an, als wären wir allein in der Hitze.

»Komm schon, Dylan. Hast du vergessen, wie man teilt?«, ruft Marcus.

Ich lasse die Tüte los. »Hier sind genug Croissants drin«, sage ich und habe schon den Rückweg angetreten. »Ich habe mehrere gekauft.«

Ich halte mich den restlichen Tag über von ihnen fern. Marcus macht mich fertig. Er sieht aus wie ein Model von H&M, dürr und blass und cool mit seinem halb gestylten Lockenkopf. Ja, er ist schon attraktiv, wie der Sänger einer Band, irgendwie. Aber er hat auch einen kühlen Blick.

Dylan klopft um Mitternacht an meine Tür. Ich lächele die Decke an. Ich liege schon im Bett, aber ich hatte gehofft, dass er kommen würde. Ich fand es gut, dass er mir heute Freiraum gelassen hat, noch besser finde ich aber, dass er zu mir kommt, sobald alle anderen im Bett sind.

Ich geh im Schlafanzug zur Tür: abgeschnittenes T-Shirt, Baumwollshorts. Es ist nicht Dylan, sondern Marcus.

»Abend«, sagt er. »Ich glaube, wir hatten keinen guten Start.« Er lächelt mich schief und mit schräggelegtem Kopf an. »Möchtest du auf einen Drink auf der Terrasse hochkommen? Wollen wir uns vertragen? Dylan zuliebe?«

Er spricht total lässig, aber er starrt mich ein kleines bisschen zu penetrant an. Deswegen fühlt sich alles seltsam an. Als würde neben der offensichtlichen noch eine andere Unterhaltung stattfinden, der ich nicht ganz folgen kann.

»Wo *ist* Dylan?«, frage ich.

»Oh, du darfst ihm nicht übel nehmen, dass er nicht hier

ist«, sagt Marcus. »Ich habe darauf bestanden, dich alleine zu sehen. Ich wollte mich entschuldigen.«

Nun, das hat er aber nicht. Er hat sich nicht entschuldigt.

»Komm schon«, sagt er und lehnt sich an den Türrahmen. Sein T-Shirt rutscht hoch und zeigt ein weißes Dreieck: Seinen durchtrainierten Bauch. »Komm, wir betrinken uns und dann schauen wir mal, ob du mich morgen früh magst. Normalerweise ist das so.«

Dylan wartet auf der Terrasse auf uns, seine Füße baumeln im Pool. Er strahlt, als er mich sieht, wischt sich die Haare aus den Augen und klopft neben sich auf den Boden. Ich bin fast schon bei Dylan, als Marcus eine Arschbombe ins Wasser macht. Ich wanke einen Schritt zurück, bin überrascht und – verdammt – halb durchnässt.

Dylan lacht. »Verdammt, Marcus, du bist so ein Kindskopf.« Er hört sich liebevoll an.

Marcus taucht auf, die Locken kleben ihm am Kopf. »Komm, wir stellen uns richtig einen rein, ja?«, sagt er und stürzt sich auf die Flasche Rotwein neben Dylan.

Als Marcus mit dem Wein wegschwimmt, schaut Dylan mich an. Er macht sich Sorgen. Gut – das sollte er auch.

»Alles in Ordnung mit dir?«, flüstert er und reicht mir sein Glas.

»Mm«, sage ich. Ich nehme einen großen Schluck Wein. »Ich dachte nur, *du* hättest an der Tür geklopft …«

Dylan beißt sich auf die Lippe. »Oh, nein, war das nicht gut? Hätte ich zuerst vorbeikommen sollen? Ich wusste nicht, ob – Marcus war sich sicher, dass du auf eine persönliche Entschuldigung von ihm Wert legen würdest, und das schien mir …«

»Wie kommt man aufs Dach?«, fragt Marcus. Er treibt jetzt auf dem Rücken, die offene Flasche in der Hand. Mir fällt auf, wie vorsichtig er ist, damit nichts herausläuft.

Dylan und ich blicken zur Villa.

»Dort ist ein Loft«, sage ich nach einer kurzen Pause. »Man kommt von dem Zimmer neben Dylans dorthin. Aber ich glaube nicht, dass man auf das Hausdach kommt.«

Marcus schwimmt zum Rand und stemmt sich aus dem Pool. Das Wasser strömt von ihm hinab, das T-Shirt klebt an ihm. Er trocknet sich nicht ab, geht einfach direkt ins Haus und hinterlässt eine nasse Spur.

»Lass mich raten«, sage ich. »Wir gehen aufs Dach?«

»Wenn Marcus etwas will …«, Dylan zuckt die Schultern, »bekommt er das für gewöhnlich.«

Eine Falltür führt vom Loft aufs Dach. Ich weiß nicht, wie ich das übersehen konnte. Ich glaube, es ist mir einfach nie in den Sinn gekommen, auf das Schrägdach einer dreistöckigen Villa zu klettern.

Bis wir uns oben im Loft umgesehen, die Falltür und eine Leiter gefunden und die Tür geöffnet haben, sind wir alle betrunken. Mir ist schwindelig, als ich die Sprossen hochklettere, aber mir ist noch bewusst, dass das äußerst gefährlich ist. Marcus ist bereits dort oben. Ich höre, wie er auf den Dachziegeln herumkrabbelt. Ich blicke runter zu Dylan. Er wirkt aus diesem Winkel anders, irgendwie jünger.

»Dylan? Kommst du hoch?«, ruft Marcus vom Dach.

Ich erklimme noch eine Sprosse, mein Kopf und meine Schultern ragen aus der Falltür empor. Ich kann Marcus' Gesichtsausdruck in der Dunkelheit schlecht deuten, als er mich anstelle seines besten Freundes sieht.

»Kannst du mir hochhelfen?«, frage ich schließlich.

Er reicht mir eine Hand. Das Dach ist an dieser Stelle nur leicht abschüssig und Marcus hat seinen Fuß fest in die Dachrinne gestellt, damit er nicht abrutschen kann, aber dennoch ist das alles verrückt. Wir könnten wirklich sterben.

Ich nehme seine Hand und lasse mir hochhelfen. Seine Haut ist kühl. Er riecht nach dem Pool und einem Aftershave, das Dylans ähnelt, aber etwas schärfer riecht. Ich lasse mich auf den Hintern fallen und drehe mich vorsichtig, damit ich mich auf den Rücken legen und mir den Nachthimmel anschauen kann.

»Wow.« Dort sind so viele Sterne, mehr als ich jemals zuvor gesehen habe. Sie sind überall, erstrecken sich über den ganzen Himmel. *Der Himmel ist so groß*, denke ich. Ich habe zu schnell zu viel Wein getrunken – normalerweise habe ich nicht solche Gedanken.

»Erhaben, nicht wahr?«, fragt Marcus. »Im Sinne von Edmund Burke.«

Ich habe keine Ahnung, was das bedeuten soll. Wenn es Dylan wäre, würde ich fragen – Marcus frage ich aber auf gar keinen Fall.

Dylan hustet hinter uns. »Scheiße, Terry ist wach!«, zischt er. »Ich sorge dafür, dass er wieder ins Bett geht, Moment.«

Marcus lacht unbeschwert. Es ist dunkel, nur das Licht von der Glühbirne aus dem Loft scheint durch die Falltür. Marcus' Finger streifen meinen Handrücken, während er sich auf den Dachziegeln bewegt.

»Er hat Angst hochzukommen«, sagt Marcus.

»Wer? Dylan?«

»Er hat Höhenangst. Aber das verdrängt er, bis es nicht mehr geht.«

Ich höre an Marcus' Stimme, dass er lächelt. Ich kann kaum

alle Sterne über uns anblicken, als könnte mein Gehirn den Anblick nicht verarbeiten.

»Du hattest keine Angst«, sagt Marcus.

»Doch.«

»Aber du bist trotzdem hier.«

»Klar.«

»Bist du eine Frau, die gern gefährlich lebt?«

Ich lächele. »Ganz und gar nicht. Ich bin nicht sonderlich aufregend.«

»Ich glaube schon«, erklärt Marcus. Ich vermute, er hat sich umgedreht, um mich anzublicken, obwohl man das in der Dunkelheit schwer erkennen kann. »Und ich kann Menschen sehr gut lesen.«

»Natürlich kannst du das«, sage ich und mache mich über ihn lustig.

»In deinen Zeugnissen stand immer, du hättest *viel Potenzial*. Du trägst deine Armbänder, seitdem du dreizehn bist, vielleicht sogar noch länger – ohne sie fühlst du dich nackt. Du tanzt gerne, und du wirst gerne beachtet und du hasst es, wenn man dich vergisst. Und wenn du mit jemandem an einer steilen Klippe stehst … denkst du immer kurz darüber nach, den anderen runterzuschubsen.«

Ich rutsche ein wenig mit dem Fuß ab und schnappe nach Luft. Marcus lacht in sich hinein.

»Habe ich recht?«

»Du bist ein menschgewordenes Klischee«, erkläre ich ihm, setze mich anders ihn, mein Puls wird langsamer. »Du versuchst ernsthaft, mich mir selbst zu erklären, Mr. Mansplainer?«

»Oha, aber ich habe recht.«

Ich schüttele den Kopf, aber ich habe im Laufe des Abends bemerkt, dass man Marcus schwer böse sein kann. Man hat das

Gefühl, dass er einfach gar nichts ernst nimmt. Ihn zurecht-zuweisen ist wie der Versuch, eine Katze zu disziplinieren.

»Ich tanze gerne«, gebe ich zu, »da hast du recht.«

»Ich würde mit dir tanzen, wenn das Dach ein wenig flacher wäre.«

Ich runzele die Stirn. Er flirtet mit mir. Ich weiß nicht, wie ich das finden soll, und Stille legt sich unangenehm über uns, bis er in der Dunkelheit lacht.

»Du magst Dylan wirklich, oder?«, fragt er.

»Ja, ich mag ihn wirklich.«

»Hat er dir von Grace erzählt?«

»Die Frau, die er gesucht hat, als er hierhergekommen ist? Ja, hat er.« Wir haben nicht viel über sie gesprochen. Aber für mich war es genug, um zu dem Schluss zu kommen, dass sie ihn nicht über alle Maßen interessiert.

»Also hat er dir auch erzählt, dass sie mit mir zusammen war, als sie angefangen haben, miteinander zu schlafen?«

»Ich …« *Wie bitte?*

»Also, er hat mich nicht hintergangen oder irgendetwas ähnlich Prosaisches. Ich spüre, was du davon hältst. Ich wusste es, er wusste es, so läuft das zwischen uns.«

Ich höre Dylan, der zurück ins Loft unter uns kommt. »Ist es sehr hoch?«, ruft er. »Also, klar ist es hoch, aber … Ist es *sehr* hoch? *Fühlt* es sich hoch an?«

Marcus lacht. »Er lügt sich selbst in die Tasche, wenn er denkt, er würde es wirklich machen«, sagt er, und dieses Mal kann ich es nicht als Zufall abtun, dass er wieder meine Hand streift.

»Er wird es schaffen«, zische ich und bewege mich von ihm weg. »Man sieht gar nicht, wie weit es runter geht!«, rufe ich. »Es ist zu dunkel! Hier sind einfach nur Sterne, Sterne und noch mehr Sterne. Komm schon! Es ist toll, es wird dir gefallen. Kletter einfach die Leiter hoch und steck deinen Kopf durch die Luke, damit du es siehst.«

Schließlich erscheint Dylan, er wird von unten angeleuchtet. Sein Gesichtsausdruck ist wie eingefroren, das habe ich noch nie gesehen. Ich muss einfach lächeln. Er sieht absolut hinreißend aus, seine verschlafenen grünen Augen sind fast zusammengepresst, sein Haar ist völlig zerzaust.

»Schau hoch«, fordere ich ihn auf. »Schau einfach hoch.«

Er legt den Kopf in den Nacken. Ich höre, wie er ausatmet. Marcus schweigt hinter mir.

»Guter Gott«, sagt Dylan. »Es ist wie …« Er spricht nicht weiter.

»Es gibt nicht viel, das Dylan derart sprachlos macht, dass er keinen Vergleich mehr finden kann«, sagt Marcus ironisch.

Dylan blickt zu uns zurück. Er hat die Augen nicht mehr ganz so fest zusammengepresst, aber ich erkenne nicht, ob er mich oder Marcus anschaut.

»Und?«, fragt Marcus, als länger nichts passiert. »Kommst du hoch oder lässt du es, mein Freund? Hoch oder runter?«

Dylan erklimmt zaghaft noch eine Sprosse der Leiter und hält dann wieder inne. »Oh Gott«, sagt er mit erstickter Stimme.

Ich rutsche näher zu ihm. »Du musst nicht hier hochkommen«, sage ich. »Du kannst es gut von dort aus sehen.«

Sein Mund sieht aus, als würde er die Zähne aufeinanderbeißen, und er nimmt noch eine Sprosse der Leiter und krabbelt dann ganz allein aufs Dach. Er atmet schwer, als er bei mir ankommt, legt sich aber wortlos neben mich. Ich greife nach seiner Hand und drücke sie fest.

»Dylan Abbott«, sagt Marcus und hört sich leicht beeindruckt an. »Du bist doch immer für eine Überraschung gut.«

# JETZT

## Dylan

Deb fährt, Dolly Parton singt, und Marcus hat Hunger. Diese Kombination lässt nichts Gutes erwarten, darum bin ich angespannt.

»Du musst dich gedulden«, erklärt Debbie Marcus laut über Dolly hinweg.

Addie sitzt immer noch neben mir, was mich weiterhin so aus dem Konzept bringt, dass ich jedes Mal die Augen schließen muss, wenn sie sich bewegt. Ich danke Gott dafür, dass Rodney auf meiner anderen Seite kauert und hin und wieder mit schrecklich falschem Text »Here You Come Again« mitsingt.

»Da!«, ruft Marcus so plötzlich, dass alle zusammenzucken. »Ein Burgerstand! Halt an!«

»Verdammt!«, sagt Deb. »Hör auf, mich anzuschreien!«

»Dann halt an!«, drängt Marcus. »Ich brauche was zu essen.«

Ich beuge mich vor. »Er ist wesentlich pflegeleichter, wenn er etwas gegessen hat, nur so als Hinweis.«

Deb gibt einen Laut von sich, irgendetwas zwischen einem Knurren und *zum Teufel,* und hält gerade noch rechtzeitig an; sie bremst derart abrupt, dass wir alle nach vorn geschleudert werden. Addie reibt sich den Nacken und verzieht das Gesicht.

»Alles okay?«, frage ich, als Deb vor dem Burgerstand parkt.

Nur eine Sekunde lang möchte ich, dass Addie Nein sagt,

damit ich etwas tun kann. Ihre Schulter untersuchen, ihren Nacken, damit ich sie einfach *berühren* kann. Es ist so bizarr, so quälend, dicht neben einer Frau zu sitzen, deren Körper ich fast so gut kenne wie meinen eigenen, ihren Schenkel an meinem zu spüren und nicht einmal meine Hand auf ihren Arm legen zu dürfen.

»Gut, ja, nur das Schleudertrauma von vorhin«, sagt sie. Sie wendet das Gesicht von mir ab und mustert die sonnenbeschienenen Bäume durchs Fenster, während sie mit den Fingern die Muskeln in ihrem Nacken massiert. Mir juckt es in den Händen, meine Finger auf ihre zu legen.

»Bacon Sandwiches!«, sagt Marcus, steigt aus dem Wagen und schlägt die Tür zu.

Addie öffnet ihre Tür, und ich steige nach ihr aus. Als ich mich aufrichte, sind meine Beine so steif, dass ich stöhne wie Onkel Terry, wenn er sich aufs Sofa setzt.

»Wir wollten nicht vor Stoke-on-Trent Mittagspause machen«, murmelt Deb und schließt zu uns auf.

»Du musstest ja noch einen Quickie mit einem Lasterfahrer einschieben«, sagt Marcus über seine Schulter hinweg.

Ein paar Kerle in durchgeschwitzten T-Shirts sitzen in ihren Autos, essen Bacon Sandwiches und blinzeln ins grelle Sonnenlicht, doch es gibt keine Schlange, und Marcus rennt geradezu auf den Imbisswagen zu.

»Meinst du, Marcus hat das abfällig gemeint?«, fragt Deb an Addie und mich gewandt. »Verdient er einen Anschiss?«

»Unbedingt«, erwidert Addie im selben Moment, in dem ich sage:

»Auf keinen Fall.«

Beide drehen sich zu mir und heben in vollkommener Eintracht die Augenbrauen.

»Marcus urteilt nicht über andere«, sage ich und breite die Hände aus. Die Blicke der Gilbert-Schwestern sind irgendwie beängstigend, und kurz setzt mein Herz aus. »Ich meine doch nur, es gibt fast keine Lebensweise, die Marcus nicht akzeptieren würde.«

»Es ist mir scheißegal, ob ihm meine Art zu leben gefällt«, sagt Deb. »Ich persönlich könnte nicht glücklicher mit ihr sein, den Quickie mit dem Lasterfahrer eingeschlossen. Aber wenn er eine Meinung dazu hat, würde ich ihm gern sagen, dass er sie für sich behalten soll.«

In dieser Hinsicht scheint sich Deb nicht verändert zu haben. Sie mag jetzt Mutter sein – ich hätte nie gedacht, dass ich das einmal über Deb Gilbert sagen würde –, aber sie besitzt immer noch die unglaubliche Fähigkeit, sich *ehrlich* nicht um die Meinung anderer zu scheren. Mir ist noch nie jemand begegnet, der das so kann wie sie. Viele Leute tun so oder streben danach, aber niemand lebt es so wie Deb.

»Ich kann euch noch hören«, ruft Marcus, nachdem er seine Bestellung am Imbisswagen aufgegeben hat. »Und ich kann dir bestätigen, dass ich absolut nichts gegen deine Art zu leben habe. Ich persönlich habe eine Schwäche für Quickies mit Zufallsbekanntschaften.«

Er kommt zu uns zurück und nimmt einen großen Bissen von seinem Sandwich, während Rodney hinter ihm seine Bestellung aufgibt.

»Bacon Sandwich mit Ei, Pilzen und Burgersoße, bitte!«, sagt er.

»Gegen seine Lebensart habe ich allerdings etwas einzuwenden«, sagt Marcus und zeigt auf Rodney.

»Was möchtest du haben?«, frage ich Addie, während Marcus und Deb erneut zu streiten beginnen.

»Oh, ich hole mir selbst was«, sagt sie schnell und greift in die Tasche ihrer Latzhose.

In einem solchen Moment wäre ich früher erstarrt: Jegliches Gespräch über Geld fühlte sich mit Addie wie eine Falle an, weil ich es *nie* richtig gemacht habe. Bestand ich darauf zu bezahlen, war das falsch. Machte ich ein großes Buhei darum und ließ sie bezahlen, war es ebenfalls falsch. Sagte ich etwas Albernes wie *Warum ist es überhaupt wichtig, wer bezahlt, es ist doch nur ein Fünfer,* sagte Abbie, ich hätte eine seltsame Einstellung zu Geld. Damals machte mich das wütend, aber jetzt verstehe ich es. Heute kenne ich sehr wohl das beunruhigende Gefühl im Magen, wenn die Karte abgelehnt wird, und die aufrichtige Freude, etwas Leckeres zum Abendessen unter den Sonderangeboten im Supermarkt zu entdecken. Inzwischen hatte ich eine Freundin, die oft darauf bestanden hat, für mich zu bezahlen, und weiß genau, wie sich das anfühlt.

»Klar«, sage ich und trete einen Schritt zur Seite, damit Addie zuerst bestellen kann. Ich möchte locker und lässig sein, und ich glaube, ich komme dem schon ziemlich nah, oder zumindest so nah wie möglich, denn es kostet mich große Anstrengung, unangestrengt zu wirken.

Addie stutzt kurz, bevor sie ihre Bestellung aufgibt. Es ist nur ein kaum wahrnehmbares Blinzeln und eine leichte Kopfbewegung, aber ich liebe es. Es gefällt mir, dass ich sie überrascht habe. *Siehst du, ich habe mich verändert! Ich bin anders, besser. Du hattest recht, ich war ein Idiot, was diese Sachen angeht. Aber siehst du, jetzt bin ich kein Idiot mehr!*

»Bacon-and-Egg-Sandwich, bitte«, sage ich stattdessen zu der Frau im Wagen. »Keine Soße.«

## Addie

»Dylan hat gerade *nicht* versucht, mich davon abzuhalten, für etwas zu bezahlen«, zische ich Deb zu.

Sie lehnt am Auto und mampft einen Hot Dog. Deb isst wirklich schnell. Sie sagt, Konzentration ist alles, aber ich bin mir ziemlich sicher, dass sie einfach nicht kaut.

»Wie jetzt, und er ist nicht total überschwänglich und seltsam geworden und hat etwas fallen lassen?«, fragt Deb mit vollem Mund.

Ich mache *pst* und blicke kurz zu Dylan. Er steht mit Marcus und Rodney da und sieht so sexy aus, dass es fast wehtut, obwohl er ein Bacon-and-Egg-Sandwich isst – dabei kann man kaum attraktiv aussehen.

»Er hat es einfach hingenommen.«

»Erstaunlich. Glaubst du, dass er jetzt … Addie? Ads?«

Mir steckt etwas im Hals.

Ich huste, aber es bleibt da und ich kann kaum noch atmen, es hängt ganz oben in meinem Hals und fühlt sich riesig an, wie ein Golfball, und ich hyperventiliere. Ich bekomme Panik.

Jemand schlägt mir auf den Rücken, zwischen die Schulterblätter. Fest. Ein kleiner Klumpen fliegt mir aus dem Mund, und ich kann wieder atmen. Ich krümme mich und schnappe nach Luft. Ich würge und schmecke Magensäure. Mein Nacken tut schon wieder weh, ein heißes Stechen, als würde man ihn zu schnell in die falsche Richtung drehen.

»Jetzt alles okay?«

Ich richte mich langsam auf und drehe mich um. Es ist Marcus. Er betrachtet mich aufmerksam, als würde er mich tatsächlich sehen wollen – bislang hat er mich heute immer nur so angeschaut, als würde er mich *nicht* sehen wollen.

Er hat mir auf den Rücken geschlagen. Ich weiß nicht, wie er so schnell hierhergekommen ist. Dylan und Rodney kommen auch, aber sie sind noch ein gutes Stück weiter weg.

»Gut«, krächze ich.

Marcus runzelt die Stirn. Er betrachtet mein Gesicht. Das Gefühl seines Blicks auf meinem Gesicht wirkt plötzlich so vertraut, und ich erröte, erinnere mich daran, wie er mich früher einmal angeblickt hat.

»Addie, alles in Ordnung mit dir?«, fragt Dylan und taucht hinter Marcus mit Rodney im Schlepptau auf.

Ich schlucke und wische mir über die Augen. Ich spüre immer noch, wo dieser Klumpen in meinem Hals gesteckt hat.

»Alles gut, das war nur ein wenig Speckschwarte.«

Marcus ist inzwischen einen Schritt zurückgegangen, aber ich weiß, dass er mich immer noch beobachtet. Ich schaue Dylan an – er blickt Marcus an, aber er dreht sich wieder zurück, als er meinen Blick spürt und als er mich anblickt, sieht er so liebevoll aus, dass es mir im Herzen wehtut. Er sollte mich nicht so anschauen, jetzt nicht.

Die Sonne brennt. Marcus betrachtet mich, ich betrachte Dylan und Dylan schaut uns beide an.

Ich höre ein Platschen, alle blicken nach unten. Rodney hat gerade ein ganzes Spiegelei aus seinem Sandwich auf den

Boden plumpsen lassen. Nun liegt es traurig und blass neben dem Stückchen Speckschwarte, das ich gerade ausgespuckt habe.

»Ich habe mir diesen Road-Trip irgendwie ein bisschen glamouröser vorgestellt«, sagt Deb nach einer Weile zu mir. »Du nicht?«

»Vorsicht, Roddy«, sagt Marcus und macht eine Kopfbewegung in Richtung seines Sandwiches. »Gleich fällt dir auch noch der Bacon runter.«

# DAMALS

# Dylan

Am nächsten Morgen wache ich mit heftigen Kopfschmerzen auf, und auf mir sitzt rittlings eine große Blondine, die mit einer Hand fest mein Gesicht umfasst. Wenn ich nicht solche Kopfschmerzen hätte und mir die Blondine nicht äußerst vertraut wäre, würde ich es für einen besonders aufregenden Traum halten, aber leider ist es nur Cherry.

»*Uff*«, sage ich und schiebe sie von mir herunter. »Was *machst* du hier?«

»Fast fertig!«, sagt sie. »Voilà!«

In der anderen Hand hält sie einen Stift – verdächtig. Ich wische mir mit dem Handrücken übers Gesicht, doch er bleibt sauber, was noch alarmierender ist, denn das weist auf einen wischfesten Stift hin.

»Was hast du mit mir gemacht? Und warum bist du überhaupt hier?«

»Alle sind hier!«, sagt Cherry und springt von mir herunter.

»Was meinst du mit alle?« Ich setze mich auf und reibe mir die Augen.

Wie es ihre Art ist, hüpft Cherry durchs Zimmer wie ein Welpe, der neues Terrain erforscht, was besonders albern ist, weil dieses Haus nicht nur ihren Eltern gehört, sondern auch noch nach ihr benannt ist.

»Marcus hat mir gestern eine Nachricht geschickt, dass du

dich hier mit meiner Addie versteckst!«, sagt Cherry und verschwindet mit wippendem Pferdeschwanz im Bad. »Warum hast du mir nicht Bescheid gesagt?! Ich finde es super, dass ihr ein Paar seid, ich sage Großartiges voraus, *Großartiges* – wow, das sind aber eine Menge Kondome, Dyl! Was hast du denn vor?«

Ich schlage die Decke zurück, steige aus dem Bett, folge Cherry ins Bad und ziehe sie von meinem Kulturbeutel fort.

»Grenzen«, sage ich. »Weißt du noch, dass wir darüber gesprochen haben?«

Ehe sie antworten kann, fliegt die Schlafzimmertür auf, und herein stürmt mein Bruder Luke mit seinem Freund Javier, der Marcus Huckepack trägt. Außerdem Marta und Connie, zwei Mädchen aus unserer WG im dritten Unijahr. Und Grace.

Ich trage nur Boxershorts, aber das hält sie nicht davon ab, sich auf mich zu stürzen. Ich schaffe es gerade noch zurückzutaumeln, sodass wir alle auf der Chaiselongue landen. Connie küsst mich aufs Auge – ich glaube, sie wollte mich auf die Stirn küssen. Luke wuschelt mir durchs Haar wie Dad früher, wenn er gutgelaunt war. Marcus grinst zu mir herunter, sein Gesicht dicht vor meinem. Cherry hat auch ihn kunstvoll bemalt. Sein eines Auge ziert eine gemalte Augenklappe, wie bei einem Piraten, und er hat einen ziemlich ausgefeilten Ziegenbart.

»Morgen«, sagt er. »Ich dachte, es wird allmählich langweilig. Du nicht?«

»Wir gehen Wandern, Dyl«, ruft Cherry und verlässt das Schlafzimmer. »Ich hole Addie!«

»Moment!« rufe ich, aber sie ist schon weg, und auf mir liegen viel zu viele Körper, als dass ich ihr folgen könnte. »Mist«, sage ich. »Marcus …«

»Wolltest du mir nicht sagen, dass du allein in den Familienurlaub fährst?«, fragt mein Bruder, stemmt sich hoch und setzt sich auf den Boden, wobei er die Arme locker auf den Knien ablegt. Er hebt fragend die Augenbrauen. Javier lässt sich neben ihn sinken, und als er den Kopf an die Schulter meines Bruders lehnt, fällt sein taillenlanges Haar auf Lukes Arm.

»Luke schmollt«, informiert Javier mich.

»Hör auf, Connie«, sage ich und schlage nach ihr.

Sie zupft etwas aus meinem Haar und zeigt mir einen großen toten Käfer, der in ihrer Hand liegt. Ich verziehe das Gesicht. Ich bin mir nicht ganz sicher, was wir gestern Abend alles angestellt haben.

»Tut mir leid, Luke, ich …« *Wollte eine Weile mein Ding machen. Wollte etwas Zeit für mich haben. Wollte Addie.* »Ich weiß auch nicht …«, ende ich schwach.

Lukes Augenbraue bleibt oben, doch Javier zupft ihn am Arm und schließlich entspannt er sich mit einem Seufzer. Mein Bruder sieht meinem Vater ähnlich: Er ist ziemlich breit und ernst, sein Haar ist einen Ton heller als meins und ganz kurz geschnitten.

»Dad ist deshalb wütend«, sagt Luke.

»Na, das ist immerhin ein Trost«, erwidere ich, und wir grinsen uns an.

»Und du.« Ich wende mich an Grace. »Wo hast du *gesteckt*?«

Sie wirft lachend den Kopf zurück. Ihr Haar ist blau gefärbt, und sie ist gekleidet, als käme sie direkt aus den 1960ern: ein Kleid mit einem psychedelischen Muster, weiße Sandalen, die ums Bein geschnürt werden, und ein Stirnband, mit dem man sofort leicht stoned aussieht. Es ist ein Beweis ihrer Schönheit, dass sie nicht vollkommen lächerlich wirkt. Grace hat eine dramatische Ausstrahlung, lange Glieder, lässige Bewegungen, sie strahlt Glamour aus wie ein Starlet an der Schwelle zum großen Durchbruch.

»Ach, lieber Dylan«, sagt sie und reicht mir eine Hand, um mir aus dem Menschenhaufen aufzuhelfen, unter dem ich versuche, mit meinem Kater zurechtzukommen. »Marcus hat mir erzählt, dass es euch langweilig wurde, mich zu jagen.« Sie schenkt mir ein verruchtes Lächeln. »Ich *musste* diese andere Frau einfach mit eigenen Augen sehen.«

»Hier ist sie!«, ruft Cherry von der Tür aus.

Sofort drehen sich alle zu Addie um. Sie trägt ein kurzes Sportoberteil und Shorts, bereit für Cherrys angekündigte Wanderung. Das dunkle Haar ist zurückfrisiert und betont ihre zarten Wangenknochen. Neben Cherry wirkt sie zierlicher als je zuvor. Ich beobachte, wie sie unter dem Druck der Aufmerksamkeit von Luke, Javier, Marcus, Grace, Connie und Marta in sich zusammensinkt.

Grace regt sich zuerst. Sie ergreift Addies Hände, breitet weit die Arme aus und hält Addie auf Abstand, um sie gründlich zu begutachten.

»Grace«, stellt sie sich vor. »*Enchanté*. Ich verstehe *genau*, warum du meine Jungs in Aufruhr versetzt – du bist absolut *faszinierend*. Das sehe ich auf den ersten Blick. Hättest du was dagegen, wenn ich dich beschreibe?«

Ich schließe einen Moment die Augen.

»Pardon?«, sagt Addie leise.

»Oh, ich schreibe ein Buch«, sagt Grace gedehnt. »Es geht um diese Phase in unserem Leben, in der wir durchs Leben *wirbeln*, uns selbst suchen, uns verlieren, high sind … Es ist *schrecklich* anmaßend wie alle Coming-of-Age-Geschichten, aber ich kann nicht anders.« Erneut wirft sie den Kopf in den Nacken und stößt ein laszives Lachen aus. »So sollte es heißen: *Ich kann nicht anders* von Grace Percy.«

»Grace«, sagt Marcus, schiebt einen Finger durch die Gürtelschnalle ihres Kleides und zieht sie zu uns zurück. »Du machst ihr Angst.«

»Ach, wirklich?«, sagt sie ernst zu Addie. »Das tut mir leid. Ich habe einfach keine Lust auf Smalltalk – wir werden ganz bestimmt Freundinnen, da dachte ich, wir könnten auch gleich in die Vollen gehen. *Habe* ich dir Angst gemacht? Sag es mir. Connie meint, man müsse es mir sagen, sonst würde ich mich nie bessern, stimmt's, Connie Süße?«

Addie richtet sich auf und muss lachen – es ist schwer, nicht zu lachen, wenn Grace in Fahrt ist. »Du hast mir überhaupt keine Angst gemacht«, sagt sie. »Freut mich, dich kennenzulernen. Euch alle.«

»Dylan?«

Das ist Onkel Terry. Nur mit einer Badehose bekleidet, über deren Gummibund sich sein behaarter Bauch schiebt, spaziert er ins Zimmer, bleibt abrupt stehen, mustert nacheinander jeden von uns und lässt den Blick am Ende auf mir ruhen.

»Dylan, mein Junge«, sagt er, »ist dir klar, dass man dir einen ziemlich großen Penis auf die Stirn gemalt hat?«

## Addie

Okay. Okay. Ich schaffe das schon.

Ich zittere ein bisschen. Ich bin mir sicher, dass Marcus es bemerkt, während ich Marta dabei helfe, die erste Flasche Champagner auszuschenken, die einer von ihnen mitgebracht hat.

Dylans Bruder, dessen Partner, Dylans Mitbewohner und *Grace* alle auf einmal kennenzulernen ist ganz schön viel.

Ich habe Deb geschrieben und sie gebeten zurückzukommen. Ich brauche Unterstützung. Gott sei Dank ist Cherry hier, zumindest das. Sie lächelt mir ermutigend vom anderen Ende der Küche zu, und ich fühle mich ein wenig besser.

»Komm, ich helfe dir, sie nach draußen zu bringen«, sagt Luke.

Man muss schon sehr gründlich nach Ähnlichkeiten zwischen Dylan und seinem Bruder suchen. Luke ist massiger und sieht wie ein Typ aus, der Fußball spielt und es »Fuppes« nennt. Aber wenn er lächelt, bekommt sein Gesicht einen völlig neuen Ausdruck. Er schließt zu mir auf, und wir bringen beide je zwei Gläser zum Esstisch auf der Terrasse. Ich hatte gedacht, ich müsste noch einmal zum Supermarkt fahren, um einzukaufen, doch das hat Grace schon auf dem Weg erledigt. Auf dem Tisch stehen nun Berge von Käse, Oliven und frischem Brot.

Grace ist ganz anders, als ich sie mir vorgestellt habe. Sie wirkt auf mich sehr ernst, was überraschend für eine Frau ist, die ihr Haar blau färbt und ohne Ironie *enchanté* sagt. Sie sonnt sich gerade am Pool und sieht neben dem moppeligen Onkel Terry ganz hinreißend aus. Ich sollte mich wahrscheinlich bedroht fühlen, aber Grace hat das einfach nicht zugelassen.

»Geht es dir gut?«, fragt Luke und blickt mich von der Seite an.

»Ja! Klar«, sage ich und schlucke. »Nur …«

»Es ist ganz schön viel auf einmal«, sagt er. »Das ist typisch für Marcus. Natürlich hat er dich und Dyl nicht vorgewarnt, dass er uns alle eingeladen hat.« Er verdreht affektiert die Augen, als wir die Gläser auf den Tisch stellen. »Er lässt seinen Frust raus – er ist wahrscheinlich sauer, dass sich Dylan ausnahmsweise um jemand anderen als um ihn kümmert. Dylan hat noch nie eine Frau so angeschaut wie dich. Ich glaube, du wirst ihm sehr guttun. Er braucht jemanden, der ihn erdet. So wie ich Javier erde.«

Ich lächele über seinen Gesichtsausdruck, als er seinen Freund erwähnt. »Javier scheint ein toller Mann zu sein«, sage ich und rücke die Messer und Gabeln gerade. Aus Gewohnheit, glaube ich. Es ist ein wenig seltsam, als Dylans … was auch immer und Hausmeisterin der Villa hier zu sein.

»Das ist er auch. So etwas will ich auch für Dyl. Und natürlich auch für Marcus«, fügt er hinzu.

»Dylan meinte, dass du und er mit Marcus schon seit eurer Kindheit befreundet seid?«

»Hm. Wir haben Marcus irgendwie adoptiert. Oder vielleicht eher er uns. In diesem Freundeskreis haben wenige eine intakte Familie«, sagt er und zeigt auf die Leute, die sich um Terry herum am Pool niedergelassen haben. »Und bei mir, Dyl und Marcus ist es genauso. Dann sucht man sich seine Familie eben selbst aus, oder?«

Ich denke an meine Familie. Mein Dad ist grundsolide und zuverlässig. Meine Mum ist immer insgeheim einen Schritt voraus. Deb, in deren letzter Nachricht an mich stand: *Wenn du mich brauchst, bin ich da.*

»Hör auf, das neue Mädchen zu belagern, Luke!«, ruft uns Marcus über die Terrasse hinweg zu. »Addie, komm, ich will dir etwas zeigen.«

Ich zögere einen Augenblick. Marcus steht auf der Treppe zum Innenhof. Er hat sein Haar zu einem Zopf zurückgebunden und mit der aufgemalten Augenklappe und dem Ziegenbärtchen sollte er lächerlich aussehen, aber tatsächlich wirkt es … ich weiß nicht, abgefeimt.

»Er ist nicht durch und durch böse, weißt du?«, sagt Luke neben mir. »In ihm steckt ein guter Kerl. Er ist nur ein wenig verloren.«

Ich schaue Luke zweifelnd an. Er lacht.

»Aber schlag ihm seine Wünsche ab, sag unter allen Umständen Nein. Das hört er nicht oft. Vielleicht ist das gut für ihn.«

Nach einer kurzen Pause verdrehe ich leicht die Augen. »Ach, komm schon, ich lasse ihm seinen Willen.«

Ich lasse Luke am Tisch sitzen und gehe zu Marcus. Er haut ab, bevor ich bei ihm bin und führt mich über die Wiese zu dem ungepflegten, mit Büschen bewachsenen Bereich an der Grundstücksgrenze der Villa. Er bleibt so abrupt stehen, dass ich fast in ihn renne und mich an seiner Schulter festhalten muss, um nicht zu stolpern.

»Pst«, sagt er und bedeutet mir, sich neben ihn zu stellen. »Schau mal.«

Ich blicke auf das schattige Gras. Ich brauche einen Augenblick, um zu erkennen, was er meint: eine Schlange. Ich atme hörbar ein, als ich in ihre Augen mit den vertikal geschlitzten Pupillen blicke. Ich habe den ganzen Sommer über noch keine einzige Schlange gesehen, aber diese hier ist riesig. Zusammengerollt, muskulös. Die Schuppen sind fast schwarz und hellgelb.

Ich hocke mich hin. Ich weiß nicht, warum; es fühlt sich einfach richtig an. Marcus kniet sich neben mich, und eine Weile verharren wir einfach so. Beobachten das Tier, wie es uns beobachtet.

»Sie ist schön.«

»Pure Kraft«, sagt Marcus.

»Ist sie giftig?«, frage ich flüsternd.

»Keine Ahnung.«

Das sollte mich wahrscheinlich beunruhigen, aber es ist mir egal. Die Schlage bewegt sich nicht, sie verharrt regungslos.

»Er liebt dich, weißt du das?«, sagt Marcus. »Dylan ist sehr verletzlich«, spricht er leise weiter. »Wenn er jemanden liebt.«

»Ich werde ihn nicht verletzen«, entgegne ich.

»Natürlich wirst du das«, sagt Marcus immer noch unbeschwert, den Blick immer noch auf die Schlange gerichtet. »Du bist zu kompliziert für jemanden wie Dylan. Viel zu interessant.« Dann dreht er den Kopf und schaut mich an. »Dieser Sommer sollte dein Sommer werden, und es ist der erste dieser Art. Du fängst gerade an, dich ein wenig umzusehen, er hingegen ist fast schon bereit, das aufzugeben und sesshaft zu werden und zu sagen: *Ich weiß jetzt, was ich will, ich bin angekommen.*«

In seinem Blick liegt etwas Unanständiges. Mir wird heiß. Ich betrachte weiter die Schlange, aber ich weiß, dass ich gerade rot anlaufe. Ich hätte mit Luke auf der Terrasse bleiben sollen. Dem netten Luke, der meinte, ich sei gut für Dylan.

»Ich spiele keine Spielchen«, sage ich. »Ich weiß nicht, wie du darauf kommst.«

Sein Blick brennt auf mir. »Vielleicht solltest du das.«

Die Unterhaltung entgleitet mir.

»Du tust so, als würdest du mich kennen. Aber du weißt nichts über mich.« Ich versuche, ebenso souverän zu reden wie er.

»Ich habe dir gesagt, dass ich ein exzellenter Menschenkenner bin. Mir gefallen deine dunklen, abgründigen Seiten, das interessiert mich. Aber Dylan will ein gutes Mädchen.«

Ich runzele die Stirn, mein Herz hämmert. Das ist *so* übergriffig von ihm. Ich will nicht hier sein. Als ich mich hinstelle, weicht die Schlange zurück und flieht vor uns.

»Ich bin nicht Grace«, sage ich nur, und wische mir Erde von den Knien. »Du bekommst keinen Teil von mir, nur weil ich mit Dylan zusammen bin.«

Er steht auf, und ich mache fast einen Satz zurück, als ich seinen Gesichtsausdruck sehe. Seine Augen sind dunkel und wütend. Es ist erschreckend, wie schnell sich seine Stimmung geändert hat – oder vielleicht hat er auch schon zuvor so ausgesehen, aber ich konnte es nicht an seiner Stimme hören.

»Nun, du gehörst vielleicht Dylan«, sagt er, als ich mich umdrehe und weggehe. »Aber er gehört nicht dir.«

# Dylan

Diesen Haufen zu einer Wanderung zu bewegen ist wie einen Sack Flöhe zu hüten, aber wenn ich sie alle wie gewünscht um den Pool faulenzen lasse, habe ich es mit einer unausgelasteten launischen Cherry zu tun, was im Vergleich wahrscheinlich schlimmer ist.

Marcus hat schlechte Laune, was nicht gerade hilfreich ist, und Addie ist ... Ich weiß nicht genau, wo Addie ist. Nie bei mir. Zumindest hat Marcus jetzt das Interesse an ihr verloren, das war vorhersehbar – keine Frau hat jemals für mehr als ein oder zwei Tage seine Aufmerksamkeit fesseln können, und zum Glück scheint die gefährliche Zeit vorbei zu sein.

»Komm schon, Dyl!«, lockt Cherry und hüpft auf der Stelle. »Du hast gesagt, ich soll warten, bis es kühler wird, und jetzt ist es kühler, können wir also einfach *gehen*?«

»Marta! Connie!«, rufe ich. »Turnschuhe anziehen!«

»In Ordnung, *Dad*«, sagt Marta schmollend. Connie lacht, als ich die beiden mit strenger Miene mustere.

»Wo ist Addie?«, frage ich. »Marcus, willst du wirklich diese Schuhe anziehen?«

»Offensichtlich«, sagt Marcus und schiebt sich auf dem Weg in die Küche an mir vorbei.

»Grace, bist du bereit?«

»Keineswegs«, sagt sie und legt sich wieder auf die Sonnenliege.

»Könntest du es *versuchen?*«, entgegne ich gereizt.

Ich muss sagen, dass Graces Art deutlich weniger charmant ist, nachdem ich kein Interesse mehr habe, mit ihr zu schlafen. Sie schiebt ihre Sonnenbrille auf die Nasenspitze und wirft mir einen Blick zu, der sagt, dass sie ganz genau weiß, was ich denke. Ich werde rot, und sie lächelt lasziv.

»Ist es nicht gut, dass ich nicht empfindlich bin?«, fragt sie. »Ich bin fertig, ehe Marta und du es euch verseht, Süßer. Lass deinen Frust woanders ab, du stehst mir in der Sonne – oder noch besser, geh und such die wunderschöne Frau, die wir dir alle so *unsanft* aus den Armen gerissen haben. Das ist der eigentliche Grund, warum du so schlecht gelaunt bist, oder? Weil wir dir dein romantisches Stelldichein verdorben haben, indem wir *en masse* hier aufgetaucht sind wie in einer komischen Szene aus *Figaros Hochzeit*.«

Verflucht – immer vergesse ich, wie scharfsinnig Grace neben allem Glamour, aller Trägheit und allen Anspielungen ist. Sie schenkt mir ein wundervolles Lächeln und schiebt sich die Sonnenbrille wieder auf die Nase, und ich stapfe von der Terrasse und die Stufen hinunter in den Hof.

Hinter Graces Mietwagen steht ein neuer Wagen, der ziemlich willkürlich geparkt ist. Ich gehe ein Stück weiter, und da steht Addie im Schatten einer Platane und spricht mit einer Frau, von der ich sofort vermute, dass sie Deb sein muss. Sie hat schwarzes gewelltes Haar und haselnussbraune Haut und wippt auf den Außenseiten ihrer Füße, während sie spricht, wobei ihr das T-Shirt von der Schulter gleitet. Selbst aus dieser Entfernung wirkt sie etwas ungepflegt, sie strahlt eine sorglose Selbstsicherheit aus, als ob ihr tatsächlich alles egal sei, was der Rest von uns nur vorgibt, wenn wir für Instagram posen.

Als ich näher komme, bemerke ich Addies Gesichtsausdruck, bleibe stehen und beobachte sie, denn *ach*, das ist meine Addie. Ein breites offenes Lächeln, keine Anspannung, lockeres Lachen. Die Klugheit und der Humor, die in ihren Augen leuchten, als wollte sie uns alle überraschen.

»Der mit der Glatze?«, fragt Deb. Sie sieht zur Terrasse, und ich merke, dass ich von Graces großem Wagen verdeckt werde.

»Was? Nein, du Dummi, das ist sein Onkel Terry«, sagt Addie lachend.

»*Ah*, ja, der mit dem Pferdeschwanz und der Augenklappe?«

»Nein«, widerspricht Addie, diesmal schärfer. »Das ist Marcus. Dylans Freund.«

Ich trete vor, denn wenn ich mich hier noch länger herumdrücke, kommt es mir vor, als würde ich mich absichtlich verstecken. Als sie mich sieht, hellt sich Addies Gesicht auf, und in meiner Brust explodiert etwas – es ist eine Art Kettenreaktion, ein Feuerrad rollt los.

»Da ist Dylan«, sagt sie und kommt auf mich zu. »Dyl, das ist meine Schwester.«

Deb dreht sich um und mustert mich so unverhohlen von oben bis unten, dass ich fast lachen muss. Sie sieht Addie kein bisschen ähnlich, doch Gestik und Mimik sind ähnlich – wie sie den Kopf neigt und die Augen zusammenkneift, als sie mich ansieht.

»Interessant«, sagt sie schließlich. »Du hast dich für den mit dem Schwanz im Gesicht entschieden?«

# JETZT

## *Addie*

Es ist verdammt heiß in dem Auto, und alle nerven total.

Ich fahre, Dylan sitzt neben mir. Wir sind irgendwo in der Nähe von Stoke-on-Trent. Wir sollten eigentlich schon zweihundert Meilen weiter nördlich sein.

»Gibt es etwas zu essen?«, fragt Marcus. »Ich habe schon wieder Hunger.«

Ich muss nicht in den Rückspiegel blicken, ich weiß auch so, dass Rodney ihm gerade einen Haferkeks angeboten hat.

»Nicht so was«, sagt Marcus. »Ich vertrage nur eine gewissen Menge an veredeltem Porridge am Tag, sorry, Rodney.« Er dreht sich um und schaut in den Kofferraum.

»Geht's noch?«, fragt Deb. »Könntest du mal etwas mit deinen Armen aufpassen? Addie, wir müssen bald eine Pause machen, ich muss wieder abpumpen.«

»Mit diesem Tittengerät, das du auch bei unserer Panne benutzt hast? Du musst es noch mal machen? Warum?«, fragt Marcus. Ich blicke im Spiegel zu ihm. Er hat es geschafft, Fruchtbonbons aus dem Kofferraum zu angeln und starrt Debs Brust an, während er versucht, die Dose mit an den Körper gepressten Ellbogen zu öffnen.

»Ich stille«, sagt Deb trocken.

»Der nächste Rastplatz kommt in einundzwanzig Meilen«,

sage ich und mache eine Kopfbewegung zu dem Schild am Straßenrand. »Okay, Deb?«

»Es wäre okay, wenn mich nicht jemand in die Brust geknufft hätte.«

»Habe ich das?«, fragt Marcus. »Was für eine Verschwendung, ich habe es gar nicht bemerkt.«

»Ich kann vielleicht im Auto abpumpen«, sagt Deb. »Rodney, kommst du an die Tasche da hinten?«

Kurz sieht es aus, als würden sie hinten im Auto Twister spielen. Schließlich zieht Rodney die Tasche mit Debs Milchpumpe aus dem Kofferraum. Deb fummelt an ihrem Top herum. Rodney wendet sich ab, dreht den Kopf in die andere Richtung, schließt die Augen und legt sich die Hände übers Gesicht. Ich muss mir ein Grinsen verkneifen. Währenddessen öffnet Marcus schwungvoll die Dose mit den Bonbons und verteilt sie im ganzen Auto. Eins trifft mich am Ohr.

»Mann, eh«, sagt er. »Gib mir mal bitte das rote Bonbon, Roddy, ja? Ich war noch nie mit einer Frau zusammen, die stillt. Was passiert, wenn du Sex hast, Deb?«

»Marcus!«, zischt Dylan.

»Was? Darf ich das nicht fragen? Verdammt, gutes Benehmen ist anstrengend.«

Ich höre das Surren der batteriebetriebenen Milchpumpe. Es klingt ein wenig, als hätten wir eine Waschmaschine im Kofferraum.

»Na gut. Fünf Fragen für Dylan«, sagt Marcus kurz darauf.

Er hört sich jetzt nicht mehr ganz so großmäulig an. Hmm. Besorgniserregend. Wenn er rumstänkert, plant er zumindest in der Zeit nichts Gemeines.

»Ich fange an«, sagt Marcus. »Warum hast du dich noch nicht um eine Veröffentlichung deiner Gedichte gekümmert?«

Ich drehe die Musik leise und schaue Dylan kurz an. Ich will die Antwort auf die Frage horen.

»Ich glaube, sie brauchen noch Zeit«, sagt Dylan schließlich.

Interessant. Das ist die einzige Antwort, die ich akzeptiere und eine, die er mir nie gegeben hat, als wir noch zusammen waren. Damals hieß es immer: *Ach, das ist nur Geschreibsel* oder *Niemand will das lesen*.

»Gut, in Ordnung«, sagt Marcus und windet sich auf seinem Platz. »Wann werden sie fertig sein?«

»Ist das noch eine von meinen fünf Fragen?«

»Ja, das ist noch eine Frage«, entgegnet Marcus gereizt.

»Sie sind dann fertig, wenn ich sie lesen kann, ohne … keine Ahnung … ohne zusammenzuzucken.«

Ich runzele die Stirn. »Und wenn genau das aber dazugehört?«

»Wie?«

»Ich kenne mich mit Gedichten nicht so gut aus – das weißt du –, aber deine besten Gedichte waren immer die, die du mich als Letztes hast lesen lassen, die dir am unangenehmsten waren.«

Wieder legt sich Stille über uns. Die Musik ist jetzt ganz leise, und ich spüre, wie mir der Schweiß an den Innenseiten der Oberarme hinunterrinnt.

»Das hast du mir nie gesagt«, erklärt Dylan.

»Nein?«

»Nein. Ich konnte nie sagen, ob dir ein Gedicht gefällt oder nicht.«

Das überrascht mich wirklich. »Sie haben mir immer gefallen.«

»Nächste Frage«, sagt Marcus. »Warum hast du vorgeschlagen, dass wir gemeinsam zur Hochzeit fahren?«

Dylan erschreckt diese Frage, das sehe ich.

»Ich dachte wohl, wir wären inzwischen dazu bereit«, sagt er.

»Warum? Du hast dich fast ein Jahr lang nicht bei mir gemeldet und dann? Warum? Habe ich etwas Gutes gemacht? Und falls ja: Was? Ich tappe hier völlig im Dunkeln, Dyl.«

Dylan hat sich *fast ein Jahr lang* nicht bei Marcus gemeldet? Ich schaue ihn noch einmal an, aber er blickt aus dem Fenster.

»Es lag an Luke«, sagt Dylan, »Er hat mir von deiner … ›Entschuldigung‹ oder wie man es nennen mag, erzählt.«

Noch einmal lange Stille, nur das Geräusch von Debs Milchpumpe, die leise Musik und die Räder auf der Straße. Der Verkehr wird wieder zäher. Autos scheren vor uns ein.

»Ich glaube, ich wollte dir die Gelegenheit geben, dich auch bei mir persönlich zu entschuldigen.«

Ich blicke in den Spiegel. Marcus bemerkt, dass ich ihn anschaue, und ich gucke schnell wieder auf die Straße.

»Ich vermute, der Vorschlag kam von der Therapeutin«, spricht Dylan weiter. »Das war der Grund, warum du es geschafft hast, dich bei Luke, Javier, Marta, deiner Stiefmutter, deinem Vater und meiner Mutter für deine zahlreichen Fehltritte und dein schlechtes Benehmen zu entschuldigen, aber noch nicht bei mir.«

Er spricht lauter – vielleicht ist er verletzt oder sauer, aber er hat es im Griff. Ich kenne diesen Ton nur zu gut.

Debs und mein Blick treffen sich im Spiegel. Ich schaue sie mit großen Augen an, als wollte ich sagen *Frag mich nicht, was es damit auf sich hat.*

»Wenn du bereit bist, Marcus«, sagt Dylan unbeschwert, »werde ich dir zuhören.«

## Dylan

In die lange bedrückende Stille schrillt das Klingeln eines Telefons. Deb sucht fluchend nach ihrem Handy, während sie zugleich versucht, die Milchpumpe nicht loszulassen.

»Noch mal Glück gehabt«, sagt Marcus leise, jedoch laut genug, dass ich es hören kann. Mein Herz pocht unregelmäßig. Ich dachte wirklich, wir würden Fortschritte machen, aber natürlich entschuldigt sich Marcus nicht auf Kommando – wahrscheinlich werde ich nun, nachdem ich danach gefragt habe, nie eine Entschuldigung erhalten. Und außerdem erahnt er kaum das Ausmaß dessen, wofür er sich entschuldigen müsste. Kein Wunder, dass er das Gefühl hat, im Dunkeln zu tappen. Ich balle im Schoß die Fäuste. *Er versucht es*, ermahne ich mich und denke an das, was Luke bei unserem letzten Gespräch gesagt hat. *Schreib Marcus ab, wenn du willst. Glaub mir, ich nehme es dir nicht übel – aber tu nicht so, als würdest du ihm eine Chance geben, wenn du es nicht wirklich ernst meinst.*

»Hallo? Ist mit Riley alles okay?«, fragt Deb.

Sofort ist Addie alarmiert – ihr Blick springt im Spiegel zu Deb, während die buckeligen Autos um uns herum wie Käfer vorankriechen, auf deren Panzern die Sonne schimmert.

»Okay. Oh, ja natürlich, jetzt passt es gut«, sagt Deb, und Abbie entspannt sich.

Die Gilbert-Schwestern hatten schon immer diese besondere

Verbindung. Ich habe Deb mehr als einmal darum beneidet, wie perfekt die zwei sich ergänzen, als sollten sie immer nur im Doppelpack auftreten.

»Ist das Dad?« Addie legt den Kopf schief und lauscht, dann grinst sie kurz. »Stell ihn auf Lautsprecher, Deb.«

Die Stimme von Addies Vater tönt durch das stickige Auto, und es ist, als würde ich auf der Straße den Duft von Addies Shampoo riechen, als würde ich das Rasseln ihrer Perlenarmbänder hören. Es ist, als würde ich eine halbe Sekunde in das Leben zurückkehren, in dem sie mir gehört hat.

»… hab deiner Mutter gesagt, dass die Kacke nicht diese Farbe haben sollte, aber sie sagt, es wäre absolut richtig, und ich sollte es dir nicht sagen«, berichtet er. »Oh, Mist, das hätte ich dir wahrscheinlich nicht erzählen sollen. Aber sie war *so* gelb. Ich bin mir sicher, zu meiner Zeit haben Babys nicht so gelb geschissen.«

»Was für ein Gelb?«, fragt Deb.

Ich drehe mich um. Marcus sieht schlecht gelaunt aus dem Fenster und macht ein angewidertes Gesicht. Ich lächele. Addie zu verlieren hat alles andere in den Hintergrund gedrängt, und ich habe nur selten an die Menschen gedacht, die ich mit ihr verloren habe. Als ich jedoch Neils Stimme höre, vermisse ich ihn auf eine Art, auf die ich meinen eigenen Vater ganz sicher nie vermisst habe.

»Ich würde sagen wie … Senf? Englischer Senf, natürlich, Senfmehl.«

»Ooh«, sagt Rodney, »das ist *ziemlich* gelb.«

»Oh, hallo«, sagt Neil fröhlich. »Wer ist das denn?«

»Wir haben Gesellschaft«, sagt Deb. »Das ist Rodney, und …« Sie verstummt.

Addie schüttelt wie wild den Kopf. Die Freude, Neil wiederzuhören, erstirbt, natürlich will Addie nicht, dass ihr Vater erfährt, dass ich mit im Auto sitze. Ich habe seine Tochter sitzen gelassen: Er hasst mich.

»Und … Rodney hat Haferkekse gebacken«, bringt Deb den Satz zu Ende. Sie schneidet Addie eine Grimasse.

»Haferkekse!«, sagt Neil und klingt ehrlich begeistert. »Köstlich!«

»Dad, die gelbe Kacke«, sagt Deb im sachlichen Ton einer Geschäftsfrau. »Beschreib mir die Konsistenz. Weich? Fest? Hühnercurry?«

»Euer Vater ist echt nett«, sage ich in die Stille, nachdem Neil schließlich aufgelegt hat.

»Er ist in Ordnung«, sagt Deb mit unüberhörbarer Zuneigung. »Warum, wie ist deiner?« Sie zögert. »Oh, sorry, er ist ein bisschen scheiße, oder?«

Darüber muss Marcus lachen. Er scheint etwas bessere Laune zu bekommen, und offen gestanden ist es auch unmöglich, während Neils äußerst ernstem Gespräch über Rileys Stuhlgang sauer zu bleiben.

Deb ist fertig mit Abpumpen, und es folgt eine längere Pause, in der sie alle Utensilien umständlich zusammenpackt. Rodney, der anscheinend zu helfen versucht, scheint mehr Arme als ein Tintenfisch zu haben – Addie zuckt zusammen, als er ihr durch die Rückenlehne des Fahrersitzes ein Knie in den Rücken rammt.

»Ja, mein Vater ist … schwierig«, sage ich, als wieder Ruhe einkehrt. »Er ist allerdings nicht allein schuld. Ich habe ihn ständig enttäuscht – ich habe im Grunde eine Art Kunst daraus gemacht.«

Ich merke, dass Addie mich ansieht, halte den Blick jedoch

auf die Straße gerichtet. Die Hitze wabert über dem Asphalt, lässt den Wagen vor uns verschwimmen und macht aus ihm so etwas wie ein Ölgemälde oder einen Livestream mit schlechtem WLAN. Der ganze Tag kommt mir irgendwie surreal vor, und das Verschwimmen, die Hitze, die starke Sonne lassen ihn noch irrealer wirken.

»Wir haben uns geeinigt«, sage ich. »Er hält sich aus meinem Leben raus, und ich mich aus seinem. Seit Dezember 2017 haben wir nicht mehr miteinander gesprochen.«

Als Addie das Datum hört, reagiert sie überrascht. Ich betrachte die Hände in meinem Schoß. Einen verrückten Moment lang stelle ich mir vor, meine Hand auf ihre Hand am Lenkrad zu legen.

»Ich habe etwas sehr Unerfreuliches herausgefunden«, sage ich. »Über meinen Vater. Oder genauer gesagt, über die Freundin meines Vaters. Wie sich herausgestellt hat, führt sie ein sehr nettes Leben in einem Stadthaus in Little Venice, das er über das Familienunternehmen finanziert.«

Es folgt betretenes Schweigen, und Rodney öffnet erneut die Dose mit den Haferkeksen.

»Und das hast du vor zwei Jahren im Dezember herausgefunden?«, fragt Addie nachdenklich.

Ich nicke und studiere weiter meine Hände.

»Nein«, sagt Marcus. »An dem Tag?«

Ich blicke beunruhigt zu Addie. Die Röte kriecht langsam ihre Brust und ihren Hals hinauf und hinterlässt Flecken auf ihren Wangen.

»Darüber hast du mit Luke gesprochen, als ich dir die Nachricht geschickt habe?«, fragt Marcus.

»Mm. Er war zu Hause.«

»Um deinen Dad zur Rede zu stellen?«

»Um mit meiner Mutter zu reden«, korrigiere ich. »Meinen Vater zur Rede zu stellen ware ... Ach.«

»Du weißt aber schon, dass dein Vater auf Cherrys Hochzeit sein wird, oder?«, fragt Marcus, und ich höre ihm an, wie er dabei aussieht: ungläubig hochgezogene Augenbrauen.

Ich atme langsam und unsicher ein, als ich mir wieder einmal vorstelle, meinem Vater zu begegnen – ein schwerer Druck lastet auf meinen Rippen, als würde jemand fest seine Hand dagegen pressen. *Die Kraft, die ihm zu eigen ist, gehört mir/ein Geschenk/das zurückzufordern ich nun beschließe.* Das ist mein bekanntestes Gedicht auf Instagram, nur drei Zeilen lang mit dem Titel »Einfach«. Heute gehört es zu den Gedichten, die ich am wenigsten mag – ich habe es in den Monaten geschrieben, nachdem ich Addie verloren und den Kontakt zu meinem Vater abgebrochen hatte. Heute kommt mir die extreme Schlichtheit irgendwie armselig vor. Als könnte ich meinen Vater einfach fortekeln, einen Schalter umlegen und vollkommen frei und glücklich sein, mein eigener Herr.

»Dyl?«, hakt Marcus nach. »Du weißt doch, dass deine Mutter und dein Vater eingeladen sind, oder?«

»Ja«, sage ich. »Ich weiß.«

»Und du hast deinen Vater mehr als eineinhalb Jahre lang nicht gesehen?«

»Ja. Genau.«

»Und du triffst ihn einfach ... auf der Hochzeit?«

»Ja.«

Es folgt langes Schweigen.

»Steckt eine Strategie dahinter?«, erkundigt sich Marcus trocken.

Addie sieht mich weiterhin an, ich fühle ihren Blick wie Sonnenschein auf meiner Wange.

»Noch nicht«, sage ich ziemlich hilflos. »Ich hoffe, mir fällt ein, was ich sage, wenn ich da bin. Luke kommt auch. Mit ihm zusammen geht das schon.«

»Okay!«, sagt Marcus, und ich höre, wie er sich räkelt, und Deb sagt *Uff*, weil er ihr vermutlich den Ellbogen irgendwohin gerammt hat. »Also, zum Glück haben wir noch gut dreihundert Kilometer vor uns, um uns eine Strategie für diese verfahrene Situation zu überlegen.«

# DAMALS

# Addie

Nachdem wir gemeinsam die Schlange gesehen haben, hat Marcus sich völlig verändert. Er flirtet nicht mehr mit mir, ist nicht mehr charmant – er ignoriert mich mehr oder weniger. Aber manchmal, wenn ich nicht hinschaue, spüre ich seine Blicke – und bemerke, dass Grace Marcus beobachtet, während er mich anschaut.

»Du guckst schon wieder zu ihm«, necke ich sie, als wir nach dem Frühstück nebeneinander abwaschen. Sie spült, ich trockne ab und knibbele immer wieder Rühreistückchen ab, die sie übersehen hat.

»Zu wem, Marc?« Sie hat Marcus, der auf der Terrasse war, durch das Fenster über der Spüle in Gedanken angestarrt. »Ach, ich bin einfach ein hoffnungsloser Fall, oder? Ich finde ihn einfach so *faszinierend*.«

Grace und ich verstehen uns gut. Sie kann manchmal ein wenig anstrengend sein, aber ich habe auch schon mit Cherry zusammengelebt, ich bin sehr geduldig mit äußerst vornehmen Menschen. Sie ist aber auch sehr schlau, und – ebenso wie Dylan – deswegen nicht herablassend. Und besonders wichtig: Sie hat Dylan noch nie so angeschaut, wie sie Marcus immer anstarrt.

»Wenn du ihn so faszinierend findest, warum …« *hast du dann auch mit seinem besten Freund geschlafen?*

Grace lacht, sie versteht, worauf ich hinauswill. »Darling, ich bin die *Königin* der Selbst-Sabotage, frag mich nicht, warum ich etwas mache. Außerdem ist Marc kein Typ, mit dem man eine feste Beziehung führt, nicht wahr? Wenn wir monogam leben würden, hätte er noch schneller als ohnehin schon das Interesse an mir verloren. Er wollte die freigeistige Grace, die sexuell extrovertierte Grace, die Grace, die man nie haben kann. Er braucht Dramen und Spielchen.«

»Du hast jemanden verdient, der dich will, weil du bist, wie du bist«, erkläre ich ihr. »Und nicht versucht, dich zu verändern.«

Sie lacht und wirft den Kopf in den Nacken. »So einen Mann muss ich erst noch finden«, sagt sie.

Ich zucke zusammen, sie bemerkt es direkt. Sie drückt eine seifige Hand auf meine und blickt mir in die Augen.

»Es tut mir leid«, sagt sie. »Das war nicht auf Dylan bezogen. Er ist in keinerlei Hinsicht ein schlechter Typ, ganz und gar nicht, er und ich waren einfach nicht … Das war nichts Ernstes mit ihm.«

»War es ein Spiel? Für Dylan?« Ich zwinge mich dazu nachzufragen. »Die ganze Sache mit euch?«

Grace wird ganz nüchtern und presst die Lippen aufeinander. »Ja«, antwortet sie. »Es tut mir leid, Darling. Ich weiß, dass du das wahrscheinlich schrecklich geschmacklos findest, aber ich glaube nicht, dass er jemals etwas für mich empfunden hat, bei mir war es ehrlich gesagt genauso. Marc verlor langsam das Interesse und … indem ich mit Dylan schlief, habe ich so viel von Marcs Aufmerksamkeit bekommen, wie ich mit einem anderen Mann nie geschafft hätte. Und ich glaube, dass Dylan auch gern einmal etwas hatte, das Marc gehörte.«

Bei diesem Satz zucke ich zusammen. Grace schaut mich mitfühlend an, spricht aber weiter.

»Dass ich durch Europa gereist bin, war eine Meisterleistung meinerseits, ganz ehrlich, denn wenn diese Jungs eins brauchen, dann ein Ziel, deswegen sind sie mir *viel* länger nachgejagt, als sie es getan hätten, wenn wir alle in Oxford geblieben wären. Ich glaube, dass sie eher von der Idee, mit derselben Frau zu schlafen, angetan waren als von mir.«

Meine Zähne sind fest zusammengepresst. »Das tut mir leid«, presse ich hervor. »Das ist schrecklich.«

»Oh, ich habe es ihnen mit gleicher Münze heimgezahlt, Darling«, sagt Grace und reicht mir einen Teller.

»Und ich habe anderen wirklich viel Schlimmeres angetan. Wenn man sich mit solchen Menschen umgibt« – sie macht eine Kopfbewegung zu den Leuten, die am Pool liegen –, »geraten die Dinge schnell außer Kontrolle. Der Unterschied mit Marc ist …« Sie seufzt. »Ich kann ihn nicht so *erschüttern*, wie ich sonst immer alle erschüttert habe.«

»Verstehe ich«, sage ich und stelle die Teller aufeinander.

Grace lächelt mich an. »Dylan hat es dir wirklich angetan, oder?«

Ich erröte. Grace grinst.

»Dann hoffe ich, dass er sich als Mann erweist, der dich auch verdient«, sagt sie und reicht mir schwungvoll noch einen Teller.

Sie zerstören Sachen: eine Lampe im Festsaal, eine Tür in der ersten Etage. Connies Finger, weswegen sie eine Nacht gemeinsam mit Onkel Terry in einer französischen Notaufnahme verbringen muss – er war der Einzige, der noch nüchtern genug war, um zu fahren, weil seine Kater viel schlimmer sind als die der anderen und er nicht mit ihnen mithalten kann.

Sie trinken und lachen und werden high, und die Tage verschwimmen in der Sonne.

Währenddessen repariere ich alles. Nur den Finger nicht – das liegt außerhalb meiner Expertise.

Gerechterweise muss ich zugeben, dass sie mich und Deb wie Mitglieder der Gang behandeln. Nicht wie Dienstmädchen. Nur wenn etwas kaputtgeht und sie nach mir oder meiner Schwester rufen, werde ich daran erinnert, dass wir nicht ganz auf derselben Stufe stehen. Ich bin eigentlich nicht eine von ihnen.

»Sie sind wie zu groß geratene Kinder«, erklärt Deb eines Tages, nachdem sie die ganze Gruppe auf der Wiese beobachtet hat. Connie hat den Kopf auf Martas Bauch gelegt, Grace hat sich an Marcus' Beine gelehnt, Luke und Javier sind miteinander verschlungen. Dylan ist irgendwo unterwegs mit Onkel Terry, glaube ich, und versucht, ihn bei Laune zu halten. Deb und ich haben Insekten aus dem Pool gefischt – Marta ist heute früh in eine riesige Hornisse geschwommen und hat das inzwischen schon jedem gefühlt drei Mal erzählt.

»Magst du sie?«, frage ich Deb.

»Wie könnte man sie nicht mögen?«, fragt sie und lehnt sich an die Balustrade der Terrasse. »Aber ich persönlich würde sie mir ein wenig auf Distanz halten. Ich bezweifele, dass man da munter mitmischen kann« – sie zeigt auf das Wirrwarr an Gliedmaßen auf dem Rasen – »und daran nicht kaputtgeht.«

Ich neige meinen Kopf zu ihrer Schulter, berühre sie aber nicht. Ich bin so dankbar, dass meine Schwester hier ist. Einige Male diese Woche habe ich mich verloren gefühlt. Oder so, als würde ich mein Selbstvertrauen als Sommer-Addie verlieren. Aber mit Deb bin ich immer ich selbst. Die richtige Addie, die echte.

»Ich hab dich lieb«, sage ich zu ihr. »Danke, dass du zurück-gekommen bist, als sie hier eingefallen sind.«

»Na klaro«, sagt sie überrascht. »Du musst nur fragen, dann komme ich. Immer. Das macht man doch so als Schwester, oder?«

Dylan ist mit seinen Freunden ein wenig anders. Er lacht mehr und sagt weniger. Er schwärmt nicht von seiner Dichtung, die anderen machen sich eher darüber lustig. Er ist immer noch charmant und hat diesen Touch eines verlorenen Jungen. Aber er ist … ruhiger. Manchmal verliere ich ihn in der Gruppe aus den Augen.

Nachts aber gehört er mir. Wir haben Deb das Bett in der Wohnung überlassen und wenn die Party abends vorbei ist, lasse ich mich neben ihm in dieses riesige Himmelbett fallen. Wir haben *viel* Sex, aber wir reden auch viel. Gestern die ganze Nacht lang, die Nasen berühren sich, die Hände sind ver-schlungen.

»Der Klang eines Löffels, der gegen einen Zahn stößt, wenn jemand Suppe isst, Insekten, die krabbeln, Menschen, die nicht zuhören«, flüstert er. Es ist fünf Uhr morgens, er klingt heiser. Wir sprechen über Dinge, die uns wahnsinnig ma-chen – keine Ahnung, wie wir darauf gekommen sind. »Und bei dir?«

»Menschen, die nicht zuhören, finde ich auch schlimm«, sage ich und drücke ihm einen sanften Kuss auf die Lippen. »Und Ratten. Die hasse ich. Und es macht mich verrückt, wenn dein Onkel Terry *Frauen!* sagt. Als könnte er damit eine Diskussion gewinnen. Du weißt schon, wenn einer von uns etwas gesagt hat, womit er nicht einverstanden ist?«

»Ach, Onkel Terry ist einfach eine Nervensäge«, sagt Dylan,

verzieht das Gesicht, und ich lache. »Es tut mir leid. Er ist schrecklich.«

»Er ist …« Hmm, was darf ich dazu sagen? Er ist schließlich Dylans Onkel. Ich wechsele das Thema. »Ist dein Dad so wie er? Terry ist sein Bruder, nicht wahr?«

Lange, drückende Stille.

»Nein, Dad ist anders«, sagt Dylan schließlich, und seine Stimme hat sich verändert. »Er ist … härter als Terry.«

Ich runzele die Stirn. »Was meinst du mit härter?«

»Er ist einfach nicht besonders witzig«, sagt Dylan. »Wie ist *dein* Dad denn?«

Das war flott. Wenn man bedenkt, dass wir gerade fünfundvierzig Minuten lang über Pokémon und die Ninja Turtles geredet haben, hätte ich wirklich gedacht, dass ein Gespräch über Dylans Vater mehr als zehn Sekunden dauern würde. Ich versuche, in der Dunkelheit Dylans Gesichtsausdruck zu erkennen.

»Versteht ihr euch nicht gut?«, frage ich leise.

»Sagen wir so, er gehört zu den Menschen, die nicht zuhören«, sagt Dylan.

Er lehnt sich zu mir und küsst mich sanft. Es durchfährt mich, als hätte ich etwas Heißes runtergeschluckt. Er versucht, mich abzulenken. Es funktioniert.

»Und? Wie sieht es bei dir aus? Wie ist dein Dad so?«, fragt Dylan und legt seinen Kopf wieder aufs Kissen.

»Er ist einfach mein Vater. Ich habe nie drüber nachgedacht, wie er so ist«, sage ich, merke aber, wie ich beim Gedanken an ihn lächeln muss. Ich habe plötzlich Heimweh und drücke Dylans Hand. »Ich verstehe mich genauso gut mit ihm wie mit meiner Mum. Er gibt wirklich gute Ratschläge, und er ist witzig, also na ja, er macht halt Dad-Jokes.«

Darüber lacht Dylan leise. Ich spüre, dass er sich wieder entspannt.

»Vermisst du sie?«, fragt er. »Also deine Eltern?«

»Ja, schon.« Das ist ein wenig peinlich, wenn man einundzwanzig ist, und ich erröte in der Dunkelheit. »Als ich studiert habe, bin ich auch während der Semester oft nach Hause gefahren, so lange wie jetzt war ich noch nie weg. Aber ich habe Deb. Und dieser Sommer ist fantastisch.«

»Fantastisch also?«, flüstert Dylan.

Ich schlucke. Mein Herzschlag wird schneller. »Ich will nicht, dass es vorbeigeht«, sage ich.

Ich spreche so leise, dass Dylan noch näher an mich heranrückt, um mich zu hören. Wie eine Feder spüre ich seinen Atem auf meinen Lippen.

»Wer hat denn gesagt, dass es vorbeigeht?«, flüstert er. Ich sehe im Dunkeln nur seine Umrisse, aber ich erkenne, dass sich seine Augen schnell hin und her bewegen, während er mich anschaut.

Ich wusste es irgendwie. Er war nicht davon ausgegangen, dass er die Villa verlässt und die Sache damit vorbei ist, die Sommerromanze als beendet erklärt wird. Dennoch klopft mein Herz wie verrückt. Ich will diese Unterhaltung so dringend führen, dass ich Angst davor habe. Ich rutsche ein wenig von ihm weg und lege mich mit dem Gesicht ins Kissen. Dylan fährt mir mit der Hand über den Rücken, ich erschaudere.

»Darf ich dir etwas sagen?«, fragt er leise.

Ich winde mich, schiebe die Decke von meinem Gesicht weg und bin plötzlich außer Atem. Ich glaube, er wird es sagen, und sobald er es gesagt hat, hat unser Leben eine Art imaginären Zeitstempel. Ein Vorher und ein Nachher. Ich habe es kommen sehen, als würde ich auf etwas zurasen und in einem

Moment der Panik darüber nachdenken, auf die Bremse zu steigen.

»Ich liebe dich«, sagt er. »Ich liebe dich, Addie.«

Ein Schock durchfährt mich. Als hätte jemand auf Aktualisieren gedrückt. Mein Herz schlägt mir in den Ohren. Ich denke an das Gedicht – wie erschreckend es sein kann, jemandem sein Herz zu überreichen, wie ein Soldat, der seine Waffe sinken lässt.

Aber ich liebe Dylan. Ich liebe ihn, wenn sich seine Freunde über seine Gedichte lustig machen, und ich liebe ihn, wenn er gerade aufgewacht ist, noch Schlaf in den Augen hat und grummelig ist. Ich liebe ihn so sehr, dass ich es manchmal wirklich schwer finde, mich mit jemand anderem zu unterhalten, weil ich nur an ihn denken kann. An uns.

»Ich liebe dich auch«, flüstere ich.

Ich habe diesen Satz noch nie zuvor gesagt. Als mein Ex versucht hat, mit mir über Liebe zu sprechen, habe ich es immer geschafft, mich rauszuwinden: ein leerer Drink, ein Freund in der anderen Ecke des Raumes, eine vorbeikrabbelnde Spinne. Und vor ihm hat es niemand Ernsthaften gegeben. Ich frage mich, ob Dylan es schon einmal zu jemandem gesagt hat.

»Ich spüre, dass da ordentlich nachgedacht wird«, sagt Dylan, und seine Lippen kitzeln mich am Hals. »Haust du jetzt ab und fährst zum Supermarkt?«

Darüber lache ich, obwohl mir nicht klar war, dass er bemerkt hatte, wie ich mich zurückgezogen habe, wenn es mir zu viel wurde.

»Ich brauche keinen Supermarkt«, sage ich. »Ich glaube, es ist nur … ich meine, du fährst bald weg, deswegen … Was bedeutet das mit uns überhaupt?«

Dann küsse ich ihn, weil ich die Bedürftigkeit in meiner

Stimme höre. Das gefällt mir nicht. Ich will nicht darüber nachdenken, wie sehr ich ihn vermissen werde.

»Das bedeutet, wir werden uns die ganze Zeit übers Telefon und über Skype unterhalten. Ich schicke dir Gedichte auf Postkarten. Ich werde dich besuchen, sobald ich wieder in England bin«, sagt Dylan. Er streicht mir das Haar zurück. »Aber … ich könnte auch bis zum Ende des Sommers hierbleiben? Soll ich bleiben?« Er lehnt sich ein kleines Stückchen nach hinten.

Ich könnte Ja sagen. *Vergiss deine Pläne für den Sommer, flieg nicht nach Thailand und Vietnam, bleib hier bei mir.* Ich könnte ihm sagen, was er machen soll. Er würde es tun – wenn ich diese Woche eins über Dylan gelernt habe: Man kann ihn leicht beeinflussen.

Einen Moment lang erscheint mir die Idee verführerisch. Es wäre so einfach. Wie ein Ausrutschen, eine zufällige Berührung mit der Hand.

»Nein«, sage ich und drücke meine Lippen auf seine. »Du solltest fahren. Lass dir deine Pläne nicht von mir durchkreuzen. In diesem Sommer wolltest du herausfinden, was du willst, oder? Also mach dich auf den Weg. Und komm zu mir zurück, wenn du es weißt.«

# Dylan

Den Rest des Sommers reisen wir – Marcus und ich. Meine Schultern gewöhnen sich allmählich an die schmerzende Last des Rucksacks. Ich kann die Wunder nicht mehr zählen, die ich zu begreifen versuche – Strände weiß wie Schnee. Dschungel, die so üppig wachsen, dass der Weg, den man gestern genommen hat, am nächsten Tag wieder mit einer Machete freigeschlagen werden muss. Fahrten auf Booten und in vollgedrängten Zügen und das Schreien auf den Märkten, das Feilschen. Ich schwitze und trinke und frage mich, was zum Teufel ich mit meinem Leben anfangen soll und ständig und immerfort vermisse ich Addie.

Es hätte der Sommer meines Lebens werden sollen, doch wo immer wir auch sind, fühle ich mich verloren. In diesen wunderschönen sonnigen Wochen in der Provence mit Addie hatte ich das Gefühl, allmählich eine Struktur zu finden – mich in Addie zu verlieben hat mich ganz gefordert, und ausnahmsweise war ich rundum glücklich damit, wo ich war und wer ich war.

Ich dachte, wenn ich Frankreich verlasse, würde ich dieses Gefühl mitnehmen, aber ich habe es dort bei ihr zurückgelassen. An einigen Tagen habe ich sogar wieder Schwierigkeiten, aus dem Bett zu kommen, was mich anwidert. Ich bin so strukturlos und gereizt wie immer, stets eine Zeile von einem fertigen Gedicht entfernt, immer einen Schritt hinter Marcus. Immer eine Enttäuschung für meinen Vater.

Er ruft mich an, als ich am Phnom Penh Airport bin. In drei Tagen fährt Addie nach Chichester zurück. Marcus ist irgendwo auf der Suche nach Wasser, und ich starre auf die Abflugtafel. Wir wollen nach Preah Sihanouk fliegen, um dort die letzte Woche zu verbringen, ehe wir nach Hause zurückkehren, aber ... vielleicht könnte ich auch einfach jetzt zurückfliegen. Ich könnte Addie bei ihrer Rückkehr am Flughafen erwarten, könnte die Freude auf ihrem Gesicht sehen, wenn sie mich in der wartenden Menge entdeckt und losläuft, um sich in meine Arme zu werfen.

»Du kommst besser nach Hause«, sagt Dad, als ich abnehme.

Es ist Ende August. Unserem ursprünglichen Plan nach hätten wir schon seit Wochen wieder zu Hause sein sollen – aber wozu nach England zurückkehren, solange Addie noch in Frankreich war?

»Schön, von dir zu hören, Dad«, sage ich. Ich klinge weniger scharf als beabsichtigt – ich besinne mich im letzten Moment und klinge sogar recht freundlich.

»Genug mit dem Unsinn. Diese Europareise ist total aus dem Ruder gelaufen.«

Ich mache eine finstere Miene. »Ich bin nur ein paar Wochen länger geblieben.«

»Du hast alle Bewerbungsfristen der Hochschulen verpasst. Was *machst* du, Dylan? Wann wirst du erwachsen?«

Ich hebe den Blick zur Decke. Die gitterartigen Neonröhren hinterlassen ein grelles Schottenmuster auf der Innenseite meiner Augenlider. Ich brauche nicht zu antworten – Dad wird sagen, was er sagen will, unabhängig davon, was oder ob ich überhaupt etwas erwidere.

»Ich nehme an, du willst zu Hause wohnen. Soweit du darüber überhaupt schon nachgedacht hast. Deine Mutter sagt, es hätte keinen Zweck, dir bereits eine Wohnung in London zu kaufen, und ich stimme ihr zu. Ehrlich gesagt, hast du es nicht verdient.«

Meine Mutter will, dass ich frei entscheiden kann, ob ich in London leben möchte. In gewisser Weise ist ihr stiller Glaube daran, dass ich mein Leben schon meistern werde, fast noch schlimmer als die tiefe Überzeugung meines Vaters, dass ich es nicht meistern werde.

»Wir besprechen alles ausführlich, wenn du zurück bist, aber ich bin mir sicher, ich finde einen Platz für dich in der Branche – wobei du dann nach London pendeln müsstest, was anstrengend wird.«

Je länger das Gespräch dauert, desto mehr entweicht das Leben aus mir. Wie eine Marionette hänge ich auf meinem Stuhl und warte darauf, dass jemand an den Fäden zieht und mich zum Leben erweckt.

Marcus schlendert mit zwei Wasserflaschen auf mich zu. Sein Haar ist länger als je zuvor, trocken und von der Sonne gebleicht, seine Kleidung muss unbedingt gewaschen werden. Er grinst mich an und wirft mir aus zu großer Entfernung eine Flasche zu – da ich mit der einen Hand das Telefon ans Ohr halte, kann ich sie nicht fangen und sie landet auf meinem Bauch.

In gewisser Weise weiß ich, dass mein Problem nicht real ist. Wahrscheinlich stehen mir mehr Möglichkeiten offen als fast jedem anderen auf diesem Planeten.

Aber das scheint die dunkle Wolke nicht zu interessieren. Sie weiß nur, dass die Zukunft unendlich schrecklich ist, weil ich unweigerlich versagen werde, egal, was ich tue.

»Ich bleibe noch etwas länger hier«, sage ich, als mein Vater in seinem Monolog kurz innehält.

Ich halte das Schweigen aus. Es ist erleichternd, wie der Moment, wenn man an Schorf kratzt. Von der Sekunde an, in der ich den Namen meines Vaters auf dem Display des Telefons gesehen habe, wusste ich, dass diese Stille kommen würde. Alles, was zu diesem Moment geführt hat, waren nur unangenehme Mittel, um Spannung aufzubauen. Nachdem es geschehen ist – nachdem ich ihn enttäuscht habe –, ist es pervers leicht.

»Ich weiß nicht, warum ich mir überhaupt die Mühe mache«, sagt Dad und hebt bereits die Stimme. »Es ist sinnlos. *Du bist* ein Nichtsnutz.«

Und dann beginnt seine übliche Tirade: Das Wort *Platzverschwendung* kommt häufig vor, ebenso die Frage, was er nur getan hat, um solche Versager als Söhne zu verdienen. Das habe ich so oft gehört, dass ich gar nicht erst versuche, darauf zu antworten, so verlockend es auch sein mag. Ich schweige und spüre einen heftigen Druck auf der Brust. Marcus tippt auf seine Armbanduhr und deutet mit dem Kopf auf die Abflugtafel – der Flug nach Sihanoukville International Airport ist zum Einsteigen bereit.

Dad legt auf, als ihm die Beleidigungen ausgehen. Bei dem lauten Piepton brennen mir die Augen. Als ich Marcus zum Gate folge, denke ich plötzlich daran, wie ich Addie in den Armen halte, meine Hände auf ihren festen Rückenmuskeln, und ich taumele. Halb stolpere ich über eine Stufe, als ob meine Füße mir sagen wollten, dass ich in die falsche Richtung gehe.

Marcus dreht sich zu mir um und mustert mich.

»Komm schon, Mann«, sagt er. »Vergiss deinen Vater, vergiss sie alle. Vergessen wir für ein paar letzte Tage die reale Welt.«

# Addie

»Wo ist er denn, dieser Dylan?«, fragt meine Mum und setzt sich neben Deb aufs Sofa.

Wir befinden uns im Wohnzimmer meiner Eltern. Endlich. Mir war nicht klar gewesen, wie sehr ich mein Zuhause vermisst hatte, bis Deb und ich durch diese Tür gekommen sind und ich tief eingeatmet habe. Ich trage immer noch die Kleidung, in der ich gereist bin – es ist ein komisches Gefühl, dass der Staub an der Sonnencreme auf meinen Schienbeinen mit mir aus der Provence hierhergekommen ist.

»Er ist noch auf Reisen«, sage ich und nehme einen Schluck Tee. Richtigen, englischen Tee mit Wasser aus einem Wasserkocher, der mal entkalkt werden müsste.

»Du wirst ihn mögen, Mum«, sagt Deb, als sie ihre Strümpfe auszieht. Deb fühlt sich erst dann zu Hause, wenn sie keine Socken trägt. »Er ist niedlich. Und absolut *verrückt* nach Addie. Was gut ist, weil sie auch völlig verrückt nach ihm ist.«

Ich erröte. »Nein, bin ich nicht«, antworte ich automatisch.

Deb verdreht die Augen. »Also bitte. Du bist den ganzen Sommer über vor Sehnsucht fast vergangen.«

»Bin ich nicht! Ich habe ihn einfach nur vermisst, mehr nicht.«

»Na ja, also ich vermisse es manchmal, einfach alles zu essen, worauf ich Lust habe, ohne fett zu werden, aber ich weine deswegen nicht«, sagt Deb. Sie grinst mich an, als ich das Gesicht verziehe.

»Bei Liebeskummer ist Deb Gold wert«, erkläre ich Mum. »Sie ist so verständnisvoll.«

»Ich war grandios«, erklärt Deb gelassen und verschränkt die Füße auf dem Couchtisch. »Ich habe dafür gesorgt, dass sie gefüttert und getränkt wurde und habe nicht das Internet benutzt, wenn sie mit Dylan geskypt hat. Ich war wie eine Heilige.«

Meine Mum lächelt uns beide über ihre Tasse hinweg an, sie hat Lachfältchen um die Augen. Ich habe sie so sehr vermisst – das bemerke ich jetzt erst mit aller Wucht.

»Und wann lerne ich diesen jungen Mann einmal kennen?«, fragt sie.

»Bald«, verspreche ich ihr. »Ich weiß nicht, wann er nach Hause kommt, aber er meinte, es würde nicht mehr lange dauern.«


»Hey, ich höre dich!«

»Hallo? Kannst du mich hören?«

»Ja! Ja! Hi? Hallo?« Ich winke dem Laptop-Bildschirm. Mein Grinsen wird immer steifer.

»Hey!« Dylan lächelt. Er befindet sich irgendwo in einer dunklen Ecke. Ich erkenne nur braungetäfelte Wände und den Ventilator an der Decke. Ich glaube, er ist in Kambodscha, aber er könnte auch in Vietnam sein. Es ist mir ein wenig peinlich, dass ich den Überblick verloren habe.

»Wie geht es dir?«, fragen Dylan und ich gleichzeitig.

Wir lachen.

»Sag du!«, sagen wir wieder wie aus einem Munde.

»Gut, dann fang ich an«, erkläre ich, weil es langsam ein bisschen nervig wird. »Ich bin nervös.«

»Natürlich bist du das!«, erklärt Dylan. »Aber du wirst das großartig machen.«

Das ergibt nicht so ganz Sinn, aber ich glaube, das Wesentliche hat er verstanden.

»Diese Praktikumstage waren einfach sehr anstrengend«, sage ich. Mein eigenes Gesicht starrt mich auf Skype an: Ich sehe so jung aus. Viel zu jung, als dass ich Teenagern irgendetwas beibringen könnte.

»Vor der Klasse stehen ist hart, das weiß jeder, aber das bist du auch«, sagt Dylan.

Ich lächele widerwillig. »Ich wünschte, du wärst hier.«

Er strahlt. »Wirklich?«

»Natürlich.«

»Aber du sagst es nie«, erklärt er.

»Doch, tue ich wohl.« Mache ich das nicht? Jetzt fühle ich mich natürlich so, als müsste ich es sagen.

»Nein. Nie.«

»Na ja, ich hatte gehofft, du wärst inzwischen wieder zu Hause. Wann kommst du denn?«

Er schaut plötzlich finster, als hätte er an etwas Schlimmes gedacht. »Ich weiß es nicht. Ich muss herausfinden, was ich machen will, bevor ich nach Hause komme, weißt du? Das ist doch die Vereinbarung, die wir getroffen haben, oder?«

»Ja, genau«, sage ich, und im Hinterkopf denke ich: *Wie jetzt, du kannst einfach so lange reisen, wie du willst? Bist du nicht irgendwann pleite?*

»Mein Dad hat Pläne für mich, und ich weiß nicht, wie ich …« Er beißt sich auf die Lippe, und sein Blick schweift in die Ferne. »Ich muss ihm einen anderen Plan präsentieren, wenn ich es schaffen will, von zu Hause auszuziehen und nicht für das Familienunternehmen arbeiten zu müssen.«

»Okay. Okay.« Ich weiß zwar, dass Dylan nicht für seinen Dad arbeiten will, aber ich bin mir nicht sicher, was er sonst machen möchte, außer Gedichte zu schreiben, von denen er im Moment offensichtlich nicht leben kann. »Was schwebt dir denn vor? Also von wegen andere Pläne?«

Er sieht immer grimmiger aus. Sein Gesicht ist mürrisch, fast schon schmollend. Ich runzele leicht die Stirn.

»Dylan?«, frage ich noch einmal nach.

»Ich weiß es nicht«, sagt er und streicht sich gereizt das Haar aus den Augen. »Ich weiß es nicht. Deswegen bin ich noch hier.«

»Aber glaubst du, du musst wirklich in Thailand sein, um das herauszufinden? Könntest du nicht einfach nach Hause kommen, dir Stellenanzeigen anschauen und dich bewerben?«

»Setz mich nicht unter Druck, Addie«, sagt er, und ich schrecke vom Bildschirm zurück. »Gott, tut mir leid«, erklärt er direkt. »Es tut mir wirklich leid. Ich mache mir nur viele Sorgen wegen dieser Dinge und fühle mich etwas nutzlos und zerfleische mich deswegen selbst, und Dad ruft mich fast jeden Tag an und droht mir auf alle möglichen Weisen und ich will diese Welt einfach nur ein wenig länger hinter mir lassen, weißt du? Hier, wo ich bin, kann ich bei allem anderen die Pause-Taste drücken. Ich kann nichts vermasseln.«

Um ehrlich zu sein, weiß ich nicht, ob das stimmt. Aber ich verstehe zumindest die Logik, die dahintersteckt.

»Dann nimmt dir auf jeden Fall die Zeit, die du brauchst«, sage ich.

Sein Gesicht hellt sich ein wenig auf. »Danke. Ich wusste, du würdest es verstehen.«

Ich verdränge das leichte Unbehagen, das in mir aufsteigt. Ich verstehe es ehrlich gesagt nicht. Ich tue so, weil ich nicht diese gemeine Freundin sein möchte, die sich an ihn klammert.

»Dann erzähl mir, was du diese Woche gemacht hast«, sagt Dylan und nimmt das Gespräch wieder auf. »Ich will alles wissen, jedes einzelne Detail. Ich war ...« Aber dann wird er ganz pixelig, und ich höre ein *Tut-tut-tut* und er ist weg.

Ich klappe den Laptop frustriert zu. Eine virtuelle Beziehung ist Mist. Das ist nicht *echt*. Ich will, dass er mich umarmt. Ich will ihn zurück.

Die erste Zeit an der Barwood School ist wirklich hart.

Ich bin so froh, dass ich hier eine Referendarstelle bekommen habe. Wenn ich mir das nicht vor Augen führen würde, hätte ich schon längst das Handtuch geschmissen. Kinder sind kleine Teufel.

Nach dem ersten Halbjahr habe ich es fast geschafft, mir den Respekt meiner achten Klasse wieder zu erarbeiten, der Beginn war eine Katastrophe gewesen. (Ich wollte, dass sie Raketen aus Pappmaché machen, aber sie haben alle Penisse gebastelt. Ich habe geheult, und jemand hat sich den Zeh gebrochen. Alles in allem einfach furchtbar.) Die neunten, zehnten und elften Klassen waren von Anfang an in Ordnung, und die Siebtklässler sind zum größten Teil wirklich niedlich. Aber die achten Klassen sind voller pubertärer Monster. Sie zu bändigen gehört zum schwersten, was ich jemals getan habe, aber ganz sicher auch zum befriedigendsten.

Und Dylan ist immer noch nicht hier. Wir skypen mindestens einmal pro Woche und schreiben uns ständig, aber ich bekomme Panik. Wie könnte es anders sein? Er wirkt so anders. So distanziert. Wenn ich ihn frage, wann er nach Hause kommt, antwortet er: *Bald!* Und ich versuche, ihn zu verstehen und ihn nicht zu drängen, oder zu sehr zu klammern oder sonst irgendwas Doofes, aber egal, wie süß er zu mir ist, er ist nicht hier. Er sagt zwar, dass er mich liebt, aber er *zeigt* es eigentlich nicht.

Wir sind schon seit Monaten getrennt, und warum? Weil er *sich selbst finden* muss? Bei allen anderen Menschen würde ich über so etwas lachen. Nur, weil er der liebenswürdige, verlorene Dylan ist, versuche ich wirklich nachzuvollziehen, dass es ihm einfach nicht gut geht und dass er wohl denkt, zu Hause würde alles noch viel schlimmer werden. Aber mein Gott. Es ist nicht gerade schmeichelhaft, oder, dass der eigene Freund ohne triftigen Grund monatelang wegbleibt?

*Er hat dich vergessen*, flüstert eine leise Stimme in meinem Kopf. Mittelmäßiges Mauerblümchen Addie. Hatte ich wirklich gedacht, ich würde einen Typen wie Dylan länger als einen heißen Sommer lang interessieren?

Heute ist der fünfte November, also Feuerwerksnacht, und Deb und ich haben große Pläne.

Sie war in den letzten Monaten mein Fels. Wir wohnen beide zu Hause, während wir Geld für unsere eigenen Wohnungen sparen, was meine Eltern ein wenig irritiert, ohne dass sie es zugeben würden. Deb hört mir zu, wenn ich unter Tränen über meinen Job schimpfe. Sie macht mir jeden Morgen einen Tee und bringt ihn mir, während ich mich schminke, dabei drückt sie mir einen Kuss auf den Kopf. Wenn ich darüber nachdenke, Dylan eine böse Mail zu schreiben – *Warum kommst du nicht einfach nach Hause?* –, nimmt sie mir mein Telefon weg und erinnert mich daran, dass die Gilbert-Frauen niemals betteln.

Also feiern wir heute Abend, dass wir Schwestern sind. Ich habe uns einen Tisch in einer edlen Bar in der Stadt reserviert, für die *Feuerwerks Extravaganza*, was bedeutet, dass alles so ist wie immer, nur in teurer. Wir brezeln uns auf: zwölf Zentimeter hohe Absätze, kurzes Kleid, keine Strumpfhose. Nach all den Monaten, in denen ich mich für die Schule so altbacken wie möglich angezogen habe, möchte ich mich sexy fühlen. Und vielleicht, nachdem ich die ganze Zeit lang auf Dylans Heimkehr gewartet habe … will ich, dass mich jemand bemerkt.

Zu meiner Überraschung dauert das nicht lange.

»Nein, verrat ihn mir nicht. Ich werde deinen Namen erraten«, sagt der Typ neben mir in dem Gedränge vor der Bar. Er muss wegen der Musik laut sprechen. Er ist auf wilde Art sexy. Er hat Aknenarben auf den Wangen, strahlend blaue Augen und einen kurzen Bart.

»Dann mal los«, sage ich. »Du wirst noch eine Weile hier stehen.«

Er blickt auf die vielen Menschen um uns herum. »Wie praktisch, dass ich nirgendwohin kann. Hannah.«

»Ganz falsch.«

»Ich meine Ella. Nee, nein, sorry: Bethan! Emily. Cindy?«

»Gibst du dir überhaupt Mühe?«, frage ich.

»Nun, hmm. Wie würdest du reagieren, wenn ich dir erklären würde, dass dies ein schamloser Versuch ist, mit dir ins Gespräch zu kommen?«

»Ich würde sagen, dass ich schockiert und entsetzt bin.«

Er grinst. »Darf ich dir einen Drink ausgeben, Emma?«

»Es ist noch viel zu früh für eine Entscheidung. Wir sind bestimmt erst in zwanzig Minuten an der Bar.«

»Hoffst du, dass du in der Zwischenzeit ein besseres Angebot bekommst, Cassie?«, fragt der Blauäugige und blickt sich mit zu Schlitzen verzogen Augen um, als würde er sich nach Konkurrenten umsehen.

In Wahrheit überlege ich gerade. Übertrete ich eine Grenze,

wenn ich mir ein Getränk ausgeben lasse? Will ich eine Grenze übertreten? Habe ich sie schon übertreten, als ich mich in dieses Kleid gezwängt habe, das ich immer beim Ausgehen zu Unizeiten getragen habe?

»Addie!«, ruft Deb hinter mir.

Ich drehe mich um.

»Aha!«, sagt der Blauäugige. »Addie. Das hätte ich als Nächstes geraten.«

»Ich habe uns eine Flasche für den Tisch bestellt«, ruft Deb.

Um mich herum ächzt die Menge vor Neid.

»Wie?«, forme ich lautlos mit den Lippen und drängele mich bereits zu ihr.

»Sehen wir uns später, Addie?«, ruft der Blauäugige, aber ich habe mich entschieden und blicke nicht zurück.

## Dylan

Als ich eintrete, unterhält sie sich mit einem Kerl an der Bar. Ich empfinde *brennende* Eifersucht, sie züngelt heiß-kalt meinen Nacken hinauf, und plötzlich wird mir auf erschreckende Weise bewusst, was ich getan habe. Die ganze Zeit, die ich an irgendwelchen Stränden herumgelegen habe, ohne dass ich geschrieben, nachgedacht oder sonst irgendetwas geschafft hätte, habe ich sie hier zurückgelassen: überwältigend schön und feengleich, die Vollkommenheit in Miniaturausgabe.

Ihr Kleid betont jede Kurve. Direkt nach der Eifersucht meldet sich die Lust, und als ich ihr Lachen sehe, das Make-up auf ihren Wangen, das im Licht schimmert, habe ich das niederschmetternde Gefühl, dass ich ihr nicht das Wasser reichen kann. Welcher Schwachkopf faulenzt auf Bali herum, wenn er hier mit so einer Frau zusammen sein könnte? Wie konnte ich nur so dumm sein? Welches Leid mich auch immer die letzten Monate geplagt hat – die dunkle Wolke, die mich jeden Morgen beim Aufwachen erwartete –, fühlt sich lächerlicher an denn je, nachdem sie sich aufgelöst hat und ich sie hier sehe. Was habe ich nur *getan*?

»Ich habe dich gewarnt«, sagt Deb neben mir.

Ich habe Deb letzte Woche geschrieben, um ihr zu sagen, dass ich Addie in der Feuerwerksnacht überraschen möchte – sie hatte erwähnt, dass Deb und sie ausgehen wollten. *Nun ja, das wird sie auf jeden Fall überraschen*, sagte Deb. *Ehrlich gesagt, denke ich, dass sie eigentlich nicht mehr daran glaubt, dass du jemals zurückkommst.*

»Ich bin so ein Idiot«, sage ich und reibe mir durchs Gesicht. »Ich dachte …«

»Sie würde ewig auf dich warten?«

»Sie wartet doch noch, oder?«, frage ich und beobachte sie besorgt. »Sie hat doch … keinen anderen?«

Wir haben nie darüber gesprochen, dass wir exklusiv zusammen sind. Den Teil haben wir übersprungen und sind gleich zu *Ich liebe dich* gekommen – ich habe angenommen, das wäre nicht nötig. Jetzt gehe ich im Geiste jedes Skype-Telefonat durch, überprüfe in meiner Erinnerung jeden Satz auf Männernamen, und die brennende Eifersucht kriecht heiß meinen Rücken hinunter.

»Natürlich gibt es keinen anderen.« Deb verschränkt die Arme. »Was hast du nur *gemacht*?«

Mich versteckt. Ich bin davongelaufen. Bin untergegangen. Abgesoffen.

»Ich hab versucht, mir über einiges klar zu werden«, antworte ich schwach. »Ich dachte … Addie hat gesagt, ich sollte zu ihr zurückkommen, wenn ich wüsste, was ich mit meinem Leben anfangen will. Und ich bin immer länger geblieben und habe es irgendwie nicht herausgefunden, und dann fühlte es sich immer schwieriger an, nach Hause zu kommen.«

Deb runzelt die Stirn. »Das war nicht sehr vernünftig.«

»Ja. Das ist mir klar.«

Der Typ neben Addie neigt den Kopf, um etwas zu ihr zu sagen, und ich würde am liebsten jaulen.

»Können wir ihr jetzt sagen, dass ich da bin? Bitte?«

Deb sieht mich prüfend an.

»Liebst du sie wirklich?«

»Ja, ganz ehrlich.«

»Warum bist du dann so lange weg gewesen?«

Ich beiße verzweifelt die Zähne zusammen. Ich kann ihr nichts von der dunklen Wolke sagen, von der Lethargie und der Angst. Und selbst wenn ich meine Scham überwinden könnte, glaube ich tief im Inneren nicht, dass es als Entschuldigung genügt. Die dunkle Wolke kenne ich schon aus meiner Teenagerzeit, und damals hat mein Vater mir sehr deutlich gemacht, dass es nichts als Schwäche sei.

»Ich weiß es nicht. Okay? Ich weiß es nicht. Marcus hat ständig gesagt, ich soll bleiben, und mein Vater hat mir im Nacken gesessen, dass ich nach Hause kommen und in seinem Unternehmen arbeiten soll. Und Addie hat hier ein ganz neues Leben, und ich wusste nicht … wie ich da hineinpasse.«

»Also bist du einfach ausgestiegen?«

»Also habe ich gewartet. Bis ich der Mann bin, den sie haben will.«

Deb mustert mich von oben bis unten. »Und der bist du jetzt?«

Ich sacke in mich zusammen. »Also, eigentlich nicht, nein.«

»Nein. Bis auf die Bräune siehst du ziemlich unverändert aus.«

»Bitte, Deb«, flehe ich sie an, als Addie erneut lacht und sich mit einer Hand das Haar zurückstreicht. »Ich habe Mist gebaut. Ich bring das in Ordnung.«

»Okay«, sagt Deb. »Gut. Aber bau nicht noch mehr Mist, okay? In Frankreich hast du sie ein paar Tage glücklich gemacht, zugegeben, aber seitdem hast du sie verdammt unglücklich gemacht. Jetzt versteck dich, und ich locke sie mit einem Drink an unseren Tisch, damit du sie überraschen kannst. Wenn du das hier schon machst, dann mach es auch richtig. Ich will meine Schwester wieder lächeln sehen.«

## Addie

»Addie«, sagt er.

Deb und ich sitzen am Tisch und schenken uns Sekt aus der Flasche ein, die Deb irgendwo aufgetrieben hat. Ich schaue meine Schwester an, bevor ich mich umdrehe. Sie grinst mich an. Sie wusste, dass er kommen würde.

»Ich habe dieses glückliche Gesicht vermisst, Ads«, sagt er, als ich mich in meinem Stuhl umdrehe, bereits strahle und Dylan anblicke.

Er hat mich hochgehoben und in den Arm genommen, bevor ich etwas sagen kann.

»Verdammt«, sagt er, »Addie Gilbert, du kannst dir gar nicht vorstellen, wie sehr ich dich vermisst habe, oder?«

Nee, eigentlich nicht. Er hat auf Skype zwar oft genug *Ich vermisse dich* gesagt, aber das hörte sich immer nach einer Floskel an. Wenn er mich vermisst hat, warum ist er dann nicht zurückgekommen? Aber der Gedanke verfliegt in dem Augenblick, als er seine Lippen auf meine legt. *Das* ist mein Dylan. Braunes, verwuscheltes Haar, diese unglaublich grünen Augen. Es hört sich zwar lächerlich an, aber er riecht nach Sonne und Weinbergen, sogar hier in diesem muffigen Club. Wir küssen uns so lange, alles scheint zu zerfließen, die Musik hämmert um uns herum. Schließlich lösen wir uns voneinander, und er lacht, fährt mir mit den Daumen über die Wangenknochen.

»Es tut mir so leid, dass ich so lange gebraucht habe, um nach Hause zu kommen. Ich bin ein Idiot. Verzeihst du mir?«

Er entschuldigt sich ganz selbstverständlich. Ich kenne keinen anderen Typen, der so etwas macht. Es wirkt, als hätte er dieses männliche Egoding nicht, diesen Stolz, der immer verletzt wird. Das liebe ich an ihm. Aber ... Ich weiß nicht, ob mir das als Wiedergutmachung reicht. Kann man einen Fehler mit einer lockeren Entschuldigung ungeschehen machen?

»Oh, Gott, Addie, bitte«, sagt er und drückt seine Lippen wieder auf meine. »Sei nicht böse mit mir. Das ertrage ich nicht.«

»Wo ist Marcus?«, frage ich.

Dylan scheint die Frage zu überraschen – und mich selbst auch ein wenig. »Zu Hause«, antwortet er. »In Hampshire. Ich habe ihm gesagt, ich wollte direkt zu dir kommen, deswegen ist er zu seinem Dad gefahren und wohnt bei ihm.«

Ich schmiege mich an Dylans Brust, während meine Gedanken Karussell fahren. Im Laufe der Monate habe ich viel über Marcus nachgedacht. Liegt es an ihm, dass Dylan nicht eher nach Hause gekommen ist? Ich kann mir nicht vorstellen, dass er es eilig hatte, mir Dylan zurückzubringen.

»Und ... du? Bist du jetzt hier?«, frage ich ihn.

»Ja, ich bin jetzt hier. Für immer. Und ich weiß ganz genau, dass ich dich niemals hätte verlassen dürfen.«

»Ich trinke deinen Sekt!«, ruft Deb mir zu. »Du siehst beschäftigt aus.«

Ich lache und recke meinen hochgestreckten Daumen in ihre Richtung, dann ziehe ich Dylan auf die Tanzfläche, während Deb meinen Drink hinunterstürzt. Dylan und ich tanzen, wir pressen uns so fest aneinander, dass sich unsere Vorderseiten komplett berühren. Mir ist schwindelig. Taumelig, weil ich ihn wiederhabe.

»Weißt du«, sagt Dylan gleich neben meinem Ohr, sodass ich ihn trotz der Musik hören kann, »ich denke langsam, dass mein Leben bislang eine Aneinanderreihung von falschen Entscheidungen und sehr dämlichen Fehlern war. Eine Ausnahme war nur der Tag, an dem ich an deine Tür geklopft habe.« Er drückt seine Lippen auf mein Haar, und ich verstecke mein Lächeln an seiner Brust. »Ich weiche nun nicht mehr von deiner Seite.«

»Das wird etwas schwierig«, sage ich und ziehe an seinen Händen, damit er wieder tanzt. Das kann er ziemlich gut. Ich weiß nicht, warum ich dachte, Dylan wäre ein schlechter Tänzer, aber das hier ist eine schöne Überraschung.

»Schwierig?«

»Deine Familie wohnt zwei Stunden weit weg, oder?«

Er versteht mich nicht. Ich wiederhole mich, halte meine Lippen nah an sein Ohr.

»Ich ziehe nicht nach Hause«, erklärt er und hört sich triumphierend an. »Ich ziehe hierher.«

»Hierher?« Für *diesen* Plan hatte er mehrere Monate gebraucht? »Hier bedeutet Chichester? Was wirst du arbeiten?«

»Ich werde mir etwas suchen«, sagt er, und dann verfinstert sich sein Gesicht erneut. »Falls Chichester mich will.«

In dem Licht strahlt sein Haar gelb, grün und dann wieder gelb. Die Musik ist so laut, dass es sich eher nach einem Surren anhört.

»Wie? Du wirst dir hier eine Wohnung mieten?«

»Oder eine kaufen. Dad liegt mir immer damit in den Ohren, ich solle mir eine Immobilie zulegen.«

Ich starre ihn so lange an, dass er ein wenig peinlich berührt lacht und mich wieder an sich zieht.

»Oder auch nicht, mal sehen. Ich will einfach hier sein. Ich hätte die ganze Zeit über hier sein sollen.«

Jemand rennt in mich hinein und schubst mich gegen seine Brust. Ich bleibe stehen und lege ihm die Arme um die Taille. Ich war immer schon der Meinung, dass jeder eine zweite Chance verdient. Und es tut ihm aufrichtig leid und war es überhaupt so schlimm, dass er ein wenig länger als geplant weggeblieben war, er hat sich doch schließlich Gedanken gemacht?

Und … ich liebe ihn immer noch. Das Gefühl ist also auch noch da.

Ich schmuggele ihn in mein Zimmer. Als wir meine Zimmertür hinter uns schließen, sind wir außer Atem und reißen uns gegenseitig die Klamotten vom Leib. Dylan zerstört den Kragen meines Kleides und hält dann inne, scheint über sich selbst überrascht, woraufhin ich so sehr lachen muss, dass ich mir die Hand über den Mund lege, um nicht laut raus zu prusten.

Sein Körper ist mir noch vertraut, hat sich aber verändert. Die Bräunungslinien sind deutlicher, die Muskeln vielleicht ein wenig fester, aber *er* ist es, Dylan, er ist daheim und das Gefühl von seinem Körper an meinem reicht aus, um mich erbeben zu lassen. Wir küssen uns begierig, mit offenem Mund. Ich bin verzweifelt. Alles schmerzt. Ich bin derart hektisch, dass ich das Kondom nicht richtig überziehe, Dylan lacht atemlos, hält meine Hände fest.

»Wir haben Zeit«, sagt er mit heiserer Stimme. »Ich gehe nirgendwohin.«

Er legt mich aufs Bett und setzt sich auf mich. Seine Arme

umfassen mich. Ich hebe das Kinn, will einen Kuss, und er drückt die Lippen auf meine, langsam, sanft. Ich flehe ihn wirklich an, er greift nach dem zweiten Kondom und als er endlich in mich eindringt, schreien wir beide auf.

Irgendwie schaffe ich es, meine Müdigkeit zu überwinden. Der Alkohol hilft wahrscheinlich beim Wachbleiben. Dylans innere Uhr ist durch das Reisen noch völlig durcheinander. Deswegen nehme ich ihn um acht Uhr morgens – nach null Stunden Schlaf – zufrieden und übermütig und wahrscheinlich immer noch betrunken, mit nach unten, um uns Bacon-and-Egg-Sandwiches zum Frühstück zu machen.

Meine Mum kommt einige Minuten, nachdem wir die Speckscheiben auf den Bratrost gelegt haben. Sie bleibt in ihrem Lieblingsbademantel in der Küchentür stehen. Das einstige Lila ist einem verwaschenen Grau gewichen.

»Nun«, sagt sie. »Ich weiß nicht, was mich mehr überrascht. Ein junger Mann in meiner Küche oder meine Tochter, die um acht Uhr früh warmes Frühstück macht.«

»Dylan«, sagt Dylan, wischt sich die Finger an der Schürze ab, die er unbedingt anziehen wollte, und reicht Mum die Hand. »Es freut mich, Sie kennenzulernen.«

»Oh! *Dylan!*«

Mum wirft mir einen dieser besonderen Blicke zu, die typisch für Eltern sind. Als würde man Subtilität nach dem Kinderkriegen nicht mehr beherrschen.

»Ja, Mum, das ist Dylan«, sage ich, drehe mich wieder um, schmiere Butter aufs Brot und versuche, nicht zu lachen.

»Und jetzt ist er also wieder da ...«

»Auf jeden Fall«, sagt Dylan. »Und ich gehe nirgendwohin. Nie wieder.«

Mein Lächeln wird breiter.

»Ich freue mich, das zu hören, Dylan«, sagt Mum, und ich höre, dass sie jetzt auch lächelt. »Na dann, wappne dich mal. Wenn dein Vater den Bacon riecht, wird er aus dem Schlafzimmer rasen wie ein …«

»Wer macht Bacon?«, ruft Dad die Treppe hinab. »Ist er für mich?«

# JETZT

# Dylan

Die Charnock-Richard-Raststätte, Höhepunkt der M6, wirkt ziemlich schmutzig und grau unter dem tiefblauen Himmel. Wie in einem rückwärts ablaufenden albernen Sketch quälen wir uns alle nacheinander aus dem Mini.

Marcus streckt sich ausgiebig, ballt die Hände zu Fäusten, und als ihm das Haar in die Augen weht, sieht er aus wie der rauflustige kleine Junge von früher, der in seinem Winchester-College-Blazer versank. Er war so klein, dass die älteren Kinder meinten, sie hätten leichtes Spiel mit ihm, doch er war so schlau, dass er es am Ende des Herbstsemesters allen gezeigt hatte. Zwei Lehrer, die er nicht mochte, wurden gefeuert, und irgendwie schaffte er es, dass Peter Wu aus dem Cricket-Team geworfen wurde, damit er an seiner Stelle spielen konnte. Bald hatte er den Ruf eines jungen Mannes erlangt, der sich durchzusetzen weiß.

Ich erinnere mich an den Tag, an dem einer aus der sechsten Luke gegen eine Wand geschleudert und ihn einen *Schwanzlutscher* genannt hatte. Marcus war einen Kopf kleiner als Daniel Withers und halb so breit, doch er ging so entschieden und so wütend auf den älteren Jungen zu, als wäre er durch und durch grausam und kaum zu bändigen. *Ich kämpfe nicht mit dir*, erklärte Marcus Daniel, während ich Lukes ramponierten Kopf an meiner Schulter wiegte. *Aber ich mache dich fertig. Langsam,*

*Stück für Stück, bis du hier für alle nichts weiter als eine Witzfigur bist. Du weißt, dass ich das kann.*

»Probieren wir eine von diesen Mutanten?«, fragt Marcus und zeigt auf das Schild, das für Greggs vegane Würstchen in Blätterteig warb.

»Ich dachte, die verstoßen gegen deine Philosophie«, sage ich und schließe neben ihm auf.

Er grinst mich an. »Du solltest wissen, dass ich mich nie lange an eine Philosophie halte.« Sein Lächeln verblasst, als wir durch die Türen der Tankstelle treten. »Dylan …«

Er sieht sich um. Die anderen überqueren noch den Parkplatz. Addies Brille glänzt in der Sonne. Wegen der Hitze hat sie das Oberteil ihrer Latzhose heruntergeklappt und lässt es um ihre Taille hängen. Darunter trägt sie ein enges kurzes weißes Top, das sich um ihre Haut und den Spitzen-BH schmiegt.

»Weißt du, dass dein Vater mir einen Job angeboten hat?«

Ich drehe mich zu Marcus um und stolpere. »*Mein* Vater?«

Ich sehe ihm an, dass er dem Drang widersteht, etwas Sarkastisches zu sagen – die Worte liegen ihm auf der Zunge, doch er verdrängt sie.

»Als was?«, frage ich.

»Ich soll Texte für die neue Website der Firma schreiben. Es ist nur für ein halbes Jahr, aber, äh …«

Diesen Job hat mein Vater mir auch schon unzählige Male angeboten: *das Beste, was ich für einen Englischabsolventen ohne Berufserfahrung tun kann.* Ich bin mir sicher, das Angebot an Marcus soll mir einen Stich versetzen – warum sollte mein Vater sonst einem meiner Freunde eine Rettungsleine zuwerfen?

»Ich brauche den Job, Dyl. Ich bekomme immer noch kein Geld von meinem Vater, und ich bin vorbestraft«, sagt Marcus und zieht eine Grimasse. Selbst Marcus – der Mann, der sich

durchsetzt – konnte die Polizei nicht dazu bewegen, die An
klage fallen zu lassen, als er betrunken mit dem Wagen in eine
Immobilienagentur gerast war.

»Na, dann nimm ihn an.«

»Mir war nicht klar, dass ihr nicht mehr miteinander sprecht.«

»Luke hat den Kontakt zu ihm auch abgebrochen. Als er und
Javier Mum und Dad von ihrer Verlobung erzählt haben, hat Dad
gesagt, er würde nicht zu ihrer Hochzeit kommen. Also ...«

Marcus verzieht das Gesicht. »Fuck. Ich ... das wusste ich
nicht. Luke muss ...«

»Ja. Es war hart. Aber ich persönlich glaube, den Kontakt zu
Dad abzubrechen war für Luke wesentlich gesünder, als Javier
nie mit nach Hause bringen zu können.«

»Ich sollte Luke anrufen. Ich war ... ich muss ihn anrufen.«

Schweigend gehen wir weiter. Luke hat Marcus lange vor
mir vergeben, aber andererseits ist es auch leichter, jemandem
zu vergeben, wenn er einem nicht das Leben ruiniert hat –
und dass er weit weg in Amerika lebt, ist vermutlich auch hilfreich.

»Wenn ... wenn du nicht willst, dass ich den Job annehme ...«
Marcus sieht mich mit flehendem Blick an.

Einen kurzen Moment lang bin ich versucht zu sagen:
*Nein, nimm ihn nicht an*, um zu testen, wie weit seine Loyali-
tät mir gegenüber reicht, doch ich tue es nicht. So bin ich
nicht. Und vermutlich hat er meinem Vater ohnehin schon
zugesagt.

»Natürlich solltest du ihn annehmen. Das ist eine gute Gelegenheit.«

Von den kühlen Versprechungen der Kühlschränke magisch
angezogen, sind wir in den Waitrose-Supermarkt gegangen.
Marcus öffnet die Tür zum Kühlregal mit der Milch und tut

so, als wollte er hineinsteigen. Gegen meinen Willen muss ich lachen.

»Weißt du noch, wie du mich gezwungen hast, über zwei Liter Milch zu trinken, nachdem wir eine Nacht im Wahoo gewesen sind?«, fragt er und reibt sich mit dem Rücken an der kühlen Scheibe wie ein Bär an einem Baumstamm.

Wahoo war ein Club in Oxford – eigentlich eine Sportbar, die erst abends zu einer Studentenkneipe wurde. Es roch immer nach Zuckermais, und aus unerklärlichen Gründen lief der Shoppingkanal auf dem Bildschirm, während ein DJ einen mit irgendwas von Flo Rida beschallte.

»Ich habe dich *nicht* gezwungen, zwei Liter Milch zu trinken«, widerspreche ich und blicke zu den Kassen. Eine junge Frau in Waitrose-Uniform sieht unsicher zu uns herüber. Wahrscheinlich überlegt sie, gegen welche Regel Marcus verstößt, indem er versucht, sich in den Kühlschrank mit der Milch zu quetschen.

»Doch, das hast du«, widerspricht Marcus. »Warum hätte ich das sonst tun sollen?« Er grinst mich an, als wüsste er, was ich erwidern werde.

»Weil du ein unvernünftiger Genussmensch bist«, sage ich, und sein Grinsen wächst. »Komm, komm da raus, die Kassiererin überlegt, ob sie dich zwangseinweisen lassen muss.«

Ich verziehe das Gesicht über meine Wortwahl, doch Marcus bemerkt es nicht; er sieht zu der Kassiererin.

»Ach, die ist harmlos«, sagt er. »Die würde die Security auch nicht rufen, wenn ich Bier klauen würde. Was ich nicht tue«, sagt er und verdreht die Augen, als mein Lächeln erstirbt. »Gott, was muss ich tun, um dich davon zu überzeugen, dass ich so etwas nicht mehr mache?«

Addie, Rodney und Deb betreten den Laden und bleiben

stehen, als sie sehen, wie Marcus versucht, sich in dem Kühlschrank einzuschließen. Ich werfe ihm einen scharfen Blick zu, während er ihre Mienen mustert.

»Also, wenn du auf einen völlig neuen Menschen gehofft hast, kannst du mich auch gleich jetzt aufgeben«, sagt er und grinst nicht mehr. »Aber ich hoffe, du kommst mir auf halbem Weg entgegen.«

»Entschuldigen Sie«, sagt die Kassiererin. »Kann ich Ihnen helfen?«

»Ach, würden Sie das?«, ruft Marcus zurück. »Ich muss nur noch den Fuß hochkriegen und ein paar Milchtüten zur Seite schieben, dann passe ich in das zweite Regal.«

»Ich … ich glaube nicht, dass Sie das tun sollten«, sagt sie fassungslos.

Zu meiner Überraschung höre ich Deb und Addie lachen. Ich drehe mich um, und als ich sehe, wie Addie hinter vorgehaltener Hand kichert und ihre Armbänder den Arm hinuntergleiten, breitet sich in meinem Bauch ein warmes Gefühl aus wie Tee in heißem Wasser. Das Lachen klingt beruhigend, nach unbeschwertem Vergnügen, als würde sich jemand freuen, den man liebt und der einen ebenfalls liebt. Ich hatte vergessen, wie schmal ihre Augen werden, wenn sie lacht.

Marcus hat recht, denke ich – ich bin zu streng mit ihm, ich erwarte zu viel oder vielleicht erwarte ich überhaupt das Falsche. Er ist *Marcus*. Daran wird sich nichts ändern. Und, ganz ehrlich, als ich beobachte, wie er mit der verblüfften Kassiererin spricht, merke ich, dass ich das auch gar nicht will.

# DAMALS

*Addie*

Seit Dylan zurückgekommen ist, weicht er mir kaum von der Seite. Selbst an Weihnachten kommt er am Abend vorbei, nimmt den ganzen Weg vom Haus seiner Eltern in Wiltshire auf sich, nur um uns unsere Geschenke zu überreichen und mit uns in der Mikrowelle erwärmten Glühwein vor dem Fernseher zu trinken, auf dem *Buddy – Der Weihnachtself* läuft.

Als die Schule im Januar wieder losgeht, unterstützt er mich dann wirklich toll bei der Arbeit. Er kann gut zuhören und scheint auch immer den Standpunkt der Kinder zu verstehen. Er war wohl ein ziemlich schlimmer Finger auf der weiterführenden Schule. Fast wäre er von dem piekfeinen Internat geflogen, das seine Eltern für ihn ausgesucht haben. Obwohl er das auf Marcus schiebt.

Im Januar komme ich eines Abends von der Arbeit und sehe Dylan, der auf dem Sofa Dads neuste Doku schaut. Er hat zwar für die Zeit, bis er eine eigene Wohnung gefunden hat, eine Airbnb-Wohnung gemietet, übernachtet aber fast immer hier. Lächelnd ziehe ich mir im Flur die Schuhe aus.

»Du musst irgendwann mal mit mir zum Fliegenfischen gehen«, sagt Dylan gerade, als ich ins Zimmer komme. Er trinkt aus dem angeschlagensten Becher, den wir haben – Mum sieht ihn also nicht mehr als Gast. »Meine Familie besitzt die Fischereirechte an einem Abschnitt des Avon, und niemand nutzt sie.

Mein Bruder und ich haben uns als enttäuschende Sportler herausgestellt. Luke fand es immer furchtbar, und ich hatte nicht genug Geduld«, sagt er reumütig und kratzt sich am Hinterkopf.

Mein Dad zwinkert einige Male. »Klar«, sagt er. »Donnerwetter. Danke.«

Ich sehe den Blick meiner Mum. Sie räumt im Wohnzimmer auf – meine Mutter bückt sich immer, um eine herumliegende Socke oder ein benutztes Glas aufzuheben –, und ich beobachte, wie ihre Lippen vor Belustigung zucken. *Er ist so vornehm*, formt sie lautlos mit den Lippen. Ich verziehe das Gesicht.

»Dir gefällt der Gedanke doch bestimmt auch, eines Tages einen halben Fluss zu besitzen«, flüstert sie mir auf dem Weg in die Küche zu.

Ich lache und folge ihr. »Du magst ihn aber, oder?«

»Warum fragst du mich das immer wieder?«, will sie wissen und räumt die Spülmaschine ein.

Ich will ihr helfen. Sie schlägt mir auf die Finger, weil ich eine Müslischale unten statt oben hineinstellen will.

»Ich … ich will einfach, dass du ihn magst.«

»Nun, das tue ich auch.« Sie blickt mich gerissen an. »Willst du, dass ich sage, er kann hierbleiben, bis er seine eigene Wohnung findet?«

Ich blinzele verwundert. »Moment …«

»Er ist eh immer hier, Süße«, sagt sie, richtet sich auf und wischt sich die Hand hinten an der Jeans ab. Es sind *Mom Jeans*, deren Beine umgekrempelt sind. »Dein Dad und ich haben gestern Abend darüber gesprochen.«

Ich sage nichts. Mein Herz schlägt wie verrückt. Möchte ich das? Es fühlt sich … nicht nach einer Kleinigkeit an.

»Ads?« Mom neigt den Kopf? »Willst du nicht? Ihr beiden seid unzertrennlich, und ihr wirkt so vertraut miteinander ...«

Ich lehne mich an den Küchentresen und knibbele an meinem Daumennagel. »Ja, doch, stimmt schon.«

Sie spricht leiser: »Aber du bist dir nicht sicher?«

»Doch, bin ich schon. Ich meine nur ... als er weg war, habe ich irgendwie gedacht ... dass er mich gar nicht so gern mag. Sonst wäre er nach Hause gekommen.«

»Aber er ist ja gekommen, oder nicht?«

»Ja, aber das hat ewig lange gedauert. Und ich hätte ihn hier gebraucht.«

»Hast du ihm gesagt, dass du ihn gebraucht hättest?«

»Ich wollte, dass er es einfach ... *weiß*«, sage ich und zucke zusammen, weil ich das gerade gesagt habe.

Mum schiebt mich aus dem Weg, damit sie die Oberfläche hinter mir wischen kann. »Du solltest mit ihm darüber reden und die Sache aus der Welt schaffen, Liebes.«

Ich beiße mir auf die Lippe. Das Problem ist, die drei Wochen in der Provence waren gerade lang genug, um sexy und interessant und ein wenig geheimnisvoll zu sein. Jetzt liegt Dylan hier, auf unserem Second-Hand-Sofa und ich bin zu spät von der Arbeit zurück in meiner abgewetzten schwarzen Hose und der altbackenen Bluse ... Ich mache mir Sorgen, dass das alles nicht gut zu Dylan passt. Also, mein Alltag und wie ich lebe. Er hat sich in die Sommer-Addie verliebt. Ich bin definitiv nicht mehr das Mädchen, das ich *vor* dem Sommer war, aber ich bin auch nicht mehr die Sommer-Addie, oder?

»Wie geht so etwas?«, frage ich spontan und beobachte, wie sich meine Mum das Haar hinter die Ohren streicht, während sie die Oberflächen schrubbt. »Wie hast du es mit Dad gemacht? Ich meine, ihr seid wie lange zusammen ...?«

»Fünfundzwanzig Jahre«, sagt Mum und blickt sich lächelnd über die Schulter. »Das große Geheimnis sind Kompromisse, würde ich sagen.«

»Also zum Beispiel, dass du Dad nach dem Abendessen immer fernsehen lässt und du räumst auf?«, frage ich und runzele die Stirn.

»Genau. Er kocht!«

»Aber du machst dir Gedanken, was es geben soll«, erkläre ich. »Und gehst einkaufen.«

»Wir packen beide mit an.«

Es ist sinnlos, mit meiner Mutter über Mental Load zu sprechen. Für sie ist Dad der moderne Mann schlechthin, weil er seine eigenen Hemden bügelt.

»Darf ich wenigstens abspülen?«, frage ich.

»Natürlich!«, sagt Mum und reicht mir die Gummihandschuhe. »Du hast dich wirklich verändert. Von einer faulen Studentin hin zur verantwortungsvollen jungen Dame, die den Stapel schmutziger Töpfe neben der Spüle sieht.«

Ich strecke ihr die Zunge heraus. »Ach, ich weiß nicht«, sage ich und drehe das heiße Wasser an. »Ich weiß nicht, warum ich mich nicht traue. Ich werde ihn fragen, ob er für eine Weile hier einziehen möchte.«

»Nur, wenn du dir ganz sicher bist, Süße – du hast noch ein ganzes Leben vor dir, es besteht kein Grund, die Dinge zu überstürzen. Oh, Addie, pass auf mit diesem Teller, der war von deiner Großmutter …«

Ich lasse sie den Teller abwaschen, für den ich nicht qualifiziert bin.

»Aber ich glaube, du musst dir keine Sorgen machen, dass er weniger involviert ist als du«, spricht Mum weiter. »Er weicht dir kaum von der Seite.«

»Kann ich helfen?«, fragt Dylan, der in der Tür steht.

Mum schaut mich bedeutungsschwanger an, als wäre Dylans Hilfsangebot beim Abwaschen ein Zeichen dafür, dass er es ohne mich nicht aushält.

»Ich bin zu Hause!«, ruft Deb durch das Haus und schlägt die Tür zu. »Ist Addies Schatten auch da? Oh, gut, hi, Dylan. Ich brauche deine Hilfe bei einer Bewerbung. Kannst du sie für mich durchlesen und dafür sorgen, dass sie sich …« Sie schmeißt ihre Tasche in eine Ecke in der Küche, »irgendwie schlauer anhört?«

»Addies Schatten?«, wiederholt Dylan und lacht ein bisschen.

Deb geht nicht drauf ein und seufzt entnervt, als sie kein sauberes Glas im Schrank findet. Sie geht zur Spülmaschine. »Verdammt, läuft die gerade?«

»Habe ich gern eingeräumt«, sagt Mum nachsichtig.

»Addies Schatten, so als würde ich ihr mit unheilvoller Absicht folgen?«, fragt Dylan.

»Nein, als hätte man dich an ihr Bein gekettet«, sagt Deb. »Ich brauche eine Tasse – Dad! Dad! Hast du meine Tasse mit der Französischen Bulldogge dort drüben?«

»Nein«, brüllt Dad aus dem Wohnzimmer.

»Du hast sie unter deinem Schreibtisch stehen lassen«, sagt Mum. »Ich habe sie heute Morgen weggeräumt. Sie steht in der Spülmaschine.«

»*Unter* dem Schreibtisch?«, frage ich.

»An ihr Bein gekettet«, wiederholt Dylan und runzelt die Stirn.

»Wann kommt Cherry?«, fragt Deb.

»Morgen«, ruft Dad, irgendwie geladen. Er schmollt, weil er wegen Cherrys Besuch sein »Arbeitszimmer« räumen muss, das Kabuff zur Straße, das er mit seinem Kram vollgestopft hat.

Teile von Eisenbahn- und Flugzeugmodellen, alte Ausgaben von *The Beano*, Laptops, die vor längerer Zeit den Geist aufgegeben haben und aus irgendwelchen Gründen nicht weggeworfen werden können. Dad hasst es, wenn Gäste kommen. Es bietet Mum die perfekte Entschuldigung dafür, dass er seinen Krempel wegschaffen muss.

»Findest du denn, dass ich an deinem Bein hänge?«, fragt mich Dylan mit einem sehr süßen Stirnrunzeln.

Mein Herz scheint einen Moment lang ganz weit zu werden und plötzlich fühlt sich alles ganz einfach an. Ich lege ihm die Arme um den Hals und küsse ihn auf die Lippen.

»Ich glaube, du solltest die Airbnb-Wohnung kündigen.«

Er löst sich aus meiner Umarmung. »Wie meinst du das?«

»Mum sagt, du kannst hier wohnen, während du eine Wohnung suchst.«

»Ooh«, sagt Deb, die sich an uns vorbeischiebt, »Dylan zieht bei uns ein!«

Ich erröte. »Er zieht nicht ein«, entgegne ich und bedauere es schon ein wenig. »Er schläft eh fast immer hier.«

Dylan blinzelt mich mit seinen langen Wimpern an. Gerade, als sich Sorgen in meinem Bauch breitmachen wollen, nimmt er mich in den Arm und küsst mich auf die Wangen, die Stirn und meinen Hals. Ich lache und winde mich in seinen Armen.

»Danke«, sagt er und hebt den Kopf, um mit meiner Mum zu sprechen. »Das ist total lieb von dir und Neil.« Er gibt mir noch einen Kuss, dann flüstert er mir ins Ohr: »Und danke auch an *dich*.«

»Warte mal ab, wie du es hier in ein paar Wochen findest«, sage ich und löse mich von ihm, aber lächele dabei. »Du wirst völlig entnervt sein von Dads Schnarchen, das man durch die

Wand hört und von Deb, die um fünf Uhr früh einen Mords-
lärm in der Küche veranstaltet, sodass du ganz schnell das Weite
suchen wirst.«

Dylan holt Cherry vom Bahnhof ab. Ich habe keine Ahnung,
wo er das Auto plötzlich hergezaubert hat. Eines Tages hatte er
einfach eins. Es war brandneu und roch nach diesen blumigen
Lufterfrischern, die von Menschen erfunden wurden, die noch
nie eine echte Rose oder Lilie in der Hand hatten.

Cherry steht vor dem Haus meiner Eltern und sieht wie
aus dem Ei gepellt aus, wie immer. Sie hat das Haar zu einem
einfachen hohen Zopf gebunden, und es wirkt so, als würde
sie kein Make-up tragen, aber ich weiß, wie viel Zeit und
Mühe – und wie viele Produkte – bis zu diesem Ergebnis
nötig sind. Cherry und ich haben uns im zweiten Jahr an der
Uni ein Zimmer geteilt. Es gibt nicht viel, das wir nicht über
einander wissen. Grenzen wurden verwischt. Linien wurden
übertreten. Schlüpfer geborgt.

Sie stürzt durch die Tür auf mich zu. Als wir uns umarmen,
kreischen wir wie die Mädels aus amerikanischen Highschool-
Filmen. Das haben wir einmal zum Spaß gemacht, doch schon
eine ganze Weile ist es nicht mehr ironisch gemeint.

»Addie! Gott, ich habe dich so vermisst!«

»Komm rein«, sage ich und ziehe sie hinter mir her. »Dad
hat dein Zimmer wieder von seinem Zeug befreit.«

Cherry ist häufig hier. Ihre Eltern sind noch exzentrischer
als sie: Wenn sie länger als eine oder zwei Wochen daheim ist,
muss sie seltsame Dinge tun, wie zum Beispiel einen meterlan-
gen Schal für einen guten Zweck stricken oder ein neues Zuhause für zahlreiche Blaumeisen finden.

»Ich hoffe, Neil hat mir ein Modellflugzeug übriggelassen,

das ich noch einmal zusammenbauen kann«; sagt Cherry und geht zum Arbeitszimmer. Sie setzt sich aufs Bett, hopst auf und ab und schaut sich glücklich um. »Mein Zuhause!«, sagt sie. »Also zumindest *ein* Zuhause. Eins meiner liebsten. Oh! Mr. und Mrs. Gilbert!«

»Willkommen zurück, Liebes«, sagt Mum, als Cherry zu ihnen läuft, um sie zu umarmen.

Meine Eltern lieben Cherry. Jeder liebt Cherry. Cherry nicht zu lieben ist so, als würde man Welpen hassen.

»Ich mach uns einen Tee, ja?«, sagt Cherry und drängt Dylan mit der Hüfte aus dem Weg. »Wir haben uns *so viel* zu erzählen.«

Sie geht schon durch die Küche. Wir alle folgen ihr.

»Ich bin so eine gute Verkupplerin«, erklärt Cherry Mum, während sie den Wasserkocher auffüllt. »Habe ich dir nicht prophezeit, ich würde jemanden für Addie finden?«

Ich runzele die Stirn. »Ich brauche niemanden, der …«

»Und es ist gut, dass du den Sommer in Frankreich verbracht hast«, sagt sie und wackelt mit ihrem Zeigefinger vor meinem Gesicht, »denn wo soll man denn an der Schule einen Mann herbekommen? Da gibt es keine!«

»Gibt es wohl«, sage ich lachend. »Unser Direktor ist ein Mann.«

Cherry verdreht die Augen und stellt den Wasserkocher an. »Klar, der Direktor ist natürlich ein Mann. Ich wette, er ist alt und langweilig.«

»Nein, er ist jung und interessant«, antworte ich und zeige auf den Schrank mit den Tassen. »Und scharf.«

»Ooh! Willst du mich verarschen?«, fragt Cherry und betrachtet mich ganz genau. »Wo ist Debs Bulldoggen-Tasse? Hat sie sie weggeschlossen?«

»Bist du immer so laut?«, fragt Deb und erscheint in der Küchentür. »Ich erinnere mich gar nicht daran, dass du so laut warst.«

»Deb!« Cherry rennt zu ihr, um sie zu umarmen, und bleibt dann kurz vor ihr stehen, schlittert ein Stück mit ihren Strümpfen über das Linoleum. »Keine Umarmung! Ich erinnere mich daran. Hi! Du siehst so hübsch aus!«

Deb lächelt. »Hey, Cherry. Du kannst meine Tasse haben. Sie ist in der untersten Schublade in der Ersatzwaschschüssel.«

Cherry dreht sich auf den Fersen um, gibt ein stummes *yes* von sich, reckt die Fäuste in die Luft und rennt zur Schublade.

»Was?«, sagt Deb, als wir sie anstarren. »Wer kann zu dieser Frau schon Nein sagen?«

# Dylan

Jung, interessant und *scharf*?

Ich nehme den Tee, den Cherry mir anbietet, und sie sieht mich einen Moment mit ernster Miene an. Sie kennt mich zu gut.

»Alles okay?«, fragt sie lautlos.

Ich lächele und schiebe die Angst dorthin zurück, von wo auch immer sie dunkel über mich gekommen ist. »Klar.«

Sie wirkt nicht überzeugt, doch dann beklagt sich Deb, dass Addies Mutter darauf besteht, Magermilch anstatt wie üblich die halbfette zu kaufen. Daraufhin bricht eine Diskussion darüber aus, ob Vollfett die mit dem grünen oder die mit dem blauen Deckel ist, und Cherry steht mir nicht mehr zur Verfügung.

Ich schlucke, lege die Hände um meinen Teebecher und beobachte Addie. Sie trägt ihre Lieblingslatzhose und das dunkle Haar noch immer in dem schiefen Dutt vom Schlafen. Sie ist ungekämmt und frei und zu Hause. Womöglich ist sie hier bei ihrer Familie am ehesten ganz sie selbst, und ich bin mir erschreckend sicher, dass jeder Mann auf der Welt in sie verliebt sein muss.

*Jung, interessant und scharf*, hat sie gesagt. Den Schulleiter hat sie bislang noch nie erwähnt. Ich erinnere mich, dass sie gesagt hat, die älteren Kollegen wären sehr hilfsbereit, aber da habe ich nur Frauen mittleren Alters vor mir gesehen.

Das Handy vibriert in meiner Hosentasche, und ich zucke zusammen – das ist sicher mein Vater. Seinen letzten Anruf habe ich ignoriert, habe das Handy in meiner Hand immer weiterklingeln lassen und zugesehen, wie sein Name auf dem Display waberte wie ein Köder beim Angeln auf dem Wasser.

»Auf keinen Fall!«, sagt Cherry. »Die Frau von gegenüber? Die mit den ganzen Piercings im Ohr?«

»Ja! Die!«, sagt Addie, krümmt sich vor Lachen und bekommt rosige Wangen vor Vergnügen.

»Und was ist mit der Katze?«, fragt Cherry mit großen Augen.

»Zu ihrer Mutter gegeben«, sagt Addies Mutter lachend. »Hab sie seitdem nicht mehr gesehen!«

Alle schütten sich aus vor Lachen – sogar Addies Vater gluckst, und ich habe ihn bislang überhaupt nur lachen sehen, wenn Sportler im Fernsehen stürzen. Ich wünschte, ich hätte den Anfang der Geschichte mitbekommen, anstatt die letzten fünf Minuten in dem quälenden Labyrinth meines Hirns verbracht zu haben.

Ich hole das Telefon aus der Hosentasche und sehe auf das Display.

Ruf mich an. Dieser Unsinn mit Chichester kann nicht dein Ernst sein. Herrgott, komm nach Hause und mach was aus deinem Leben.

Ich schlucke.

»Ist alles okay?«, fragt Addie mit Blick auf mein Handy.

Schnell schalte ich das Display aus. »Alles klar«, sage ich. »Nur mein Vater. Ich soll mir noch eine andere Immobilie ansehen.«

Addie lacht. »Wie du redest. *Immobilie*. Du bist so erwachsen.«

Ich? Erwachsen? Jeden Tag kommt sie von der Arbeit nach Hause und streift stöhnend die Schuhe ab, löst die Haare aus dem Dutt und erzählt mir von Kids, die sich weigern, ihr die Zigaretten auszuhändigen, die sie sich in der Mittagspause gedreht haben. Ich versuche dann, etwas Hilfreiches zu sagen, aber eigentlich komme ich mir wie ein Hochstapler vor. Addie ist in der realen Welt, und ich weiß gar nicht, was die reale Welt ist. Wieder zieht die dunkle Wolke über mir auf, und die mit ihr verbundene Angst ist fast so schlimm wie die Wolke selbst.

Erneut vibriert mein Handy; diesmal ist es Marcus.

Hallo?? Gibt's dich noch? Ich weiß gar nicht mehr, wie du aussieht, mein Freund.

Mich überkommt ein schlechtes Gewissen – seit ich zurück in England bin, habe ich Marcus nicht so oft gesehen, wie ich sollte.

Kommst du heute Abend vorbei? Ich muss dir was richtig Cooles zeigen, und es wäre doch schön, mal wieder zusammen abzuhängen.

»Was denkst du?«, fragt Addie mich.

»Wie? Sorry«, sage ich und werfe mein Haar zurück, das mir in den Augen hängt. »Ich hab nicht zugehört.«

Addie schnauft. »Schreibst du da drin ein Gedicht?«, fragt sie und deutet auf meine Stirn.

»So etwas in der Art.«

»Sag mir die Zeile, und ich sag dir, was sich darauf reimt, Dyl!«, ruft Cherry durch die Küche und drückt den Toasterhebel nach unten.

Ich habe schon oft versucht, Cherry zu erklären, dass sich Gedichte nicht immer reimen müssen, aber sie ist nicht überzeugt.

»Danke, aber ich komm schon klar, Cherry.«

»Cherry! Berry! Larry!«, singt Cherry und taucht unter Debs Arm hindurch, um die Butter aus dem Kühlschrank zu holen. »Derry! Kerry! Harry!«

»Kann man sie irgendwo leise stellen?«, fragt Addies Vater ihre Mutter.

»Sie kommt bald runter«, erwidert Addies Mutter liebevoll. »Sie ist nur aufgeregt.«

»Könnten wir ein Stück mit ihr spazieren gehen oder so?«, schlägt Addies Vater leicht verzweifelt vor.

»Wir haben darüber gesprochen, was wir heute Abend machen«, erklärt mir Addie laut über den Lärm hinweg. »Wein trinken, einen Film schauen? Cherry Bingo – wir trinken jedes Mal, wenn sie begeistert irgendetwas ruft?«

Ich hätte Lust dazu. Ich will Addie nicht einen Moment aus den Augen lassen. Irgendwo weiß ich, dass ich immer noch dafür bezahle, dass ich so lange fortgeblieben bin. Oder vielleicht bezahle ich nicht dafür, aber ich muss es wiedergutmachen. Doch da ist die Nachricht von Marcus. *Es wäre doch schön, mal wieder zusammen abzuhängen.*

»Ich bin heute Abend mit Marcus verabredet«, sage ich. »Tut mir leid.«

Auf Addies Gesicht flackert ein Gefühl auf. Keine Wut, aber so etwas Ähnliches – Enttäuschung? Empörung? Sie wendet sich so schnell ab, dass ich es nicht erkennen kann.

»Cool, kein Problem«, sagt sie, verlässt die Küche und verschwindet.

Joel, Marcus' Vater, hat in seiner Jugend für Arsenal gespielt und über fünfzigtausend Pfund in der Woche verdient. Sein Haus hat er selbst entworfen, um diese Tatsache auf jede erdenkliche Weise zu zeigen. Die Villa strahlt eine gezwungene, grelle, angespannte, protzige Extravaganz aus. Die Wasserhähne sind aus Gold – nicht nur goldfarben, sondern aus echtem Gold –, und in das schmiedeeiserne Geländer ist wiederholt das Zeichen von Arsenal eingearbeitet.

Ich bin schon so oft bei Marcus zu Hause gewesen, dass mir nicht mehr auffällt, wie absurd das alles ist – der gigantische begehbare Kleiderschrank in jedem Schlafzimmer, das Kino im Keller, die freizeitparkähnliche Rutsche im Garten. Ich muss bewusst innehalten und mir einen Moment Zeit nehmen, um die pure abstoßende Dekadenz zu erkennen.

»Du kommst spät«, sagt Marcus, als er die breite Treppe herunterkommt. »Du hast das Abendessen verpasst. India hat Tacos gemacht.«

India ist Marcus' Stiefmutter. Sie ist halb so alt wie Joel und ehemalige Background-Sängerin von Miley Cyrus. Sie hat sich mit dem Verkauf von veganen Leckerlis für Hunde ein Imperium aufgebaut und über zwei Millionen Follower auf Instagram. Marcus' Mutter ist gestorben, als er fünf war, und nur ein halbes Jahr später erschien India auf der Bildfläche. Es gibt Hunderte von Gründen, warum Marcus sie hassen könnte, aber wenn man India einmal kennengelernt hat, versteht man schnell, warum er sie so sehr liebt. Oder vielmehr, warum er sie früher so mochte.

India ist laut, nett und so direkt, dass es an Unfreundlichkeit grenzt. Als Marcus ein Teenager war, schrien sie sich manchmal an, bis die Adern auf ihren Stirnen hervortraten. Sie stritten derart laut und heftig, dass man nicht geglaubt hätte, dass sie sich jemals wieder vertragen. Wie durch ein Wunder gelang es India jedoch immer, eine Entschuldigung aus Marcus herauszubekommen – für was auch immer er getan hatte –, und anschließend spielten sie zusammen Golf. So funktionierte Marcus' Familie, bis India in unserem ersten Jahr an der Uni Joel für Joels Bruder verließ.

Ich habe Marcus noch nie so fertig gesehen. Er ist *durchgedreht*. Hat endlos Partys und Orgien gefeiert, zehntausend Pfund teure Reisen in irgendwelche Ski-Resorts unternommen und ist mit der Polizei aneinandergeraten. Die Nacht, in der ich ihn allein mit einer Flasche Absinth auf dem Dach der Collegekapelle gefunden habe, war der Höhepunkt: Joel erklärte Marcus, wenn er sich nicht zusammenreiße, werde er ihn in eine Entzugsklinik schicken. Ich erinnere mich an das Telefonat, wie Marcus' Blick zu mir sprang, er einen Moment die Augen aufriss, und ich dachte: *Endlich ist etwas zu ihm durchgedrungen*. Auf die Entzugsklinik hätte ich selbst kommen müssen: Marcus hasst nichts mehr als das Gefühl, irgendwo allein gelassen zu werden.

Er hat sich im Grunde nie zusammengerissen, aber er hat es geschafft, sich anschließend etwas mehr zu beherrschen. Oder vielmehr schafft er das immer noch.

Zu meiner Überraschung ist India nicht verschwunden, nachdem sie Joel verlassen hat. Sie kommt immer noch zu Joel, um Marcus zu sehen. Sie ruft ihn weiterhin an und schickt ihm Nachrichten. Sie ist immer noch seine Stiefmutter, sagt sie, aber das hat er nie wieder wirklich in ihr gesehen. Heute enden ihre lautstarken Auseinandersetzungen einfach damit, dass Marcus aus dem Haus stürmt, die Tür hinter sich zuschlägt und mich anruft.

Eigentlich ist es kein Wunder, dass er so scharf darauf war

weiterzureisen. Und als ich keine Energie mehr hatte, aus dem Bett aufzustehen, verstand Marcus mich – er hat es nie gesagt, aber ich wusste, dass die dunkle Wolke auch schon bei ihm aufgezogen war.

»Was wolltest du mir zeigen?«, frage ich, als Marcus den Fuß der Treppe erreicht hat und auf mich zukommt. Seine Schuhe sind voller Matsch und hinterlassen eine Spur auf dem Boden, hellbraune Abdrücke auf dem makellosen Marmor wie in einem Cartoon.

Marcus bedeutet mir mit dem Kopf, ihm zu folgen, und geht in Richtung Garten. »Das wird dir gefallen.« Er grinst mir über die Schulter zu. »Komm.«

Ich lächele unwillkürlich zurück. Marcus' gute Laune ist unberechenbar wie Regenschauer, aber wenn man sie erwischt, ist es eine Freude.

Wir treten in das graue Abendlicht. Die hintere Veranda – die ungefähr die Größe eines Squash-Courts hat – wird von sanften rosafarbenen Lampen erleuchtet, die zwischen den Bodenplatten eingelassen sind. Sie verleihen Marcus eine etwas gruselige Ausstrahlung, als wäre er eine Figur aus einem Horrorfilm. Dahinter erstreckt sich der Rasen bis zu einem künstlich angelegten See hinunter, in dem Marcus seinen einundzwanzigsten Geburtstag gefeiert hat. Jeder hatte protestiert, als er auf Bikinis und Badehosen bestand – es ist ein See in England, meine Güte. Doch dann war der erste mutige Gast mit einer Bombe hineingesprungen und hatte festgestellt, dass der See beheizt war.

Wir schlendern über den Rasen. Marcus hüpft die Trittsteine entlang, die India gelegt hat, als er ein Kind war. Als das rosafarbene Licht von der Veranda nachlässt, schaltet er die Taschenlampe an seinem Smartphone ein und richtet den Lichtstrahl hierhin und dorthin, während er weiter von Stein zu Stein springt.

An dem See befindet sich ein kleiner Steg – dort haben India und Joel geheiratet. Ich war ungefähr acht. Joel und meine Mutter hatten sich auf einer Gala in London kennengelernt; seither sind unsere Familien befreundet. Bei der Trauung habe ich neben Marcus gestanden. Er trug einen hellblauen Anzug mit Weste, und auf seinen Locken saß ein Blumenkranz, der schief über ein Ohr hing. Als sie sich das Ja-Wort gaben, weinte er; ihm liefen stumm die Tränen über die Wangen, weder bebten seine Schultern, noch rang er nach Luft. Bis dahin hatte ich gewusst, dass Marcus traurig war, seine Mutter verloren zu haben, aber ich hatte es nie *gefühlt*. Ich hielt fest seine Hand, und auf der anderen Seite des Gangs hatte mein Bruder seine andere genommen.

»Wohin bringst du mich?«, rufe ich.

Marcus läuft jetzt vor mir her und ist fast am Steg. Der Schein der Taschenlampe spiegelt sich auf der Wasseroberfläche, und ich entdecke ein Boot, das auf dem See schaukelt.

Marcus steht am Ufer und leuchtet das Boot an, damit ich als Erster einsteigen kann. Es ist ein kleiner Holzkahn mit zwei Paddeln und einem Brett zum Sitzen. Ich mustere ihn skeptisch.

»Steig ein, du Pussy«, sagt Marcus und gibt mir einen liebevollen Schubs. »Als ob du nicht deine halbe Kindheit geangelt hättest.«

»Am Ufer«, erkläre ich. »Ich habe vom Ufer aus geangelt.«

Marcus gibt mir noch einen weiteren Schubs, und mir bleibt nichts anderes übrig, als einzusteigen. Also springe ich hinein, lande etwas unsicher und halte mich an dem Brett fest, um nicht umzufallen. Marcus lacht hinter mir, der Lichtstrahl seiner Taschenlampe irrt um uns herum und strahlt in der

Ferne die Bäume an, den dunklen See und den Steg, dann springt er neben mir ins Boot. Es ist kalt genug, dass ich meinen Atem sehe, als die Taschenlampe in meine Richtung leuchtet.

»Wohin fahren wir?«, frage ich.

»Alles zu seiner Zeit, mein Freund! Schnapp dir ein Ruder!«

Wir rudern ziellos übers Wasser. Nachdem er sich an der Uni in jeder erdenklichen Sportart versucht hat – und bei seinen sportlichen Genen –, sollte man meinen, Marcus wäre ein guter Ruderer, aber er ist völlig unbegabt. Eine Weile drehen wir uns im Kreis, spritzen einander nass, fluchen und lachen, bis wir den Bogen raus haben.

Allmählich wird mir warm, und mit der Wärme stellt sich ein Anflug von Freude ein, dass wir uns in ein Abenteuer stürzen. So geht es mir oft bei Marcus – er bringt den Mutigen in mir zum Vorschein. Mit Marcus an meiner Seite bin ich *jemand*: ein Mann, der auf Vorsicht pfeift, der sich gegen seinen Vater auflehnt, der sich für die Lyrik entscheidet, obwohl er es besser wissen sollte.

Auf der anderen Seite des Sees gibt es keinen Steg, man muss ans Ufer krabbeln. Als wir das trockene Land erreichen, sind wir beide durchnässt, und als Marcus das Boot nachlässig an einen Holzpfahl bindet, komme ich zu dem Schluss, dass seine Eltern die Heizung des Sees über den Winter abgeschaltet haben müssen. Das Wasser dringt durch meine Jeans und nagt kalt an meinen Fingern.

»Hier entlang«, ist alles, was Marcus sagt, während er mich auf die Bäume zuführt. Ich taste nach meinem Handy, um zu überprüfen, ob es noch trocken ist, und schalte ebenfalls die Taschenlampe ein – das Licht von Marcus reicht nicht mehr. Die Bäume stehen dicht um uns, unter meinen Füßen spüre ich ihre Wurzeln. Es gibt einen Weg – es sieht aus, als wäre hier ein Fahrzeug gefahren und hätte zwei tiefe Reifenspuren hinterlassen, in denen sich das Regenwasser vom Tag wie alter Tee gesammelt hat. Meine Schuhe sind versaut. Ich trage Turnschuhe, aber ich hätte Gummistiefel anziehen sollen. An einem Abend mit Marcus weiß man nie, was man brauchen könnte.

Als ich gerade den Mund öffne, um ihn erneut zu fragen, wohin er mich bringt, endet das Wäldchen, und Marcus' Taschenlampe leuchtet ein Gebäude an.

Eine Hütte. Das Ding scheint aus Holz gebaut zu sein, obwohl das in dem fahlen gelben Licht unserer Telefone nur schwer zu erkennen ist. Über dem matschigen Waldboden erhebt sich eine Veranda, und die Vorderseite besteht überwiegend aus Glas – die Fenster reichen bis unter das spitze Dach hinauf. Marcus tritt vor und betätigt einen Schalter, und plötzlich werden die Dachkanten, das Geländer der Veranda und die Tür von kleinen, blinkenden Lichterketten erhellt.

»Das ist ... Steht die schon immer hier?«, frage ich, gehe auf die Hütte zu und leuchte mit meiner Taschenlampe die schönen Holzbalken über der Veranda an.

»Nope. Die hat Dad letztes Jahr gebaut. Komm – warte ab, bis du sie von innen siehst.«

Er springt die Stufen hinauf, und ich folge ihm hinein und ziehe an der Tür meine dreckigen Turnschuhe aus. Drinnen ist es herrlich warm. Die Wände sind aus Holz, und der Boden ist mit dicken, zotteligen Teppichen ausgelegt. Das Innere wirkt überraschend geräumig – der Wohnbereich bietet Platz für zwei Sofas, es ist eine Küche zu sehen, und unter der Treppe verbirgt sich eine Toilette.

»Das ist ja unglaublich«, sage ich und stecke den Kopf die Treppe hinauf. Dort oben befinden sich ein weiteres Bad und zwei holzvertäfelte Schlafzimmer mit dicken grauen Teppichen und Doppelbetten.

»Sie gehört uns«, sagt Marcus. »Dir und mir.«

Ich bin auf dem Rückweg nach unten und bleibe mitten auf der Treppe stehen. Marcus sieht von unten grinsend zu mir hoch.

»Wie bitte?«

»Dad hat sie für uns gebaut. Es ist wie ein … Anbau für Großeltern, nur für … Uniabgänger.«

Er geht in die Küche und holt zwei Bier aus dem Kühlschrank. Ich folge ihm langsam, spüre die weichen Teppiche durch meine Socken und versuche zu begreifen, was er sagt.

*Dir und mir.*

»Dein Vater hat ein *Haus* für uns gebaut?«

»Warum nicht?«, entgegnet Marcus schulterzuckend und reicht mir ein Bier. »Das Land gehört uns.«

»Ich wusste noch nicht mal, dass dieser Teil hinter dem See noch euch gehört«, sage ich, sehe mich in der Hütte um und betrachte die Bilder an den Wänden.

Marcus lacht. »Natürlich. Bis zur Straße. Dad hat eine Asphaltstraße bis dorthin bauen lassen, damit wir einen direkten Zugang haben – hinten können wir parken. Ich hab dir nur den malerischen Weg über den See gezeigt, weil die Wirkung so größer ist«, sagt er augenzwinkernd. »Da stehen die Mädchen drauf.«

»Ich kann … hier nicht wohnen«, stoße ich hervor. »Wenn es das ist, was du meinst.«

Marcus trinkt einen großen Schluck Bier und lässt sich aufs Sofa fallen. »Natürlich kannst du hier wohnen. Hör zu.« Er wischt sich über den Mund. »Wir beide wissen, dass London und die Firma von deinem Vater nicht das Richtige für dich sind, und du willst doch auf gar keinen Fall wieder zu Hause in Wiltshire wohnen. Wo kannst du sonst das Werk deines Lebens schreiben?«

»Ich ziehe nach Chichester«, erkläre ich. »Das habe ich dir doch erzählt. Ich suche mir da einen Job. Bis ich was gefunden habe, was mir gefällt, wohne ich bei Addies Eltern.«

Marcus schnaubt. »Hör auf, du Idiot«, sagt er. »Das ist nicht dein Ernst. Du kannst nicht bei den Eltern von irgendeinem Mädchen einziehen, das du diesen Sommer gevögelt hast. In *Chichester.*«

Ich weiche erschrocken zurück. Das kalte Bier schwitzt in meiner Hand.

»Es geht hier nicht um irgendein Mädchen. Es geht um Addie.«

Marcus wendet einen Moment den Blick ab. Er hat sein Bier schon fast ausgetrunken, springt auf und geht zum Kühlschrank, um sich das nächste zu holen.

»Wie lange kennst du Addie?«

»Das weißt du doch.«

»Antworte einfach.«

»Ich habe sie Anfang Juli kennengelernt.«

»Und?«

»Wir haben jetzt Januar. Also kenne ich sie seit … sechs Monaten.«

»Und wie viele Tage warst du davon wirklich mit Addie *zusammen*?« Marcus öffnet zischend die nächste Bierflasche.

»Das spielt keine Rolle.«

»Doch natürlich. Sonst würden wir immer noch Mädchen heiraten, die wir ein einziges Mal auf einem Tanzabend gesehen haben, so wie die Leute früher. Über dieses Stadium sind wir hinaus, Dylan. Heutzutage haben wir Dates. Wir sehen uns um. Wenn wir eine wirklich mögen, verbringen wir mehr Zeit mit ihr, dann ziehen wir nach ein paar Jahren zusammen. Dann ... vielleicht, wenn wir lebensmüde sind oder was auch immer Leute dazu bringt, heiraten wir sie. Wir stellen nicht unser Leben auf den Kopf, weil wir einen guten Fick hatten.«

Ich stelle das Bier ab, dann nehme ich es wieder in die Hand und greife nach einem Untersetzer. Mein Herz schlägt heftig gegen meine Rippen.

»Sie ist *nicht* nur ein guter Fick. Ich liebe sie.« Meine Stimme klingt erstickt. Ich schiebe mir die Haare aus den Augen. Sie sind irgendwie nass und kleben an meiner Stirn.

Marcus knurrt vor sich hin und wirft die Hände in die Luft, dann saugt er an seinem Bier, weil es überschäumt.

»Dyl, ich versteh schon. Sie ist umwerfend, sie ist klug, sie lässt sich von dir nichts gefallen. Ich versteh das, glaub mir. Aber Addie ... ist nicht die Richtige für dich.« Er streicht sich mit der Hand durchs Haar. Seine Bewegungen sind noch fahriger und verrückter als sonst. Ich frage mich, ob er etwas genommen hat. »Sie ist nicht die Richtige.«

Ich trinke drei Schlucke kaltes Bier. Mein Kopf dreht sich. »Doch«, sage ich. »Sie ist perfekt.«

»Hör auf«, schreit Marcus, und ich springe auf, Bier läuft über meinen Handrücken. »Siehst du nicht, was du da machst? Du machst etwas aus ihr, das sie nicht ist. Du verstehst sie nicht. Sie ist nicht deine wunderschöne Muse. Dylan, sie ist schwierig, undurchsichtig und abgründig. Sie ist dein Verhängnis. Sie hat Kraft und weiß es noch nicht einmal, verstehst du? Sie hat es ... noch nicht entdeckt.«

Ich starre ihn an. Jetzt läuft er auf und ab und rauft sich die Locken.

»Sie ist nicht gut für dich«, sagt er. »Okay?«

»Also, ich glaube schon«, sage ich etwas hilflos. Er ist eindeutig high – ich weiß nicht, warum ich das nicht früher gemerkt habe. Er hat Addie seit Frankreich noch nicht einmal gesehen, und wir reden kaum über sie – ich begreife nicht, wann er beschlossen hat, dass sie so gefährlich für mich ist.

Ich beobachte, wie er versucht, sich zu sammeln. Er bleibt abrupt stehen und macht auf den Zehenspitzen kehrt, um mich anzusehen.

»Rollentausch«, sagt er. »Was, wenn ich das tun würde? Was würdest du sagen, wenn ich mein ganzes Leben über den Haufen werfe, ein anderer Mensch werde und dieses Mädchen *idealisiere*? Du und India würdet euch zusammentun, um heftig einzugreifen, und das weißt du.«

Ich zögere. Um ehrlich zu sein, das stimmt. Aber ich bin nicht Marcus. Er verliebt sich in Frauen und entliebt sich wieder, so wie er sich in alles verliebt und entliebt: schnell, ohne nachzudenken, nach Lust und Laune. Wohingegen ich … ich noch nie so empfunden habe.

»Ich weiß, dass das vielleicht – schnell – oder etwas voreilig wirkt, aber ich kann genauso gut in Chichester wie irgendwo anders herausfinden, was ich tun will und …«

Marcus streckt die Arme aus. »Gut. Du kannst dir in Chichester eine Wohnung kaufen, wenn's sein muss. Aber penn hier, solange du eine suchst. Erzähl mir nicht, in Addies Elternhaus unterzukriechen wäre besser als das hier.«

Für den Bruchteil einer Sekunde stelle ich mir vor, ich würde hier wohnen, morgens mit meinem Notizheft in der Jackentasche und dem Stift hinterm Ohr zum See hinuntergehen und mir den Raum nehmen, den ich zum Schreiben brauche. Aber nein. Ich *will* mich in Addies Elternhaus verkriechen. Ich will mit ihr und den anderen in der Küche stehen und Scherze über Katzen und fettreduzierte Milch machen. Ich will sehen, wie ihr Dutt nachts zur Seite rutscht, wie sie blinzelt und sich räkelt, wenn ich die Schlafzimmervorhänge zurückziehe; hören, wie leise und heiser ihre Stimme beim Aufwachen klingt.

»Ich kann nicht einfach im Garten von deinem Vater wohnen. Es ist – es ist total nett von ihm, dass er gesagt hat, ich kann hier bei dir einziehen, aber …«

»Dad hat die Hütte für uns beide gebaut«, sagt Marcus unvermittelt. »Er hat nicht gesagt, du könntest hier bei mir einziehen. Sie gehört uns. Ein Monument der Freundschaft.« Er hebt sein Bier und prostet mir zu, aber sein Blick ist hart.

»Das ist toll. Es ist toll«, sage ich und gerate ins Schwimmen. »Ich muss nur einen Moment über all das nachdenken. Das ist eine ziemliche Planänderung.«

Ich sehe mich um. Es gibt einen riesen Flachbildschirm, der über einem Holzofen an der Wand befestigt ist. Die Kissen auf dem Sofa sind aus schneeweißem Fell.

»In Ordnung. Betrinken wir uns und genießen es«, sagt Marcus und leert sein Bier. Auf einmal entspannen sich seine Schultern. Man kann förmlich sehen, wie seine Laune umschlägt. »Und morgen früh halte ich dir noch eine Standpauke, aber bis dahin bist du hoffentlich zur Vernunft gekommen.« Er grinst, steht wieder vom Sofa auf und geht zum Kühlschrank. »Komm, Dylan, mein Mann – ich bin in der Stimmung, Blödsinn zu machen. Wollen wir doch mal sehen, ob wir den Dylan wieder zum Leben erwecken können, der jede Aufgabe der Jameson Society im ersten Jahr in Rekordzeit erfüllt hat.«

Marcus knallt eine Flasche Tequila auf den Tisch, woraufhin ich erneut zusammenzucke.

»Alexa?«, ruft er. »Spiel ›Lush Life‹ von Zara Larsson.«

Wieder schrecke ich zusammen, als die Lautsprecher anspringen. Marcus ist bereits aufgestanden und tanzt. Er kann gut allein tanzen, ohne dabei wie ein Idiot auszusehen, eine Begabung, nach der ich mich immer gesehnt habe.

»Die anderen kommen bald«, sagt er und sieht zur Uhr, die über dem Eingang hängt. Er tanzt zum Weinregal, das unter einem der Küchenschränke angebracht ist. »Stellen wir Wein kalt?«

»Welche anderen?« Ich leere mein Bier. Plötzlich will ich mich unbedingt betrinken.

Marcus zuckt die Schultern. »Ein paar Leute von der Uni, einige aus der Gegend … Alle, die man zu einer Einweihungsparty einladen würde.«

»Laden wir Cherry, Addie und Deb ein«, sage ich und greife nach meinem Handy.

Marcus schnappt es mir aus der Hand. Im einen Moment stellt er die Weinflaschen in den Kühlschrank, im nächsten tanzt er mit meinem iPhone davon.

»Hey!«

»*Eine* Nacht ohne Fußfessel«, ruft Marcus über seine Schulter und verschwindet durch die Küchentür nach draußen in den Wald.

»He, warte«, rufe ich und laufe ihm hinterher.

Die Tür fällt mir vor der Nase zu. Ich stoße sie wieder auf, und die Kälte schlägt mir entgegen, als würde mir jemand einen Eimer kaltes Wasser über den Kopf kippen. Mein Atem dampft. Die Lichterketten blinken und lassen Marcus, der auf die Bäume zuläuft, golden aussehen.

»He, gib mir mein Telefon zurück!«

»Morgen früh«, ruft Marcus lachend. »Heute Nacht bist du solo, Dylan, nicht Dylan-plus-Addie, okay? Du wirst mir noch dankbar sein, versprochen! Du stehst voll unter ihrem Pantoffel.« Das sagt er mir ins Gesicht – er ist zurück, ohne mein Telefon, springt die Stufen hoch und grinst mich an, als würden wir uns zusammen einen Spaß machen.

»Hast du es etwa im Wald gelassen? Was, wenn es regnet?«

Marcus verdreht die Augen und schiebt die Küchentür wieder auf. »Dann kaufst du dir ein neues«, sagt er. »Komm. Ich will meinen Dylan zurück.«

»Ich habe mich nicht *verändert*«, sage ich verzweifelt. »Ich bin immer noch da.«

Marcus schlägt mir eine Hand auf die Schulter. Zurück in der warmen Hütte tauen meine Finger allmählich auf. Ich merke, dass das Bier bereits wirkt.

»Dass du das überhaupt sagst, zeigt mir, dass du Hilfe brauchst«, erklärt er. »Und ich betrachte es als meine heilige Pflicht, meinen besten Freund zu retten. In Ordnung? Jetzt trink noch was und rauch was und versuch, dich zu erinnern, wie man sich amüsiert.«


Die Nacht zieht bruchstückhaft an mir vorüber. Das Gras ist stärker als alles, was ich bislang geraucht habe. Mein Herz rast. Ich bin davon überzeugt, dass ich gleich sterben werde, wodurch alles eine enorme Dringlichkeit bekommt: mein letzter Tanz, mein letzter Drink, die letzte Person, mit der ich spreche.

Die Frauen treffen in Scharen ein und werfen ihre Fellmäntel über die Rückenlehnen der Sofas und auf die Betten. Die Hütte ist voll von nackten Schultern und Beinen, und der Parfumgeruch raubt einem in der Hitze den Atem. Ich habe mindestens eine halbe Stunde mit dem Versuch zugebracht, die Heizung herunterzudrehen, habe mich durch die Menge gedrangt und an Wanden und in Schranken nach irgendeinem Thermostat zum Einstellen gesucht, aber vergeblich. Mein Hemd klebt mir am Rücken. Mit jedem Atemzug scheint nicht genug Sauerstoff in den Körper zu gelangen und das Einzige, was hilft, ist Tanzen. Wenn ich mich bewege, kann ich der Angst entkommen. Es ist, als würde ich mich aus ihrem Griff winden und wenn ich stehen bleibe, ist Marcus sofort mit einem weiteren Drink zur Stelle, mit einer Pille oder mit einer Frau mit hageren Wangenknochen und vollen, gierigen Lippen. Darum ist es am besten, wenn ich mich bewege.

Ich vergesse mich für eine Weile, und das ist ein Segen. Das Nächste, woran ich mich erinnere, ist, dass ich mit zwei Frauen auf einem Bett sitze – einer sehr großen und einer sehr kleinen. Die große hat ihre Hand auf mein Knie gelegt, und ihr Gesicht ist dicht vor meinem – schwarz geschminkte Augen und unglaublich lange Wimpern.

»Habt ihr was miteinander, Marcus und du?«, fragt sie mich. »Das habe ich mich schon immer gefragt.«

Ich stehe auf, und die Hand rutscht von meinem Knie.

»Er ist so *hübsch*«, sagt die große Frau, als habe sie nie mein Knie berührt. »Wenn er hetero ist, gehört er mir.«

»Ich muss … nach draußen«, stoße ich hervor. Der Türgriff lässt sich nicht drehen. Mein Herz schlägt so schnell, dass ich Sorge habe, es könnte herausspringen. Ich rüttele an dem Griff und werfe mich mit der Schulter gegen die Tür. Die Frauen hinter mir lachen.

Dann drehe ich den Griff in die andere Richtung, und plötzlich lässt sich die Tür ganz leicht öffnen – ich falle in den Flur. Ein Mann, den ich noch nie zuvor gesehen habe, küsst ein Mädchen, das auf dem Treppengeländer sitzt, wobei ihr Hintern überhängt. Die Beine hat sie um seine Taille geschlungen. Wenn er sie loslässt, wird sie hinunterstürzen. Ich schleiche mich an ihnen vorbei und habe panische Angst, sie zu berühren und sie zum Absturz zu bringen.

Die Tür zum Wald steht offen, um für etwas Abkühlung zu sorgen, und ich taumele hinaus. Auf der Veranda ist es zu voll, noch mehr nackte Glieder, noch mehr sich windende Körper. Ich laufe, bis die Musik leise genug ist, dass ich meinen zitternden Atem hören kann. Der Wald ist pechschwarz. Etwas berührt mein Gesicht, und ich schreie auf. Ein Ast, der schwer vom nächtlichen Tau ist und einen nassen Abdruck auf meiner Wange hinterlässt.

Ich kauere mich irgendwohin und lehne mich mit dem Rücken an einen Baumstamm. Die Feuchtigkeit kriecht durch meine Jeans und in die Boxershorts; es ist so kalt, dass ich schon bald den Boden unter den Füßen nicht mehr spüre. Ich umklammere meine Knie und denke an Addie. Bei ihr empfinde ich genau das Gegenteil von dieser Trostlosigkeit, sie schafft es, dass dieses Gefühl der Hoffnungslosigkeit aus meiner Brust weicht. Noch nie schien sie mir so weit weg wie jetzt, noch nicht einmal in den Monaten, die ich fort war. Die Musik dröhnt in die Dunkelheit, als würde die Nacht knurren.

»Dylan?«

Ich schreie auf, als mich erneut etwas berührt. Diesmal ist es eine Hand.

»Komm mit, du bist ja eiskalt.«

Marcus bringt mich zurück in die Hütte. Die Musik wird immer lauter und lauter. Der Rhythmus ist zu schnell – ich will ihn verlangsamen. Ich bitte Marcus darum, und er lacht und drückt meinen Arm.

»Es ist alles okay, Dyl. Wärmen wir dich mal auf. Du hast vergessen, wo deine Grenzen sind, das ist alles.«

Er bringt mich nach oben und wirft einen Betrunkenen aus der Wanne, damit er mir ein Bad einlassen kann. Als ich ihn erneut bitte, die Musik zu ändern, schreit er die Treppe hinunter, und es wird etwas anderes gespielt: etwas Mystisches, Langsames, das mir noch weniger gefällt.

Als ich ins Wasser steige, weine ich. Es tut weh. Es fühlt sich an, als würde mir jemand die Fingerspitzen abbeißen. Marcus hält fest meine Hand.

»Es ist alles okay«, sagt er immer wieder. »Es ist alles in Ordnung.«

»Ich weiß nicht, was ich machen soll«, sage ich, und meine Schultern beben. »Ich weiß es nicht – ich weiß nicht, was ich tun soll. Ich verliere mich wieder, oder?«

Plötzlich fällt mir ein, dass mein Telefon irgendwo da draußen im Wald ist, all die Nachrichten von meinem Vater warten dort in der Dunkelheit auf mich, und ich schüttele mich so heftig, dass ich Marcus nassspritze. Er flucht leise und lässt einen Moment meine Hand los, um sich die Tropfen vom T-Shirt zu wischen, doch ehe ich Zeit habe, Angst zu bekommen, hält er sie wieder fest.

»Niemand weiß, was er tun soll«, erklärt mir Marcus. »Lehn dich zurück. Los. Du musst mit dem ganzen Körper ins Wasser tauchen. Du solltest aufhören, so viel nachzudenken, Dylan. Du bist selbst dein ärgster Feind.«

»Dad will, dass ich für seine Firma arbeite.«

In der Mitte der Decke verläuft ein feiner Riss. Ich verfolge ihn mit den Blicken, lege den Kopf zurück und tauche mein Haar ins Wasser.

»Scheiß auf deinen Vater. Er hat immer über dein Leben bestimmt. Triff deine eigenen Entscheidungen.«

»Das habe ich doch getan.«

»Wenn es wegen einem Mädchen ist, ist es nicht deine eigene Entscheidung.«

Ich krümme die Finger, sie schmerzen immer noch. Ich blicke nach unten – meine Zehen sind gelblich weiß.

»Woher weiß ich dann, dass ich die richtige Entscheidung treffe?«

»Du verlässt dich auf dein Bauchgefühl.«

»Ich *höre* auf meinen Bauch.«

»Du hörst auf deinen Schwanz. Und wenn du für deinen Vater arbeiten würdest, würdest du auf deinen Kopf hören. Ich rede von deinem *Bauch*gefühl. Von der Sache, von der du tief in dir spürst, dass sie am meisten Sinn ergibt. Der Sache, die dir am meisten entspricht.«

Um das zu wissen, muss man erst einmal eine Verbindung zu sich haben.

»Ich habe immer hinter dir gestanden, oder?«, Marcus taucht unsere Hände ins Wasser.

Ich zische, als der Schmerz einsetzt.

»Ja«, sage ich. »Ja. Ich weiß. Ich …«

»Ich gebe dir die Chance, das zu tun, was du tun willst. Du kannst hier schreiben. Wolltest du das nicht immer?«

»Lyrik ist – ist kein Job.«

»Wenn du gut genug bist, schon.«

»Das bin ich nicht«, erwidere ich automatisch. Der Riss in der Decke bewegt sich etwas in meinem Sichtfeld und verschwimmt.

»Das ist nicht dein Bauchgefühl.«

Ich lasse die Wärme in meine Knochen dringen, starre auf den Riss über mir und weiß, dass Marcus recht hat. Wenn ich wirklich denken würde, ich wäre nicht gut genug, würde ich aufhören zu schreiben. Tief im Inneren gefällt mir, was ich schreibe, und ich glaube, dass es anderen Menschen eines Tages auch gefallen könnte.

»Vertraust du mir?«, fragt Marcus.

Marcus und ich haben uns zusammen für Oxford beworben. Englisch, weil Marcus sagte, da käme man am leichtesten rein, und wenn ich Dichter werden wolle, wäre das ein guter Anfang. Dasselbe College, denn warum auch nicht?

Luke ist erwachsen geworden, hat sich verliebt und ging in die Staaten, um dort seinen Bachelor zu machen – oder eigentlich, um meinem Vater zu entkommen –, aber Marcus ist nie von meiner Seite gewichen. Und ich nie von seiner, dem kleinen Jungen mit den Locken und dem Blumenkranz schief über einem Ohr.

»Natürlich. Klar, vertraue ich dir.«

»Dann hör auf mich, wenn ich sage, das ist es, was du willst.« Er löst den Griff um meine Hand. »Ich werfe alle raus. Steig nicht aus der Wanne, ehe ich zurück bin. Ich glaube, aufstehen könnte dich momentan etwas überfordern. Aber ertrink mir auch nicht.«

Ich höre, wie die Tür ins Schloss fällt. Irgendwann, ohne dass ich es gemerkt habe, hat sich das sichere Gefühl, dass ich gleich sterbe, aufgelöst. An seinen Platz ist die vertraute Verwirrung getreten, die mich neben der dunklen Wolke den ganzen Sommer über bedrückt hat – das Gefühl, dass ich etwas sehr Wichtiges mache, aber dass ich es ganz und gar falsch mache.

# JETZT

## Addie

Jedes Mal, wenn ich auf Google Maps schaue, scheint Schottland weiter weg zu liegen.

»Wie kann das denn sein?«, frage ich, während Google einen weiteren Streckenabschnitt rot einfärbt. »Wir fahren nach Schottland, aber jedes Mal, wenn ich nachschaue, brauchen wir länger.«

Deb und ich sitzen wieder beide vorne. So fühlt es sich richtig an, wenn ich ehrlich bin. Ich bin zu mürrisch, um mich mit diversen Männern auf die Rückbank zu quetschen, die ich bei unserem Road-Trip gar nicht dabeihaben wollte.

»Jemand muss Cherry sagen, dass wir viel zu spät kommen«, sage ich und reibe mir die Augen. »Sie wird weinen, oder?«

Etwas ist mit Cherry passiert, als sie angefangen hat, ihre Hochzeit zu planen. Die sorglose Cherry, die immer fröhlich die Kotze ihrer One-Night-Stands aus dem Teppich unseres gemeinsamen Wohnheimzimmers schrubbte, hatte sich in eine Frau verwandelt, die den Gedanken nicht ertrug, ihr Hochzeitsbouquet könnte weniger als sechzehn dunkelrote Rosen enthalten. Jeder sagt, dass sich die Menschen ändern, wenn sie eine Hochzeit planen, aber ich hatte gedacht, das träfe nur auf langweilige Menschen zu, die im tiefsten Inneren immer schon ein wenig lächerlich gewesen sind und es nur gut versteckt haben. Aber nein. Die Hochzeits-Manie hatte auch Cherry erfasst.

»Sie wird nicht weinen«, sagt Dylan fest.

Eine lange Pause entsteht. Ich warte. Er wartet. Ich bin mir ganz sicher, dass Dylan zuerst etwas sagen wird. Vielleicht hat er sich verändert, aber nicht so stark.

»Ich rufe sie an«, erklärt Dylan.

Ich lächele.

»Sei jetzt bloß nicht selbstgefällig«, sagt Dylan und lächelt kaum wahrnehmbar. »Sonst stell ich auf Laufsprecher.«

Warum ist im Stau stehen so viel anstrengender als fahren? Ich würde lieber acht Stunden fahren, als vier Stunden im Stau stehen. Wenn man mit sechzig Meilen pro Stunde fährt, hat man zumindest das Gefühl, man kommt voran. Nun starre ich seit einer Ewigkeit das Heck eines Audis an. Straßenarbeiten sind Teil des Problems – nur zwei statt vier Spuren.

Es ist halb fünf. Wir sollten inzwischen in Schottland sein, bei Cherrys Barbecue am Tag vor der Hochzeit, sind aber … Ich linse auf das Straßenschild, das die Sonne reflektiert. Verdammt, wir sind noch nicht einmal in Preston. Cherry hat am Telefon nicht geweint, aber mit einer erschreckend hohen Stimme gesprochen. Wir müssen uns jetzt *echt* beeilen!

Das letzte Lied ist zu Ende, und ich scrolle durch eine meiner Lieblings-Country-Playlisten. Bei so vielen dieser Songs muss ich an Dylan denken. Ich schlucke. Mein Finger schwebt über *What If I Never Get Over You* von Lady A, aber das sollte er nicht. Vielleicht würde ich heulen, wenn ich das höre, während Dylan auf der Rückbank sitzt.

Ich entscheide mich für *We Were* von Keith Urban. Als das Gitarrenriff beginnt, lasse ich mich in den Sitz sinken und atme tief ein. Die Fahrt gemeinsam mit Dylan ist genauso hart, wie ich es mir vorgestellt habe. Eigentlich sogar noch schlimmer als gedacht, weil er anders ist. Er war in einer Gruppe immer schon zurückhaltender, aber nun fühlt es sich nicht mehr an, als würde er in den Hintergrund treten. Eher, als wäre er nachdenklich.

»Lass Rodney ein wenig mehr Platz, ja?«, sagt Dylan hinter mir. Ich weiß, ohne hinzuschauen, worüber er spricht. Marcus hat die Beine so weit gespreizt, als wäre er beim Gynäkologen.

»Mit Rodney ist alles in Ordnung«, sagt Marcus. »Wenn wir uns diesen Kack schon anhören müssen, können wir dann nicht wenigstens Klassiker hören?«

»Dolly!«, sagt Deb.

Marcus stöhnt. »Nicht Dolly Parton, *bitte*. Johnny Cash?«

»Dein Knie ragt echt weit auf seinen Sitzplatz«, sagt Dylan so ruhig und bestimmt, dass ich mir das Lachen nicht verkneifen kann. »Setz dich ein wenig auf.«

»In Ordnung, Mum, ist ja schon gut«, sagt Marcus. »Wie sieht's denn aus, Addie? Ein wenig Johnny Cash? Bitte?«

Ich runzele überrascht die Stirn. Marcus hört sich fast … höflich an. Ich bin misstrauisch, aber als ich mich umdrehe, um ihn anzuschauen, blickt er einfach ausdruckslos aus dem Fenster. Ich beobachte ihn einen Augenblick lang verwundert. Ich habe es ernst gemeint, als ich sagte, ich glaube nicht, dass sich ein Mann wie Marcus irgendwann einmal ändert. Und ein *bitte* hier und da wird mich nicht von meiner Meinung abbringen. Trotzdem drücke ich auf meinem Handy bei Johnny Cashs *I Walk the Line* auf Play.

Deb wechselt im Schneckentempo die Spur, um schneller voranzukommen. Unsere Fenster sind geschlossen, damit die Klimaanlage alles geben kann, um vielleicht sogar zu kühlen, aber ich lechze nach frischer Luft. Die Autos links und rechts neben uns sind voller gähnender und gelangweilter Menschen.

Sie haben die Füße auf die Armaturen gelegt oder lehnen sich mit den Unterarmen auf die Lenkräder.

Im Auto neben uns sitzen drei Teenager auf der Rückbank, die sich alle um ein iPad zanken. Von außen sehen wir vermutlich wie eine Clique aus, die gemeinsam Urlaub macht. Die Eltern in dem Auto sind vielleicht total neidisch auf uns.

Wenn sie bloß wüssten.

»Google zeigt alle Routen in Rot an«, meldet Rodney sich zu Wort. Ich drehe mich um und sehe, dass er auf sein Handy starrt. Sein Haar klebt ihm verschwitzt an der Stirn, und sein T-Shirt ist an der Brust durchnässt. Gott. Rodney hat echt einen schlechten Tag. Wenn man sich vorstellt, man hätte eine schöne, billige Mitfahrgelegenheit zu einer Hochzeit gefunden, dann aber in einer Sauna mit uns endet ...

»Wie lange brauchen wir laut Google nach Ettrick?«, frage ich Rodney.

»Äh ... Sieben Stunden.«

»*Sieben Stunden*?«, fragen alle wie aus einem Mund.

Deb lehnt den Kopf ans Lenkrad. »Ich kann nicht mehr«, sagt sie. »Und ich muss *echt verdammt dringend* pinkeln.«

»Wir könnten diese Wasserflasche austrinken?«, meint Rodney.

»Rodney, weißt du, wie Frauen pinkeln?«, fragt Deb.

»Nein ... eigentlich nicht so richtig«, antwortet Rodney.

Marcus kichert.

»Ich mal dir ein Bild, wenn wir da sind«, sagt Deb.

»Oh, echt? Danke!«, erklärt Rodney.

»Wenn wir tauschen, kannst du schnell rausspringen und hinter den Büschen strullen«, sage ich und mache eine Kopfbewegung zu den Feldern neben der Autobahn. »Hier bewegt sich sowieso nichts. Ich kann mich nicht mehr dran erinnern, wann wir uns zum letzten Mal vorwärtsbewegt haben.«

»Meinst du echt?«, fragt sie und blickt auf den stehenden Verkehr.

»Wie dringend musst du?«

»Meine Beckenbodenübungen helfen mir gleich auch nicht mehr, Ads.«

»Beckenboden?«, fragt Rodney.

Es ist so, als würde man mit einem Kind im Auto sitzen.

»Bereit?«, frage ich Deb.

Sie nickt, und wir öffnen beide unsere Autotüren. Gott, es ist schön, etwas frische Luft einzuatmen. Selbst, wenn diese frische Luft stinkig und voller Abgase ist. Draußen ist es wärmer als im Auto – ich kann spüren, wie meine Haut verbrennt, während ich hinten ums Auto herumlaufe und Deb auf halbem Weg treffe.

»Ich hatte recht, oder?«, frage ich sie. »War nicht gut, Dylan und Marcus mitzunehmen, oder?«

»Genau. Das war eine ziemlich blöde Idee«, sagt Deb. »Was haben *wir* uns dabei gedacht?«

Ich beobachte, wie sie sich durch die Autoreihen schlängelt und dann in den Büschen verschwindet. Als sich die Autos um mich herum bewegen, fühle ich mich anfangs ein wenig seekrank. Als würde ich in einem Zug sitzen und denken, er würde den Bahnhof verlassen, weil der Zug auf dem anderen Gleis losfährt und das Gehirn ganz verwirrt ist. Dann hupt der Wagen hinter uns. Und der Wagen hinter ihm. Ich komme zur Besinnung.

»Mist.«

Ich öffne die Tür auf der Fahrerseite und klettere hinein. Marcus lacht bereits hysterisch, und Rodney sagt immer wieder *Oh Gott, Oh Gott,* wie eine nervöse alte Dame.

»Ah«, stöhnt Dylan. »Das darf doch nicht wahr sein.«

Zwischen mir und dem Audi liegen inzwischen knapp dreihundert Meter. Ich blicke in den Seitenspiegel und sehe, dass sich die Wagen hinter uns in die andere Spur einfädeln wollen. Es gibt keinen Seitenstreifen wegen der Straßenarbeiten – wir haben keine andere Wahl mehr.

»Verdammte Scheiße, Mann, echt jetzt?«

»Wir können hier nicht bleiben. Sie kann sowieso nicht zwischen die fahrenden Autos rennen, um zu uns zu kommen, und irgendwann wird uns jemand hinten reinfahren. Mist.« Ich starte den Wagen und fahre so langsam, wie es irgendwie geht. »Kannst du sie sehen? Hat sie ihr Telefon dabei?« Ich blicke zur Autotür – nein, da steckt das Telefon. »Verdammte gequirlte Kackscheiße«, zische ich durch meine zusammengebissenen Zähne. »Was soll ich machen?«

»Eins nach dem anderen, du solltest wahrscheinlich schneller fahren als zehn Meilen die Stunde«, sagt Dylan zaghaft. »Sonst werden wir alle sterben.«

»Okay, okay«, sage ich und beschleunige. »Oh, Gott, kannst du sie sehen?«

Dylan will aus dem Fenster gucken, sitzt aber auf der falschen Seite. »Marcus?«, fragt er.

»Kann ich nicht«, antwortet Marcus. »Das ist köstlich.«

»Oh Mann, arme Deb!«, sagt Rodney.

»Ja, vielen Dank auch euch allen«, sage ich und versuche, nicht zu hyperventilieren.

»Soll ich an der nächsten Ausfahrt abfahren? Wo wird sie nach uns suchen? Was sollen wir tun?«

»Ganz ruhig, Ads – es ist immer noch Deb. Die könnte man allein in der Sahara aussetzen. Sie wird es einfach nur witzig finden. Oder ein bisschen nervig«, sagt Dylan, und ich zucke zusammen, als ich seine Hand auf meiner Schulter spüre. Er nimmt sie direkt zurück. Ich wünschte, ich wäre nicht zusammengezuckt.

»Oh, Gott«, sage ich und lache gequält. Wir fahren jetzt dreißig Meilen die Stunde, also ungefähr so schnell wie alle anderen, weil wieder Bewegung in die Autos kommt. Normalerweise würde sich das quälend langsam anfühlen, nun aber, da die Stelle, wo Deb in den Büschen verschwunden ist, in meinem linken Spiegel immer kleiner wird, fühlt es sich viel zu schnell an. »Ich muss auf die linke Spur. Marcus, würdest du da hinten bitte mal die Klappe halten, ja? Das ist gerade nicht sonderlich hilfreich.«

Dylan prustet vor Lachen. Ich blicke ihm kurz im Rückspiegel in die Augen. Er verzieht das Gesicht.

»Sorry«, sagt er. »Es ist nur … Es ist … ein wenig …«

Ich unterdrücke ein Lachen, aber es klappt nicht, und bevor ich weiß, wie mir geschieht, zittern meine Schultern auch. »Scheiße«, sage ich und lege mir eine Hand auf den Mund. »Warum lache ich?«

»Sie pisst hinter einen Baum!«, schnaubt Marcus, und seine Stimme erbebt vor Lachen. »Stellt euch ihr Gesicht vor, wenn sie zurückkommt und wir alle weg sind!«

»Oh nein, oh weia«, sagt Rodney und ich höre, dass auch er versucht, das Lachen zu unterdrücken.

Wir sind jetzt an der nächsten Ausfahrt. Ich blinke, kichere und heule und bin einfach nur total verwirrt. Warum zur Hölle habe ich Deb zum Pinkeln aus dem Auto gelassen?

»Wir sind einfach so lange nur vorwärtsgekrochen!«, sage ich.

»Das musste so kommen. Als Deb ausgestiegen ist, ging es plötzlich weiter«, sagt Dylan. »Das ist Murphys Gesetz.«

»Ich bin ein Trottel«, sage ich immer noch halb lachend, halb weinend. »Das war eine total dämliche Idee.«

»Du bist kein Trottel«, sagt Dylan, der sich wieder gefangen hat. »Du hast gezockt und verloren, so einfach ist das. Oder eher gesagt Deb. Hey, da vorne ist ein Budget Travel Hotel – vielleicht fährst du da auf den Parkplatz?«

Ich blinke in letzter Minute und fahre auf das Gelände. Als ich eingeparkt habe und den Motor ausstelle, bemerke ich, dass ich zittere.

Plötzlich ist alles nicht mehr so komisch.

»Wie soll sie uns hier denn finden? Sollen wir uns auf die Suche nach ihr machen?«

»Komm, wir versuchen mal, so wie Deb zu denken«, sagt Dylan, während ich mich auf meinem Sitz umdrehe, um die drei anzuschauen.

Marcus lacht sich ins Fäustchen und schüttelt den Kopf. Rodney hat schützend die Arme um sich gelegt, wie ein Kind an seinem ersten Schultag. Und Dylan beißt sich gedankenverloren auf die Lippe. Die Sonne scheint ihm wie ein Scheinwerfer ins Gesicht und lässt seine Augen hellgrün wirken, und ich würde am liebsten Rodney und Marcus aus dem Auto werfen und auf seinen Schoß kriechen.

Es ist seltsam. Dylan war nie derjenige, an den ich mich bei Problemen gewendet habe. Deswegen ist es keine Gewohnheit. Als wir noch zusammen waren, war er der Letzte, bei dem ich mich ausgeheult habe, vor allem, weil ich meistens seinetwegen geheult habe und er keine Ahnung zu haben schien, warum ich überhaupt traurig war. So war das mit uns damals. Wir waren einander so nah, erzählten uns aber kaum etwas.

»Wie Deb denken«, wiederhole ich. »Okay. Also, sie ist praktisch veranlagt. Sie wird ein wenig fluchen, und dann wird sie losgehen, und jetzt?«

»Vielleicht wird sie versuchen, per Anhalter zu fahren«, schlägt Rodney vor. »Wird jemanden an den Rand winken?«

»Vielleicht«, sage ich langsam. »Oder sie wird versuchen zu laufen. Ich vermute, sie wird schon davon ausgehen, dass wir die nächste Abfahrt genommen haben, oder? Wie lange würde sie brauchen, um von der Stelle, wo sie ausgestiegen ist, hierher zu laufen? Rodney?«

Rodney klickt auf seinem Telefon herum.

»Wie lange sind wir gefahren? Ein paar Minuten lang? So lange kann das nicht dauern, oder?«

»Eine Stunde«, antwortet Rodney. »Es ist ein einstündiger Fußmarsch, wenn sie keine Abkürzung durch die Felder nimmt, was ihr etwas Zeit sparen würde.«

»Ein *einstündiger* Fußmarsch?«, sagt Marcus und lehnt sich vor, um über Rodneys Schulter auf sein Telefon zu schauen. »Bist du sicher, dass dein Handy nicht kaputt ist? Du sagst die ganze Zeit, wir würden überallhin ewig brauchen.«

»Sorry«, entgegnet Rodney und hält Marcus das Telefon hin. »Das wird mir hier so angezeigt …«

Marcus verdreht die Augen. »Gut, dann steige ich aus«, sagt er. »Deb ist nicht die Einzige, die mal pinkeln muss. Glaubt ihr, hier gibt es Toiletten?«

»Im Budget Travel? Ja, die werden wahrscheinlich Toiletten haben, Marcus«, antworte ich gedehnt.

»Grandios.« Er klettert aus dem Auto und zieht sich das klebrige T-Shirt vom Körper. »Ugh«, sagt er und schlägt die Tür hinter sich zu.

»Wäre toll, jetzt wegzufahren, oder?«, sage ich.

»Ja, wenn Deb nicht wäre«, entgegnet Dylan.

»Ups, ja, genau«, sage ich und beobachte Marcus, der ins Hotel schlendert.

»Sein Verhalten tut mir *wirklich* leid«, sagt Dylan ruhig.

Rodney schnallt sich ab und rutscht auf Marcus' Platz, damit er und Dylan mehr Platz haben. Beide seufzen erleichtert.

»Ja, nun. So ist Marcus halt«, sage ich und beobachte ihn beim Weggehen.

»Mögt ihr beide ihn nicht?«, fragt Rodney.

»Ich mag ihn nicht, nein«, sage ich geradeheraus.

»Die meiste Zeit über mag ich ihn auch nicht«, erklärt Dylan.

Überrascht blicke ich ihn an.

»Er … er ist ein komplizierter Typ. Aber er gehört zur Familie, echt. Ich hoffe, dass er sich eines Tages ändert. Wann kann man einen Menschen aus seinem Leben verbannen?«

»Wenn jemand nicht gut für dich ist«, rutscht es mir heraus. »Das ist in jeder Beziehung so, in der Liebe, in einer Freundschaft, in der Familie … Wenn es toxisch wird, sollte man verschwinden.«

»Ich glaube …«, Dylan hält inne und wählt seine Worte mit Bedacht. »Ich glaube, man tritt einen Schritt zurück, wenn es toxisch wird, sicher. Aber ich weiß nicht, ob ich verschwinden wollen würde. Nicht, wenn ich noch irgendetwas Gutes in jemandem sehen würde oder denken würde, dass ich demjenigen dabei helfen könnte, es ebenfalls zu finden. Nicht einmal, wenn ich erkannt hätte, wie sehr mich die Beziehung schmerzt und mich dagegen abgehärtet hätte.«

Ich blicke ihn an. Ich bin anderer Meinung – ich glaube nicht, dass man sich gegen die Schmerzen *abhärten* kann, die jemand wie Marcus den Menschen zufügt. Aber falls ich irgendetwas im Laufe der letzten ein oder zwei Jahre gelernt habe, dann, dass man Schmerz nicht nur auf eine einzige Art verarbeiten kann.

»Jemand sollte hierbleiben, falls Deb uns hier sucht«, sage ich nach einer kurzen Pause. »Aber ich glaube, der Rest sollte sich aufteilen und nach ihr suchen. Wenn wir alle unsere Telefone mitnehmen, kann nichts passieren, stimmt's?«

»Marcus sollte hierbleiben«, sagt Dylan direkt. »Er wird definitiv abhauen, wenn wir ihn lassen, und dann müssen wir zwei Hochzeitsgäste suchen.«

Ich schnaufe. »Gut, in Ordnung. Du sagst ihm Bescheid, okay? Ich werde über die Felder gehen. Ich habe das Gefühl, ich muss … etwas tun.«

Dylan nickt. »Hast du kein Problem, Marcus mit den Autoschlüsseln allein zu lassen?«

Ich halte kurz inne. »Ähm …«

»Ja, genau«, sagt Dylan.

»Er ist ein erwachsener Mann«, sage ich. »Er würde doch nicht ohne uns wegfahren.«

Wir denken alle drüber nach.

»Vielleicht solltest du bei ihm bleiben«, erkläre ich. »Nur für den Fall der Fälle.«

# Dylan

Der erste Notruf kommt von Rodney, ungefähr vierzig Minuten, nachdem er und Addie losgegangen sind, um Deb zu suchen.

»Oh, hi? Dylan?«

»Ja?«, antworte ich geduldig und beobachte, wie Marcus den Parkplatz umrundet und im Gehen gegen eine leere Cola-Dose tritt. Er ist zappelig, was beunruhigend ist: Wenn er nicht bald Unterhaltung findet, wird er für welche sorgen. Während mir die Sonne auf den Nacken brennt, fällt mir eine Gedichtzeile ein – *Heißer Sonnentag / Trommelschlag, zwischen seinen Füßen eine Cola-Dose lag ...*

»Oh, hi, hier ist Rodney. Äh. Ich glaube, ich habe, ich glaube, ich habe etwas entdeckt. Hatte Deb weiße Turnschuhe an?«

Ich blinzele in die Sonne. Marcus spielt ziemlich jämmerlich Hacky Sack mit der Dose.

»Ja? Vielleicht? Ich kann mich nicht genau erinnern.« Ich trinke einen Schluck Wasser. Die nette Dame an der Rezeption vom Budget Travel Hotel hat mir erlaubt, unsere Flaschen aufzufüllen und sagte, sie würde uns unter diesen Umständen keine Parkgebühren berechnen. Womöglich hatte das damit zu tun, dass Marcus sie überaus charmant angelächelt hat, woraufhin er normalerweise alles bekommt, was er will.

»Weil ich im Fluss stehe«, hebt Rodney an, »und ich glaube, ich habe einen von Debs Schuhen gefunden. Ist sie möglicherweise ertrunken?«

Ich spucke das Wasser aus.

»Was?«

»Nun ja, wenn im Film jemand einen Schuh an einem Flussufer findet, ist das normalerweise das Zeichen dafür, dass derjenige tot ist, oder?«

»Verdammt, Rodney. Warte. Bist du dir sicher, dass es ihr Schuh ist?«

»Es ist ein weißer Turnschuh«, sagt Rodney. »Hatte sie die nicht an?«

»Ich weiß nicht … Kannst du mir ein Bild schicken? Vielleicht hat sie sie nur kurz ausgezogen und sich die Füße abgekühlt.«

»Wo ist dann der andere Schuh?«, fragt Rodney gefällig.

Meiner blühenden Fantasie zufolge ganz offensichtlich an ihrer Leiche. Nein, das ist absolut lächerlich – Rodney ist total lächerlich.

»Schick mir doch ein Bild von dem Schuh. Ich bin mir sicher, es ist alles okay, Rodney.«

»Okay. Danke, Dylan! Bis dann!« Er legt ganz locker auf. Ich blinzele auf mein Handy hinunter.

»Neuigkeiten von unserer Ausreißerin?«, ruft Marcus und tritt die Cola-Dose gegen einen Geländewagen. Ich zucke zusammen, als die Dose gegen die Stoßstange knallt.

»Eigentlich ist sie nicht ausgerissen«, erkläre ich. »Wir sind ihr weggefahren. Und nein, Rodney ist einfach nur schräg, er meint, er hätte ihren … Schuh gefunden …« Ich blicke auf das Foto, das Rodney mir gerade geschickt hat. »Herrgott.«

Ich rufe ihn an.

»Hallo, hier ist Rodney! Was kann ich tun?«

»Was? Rodney, hier ist Dylan. Das ist ein Männerschuh. Das ist ganz offensichtlich. Was für eine Größe steht auf der Sohle?«

Es folgt eine Pause.

»Elf«, sagt er. »Oh! Hat Deb so große Füße?«

»Nein«, sage ich so geduldig wie möglich. »Nein, Rodney, hat sie nicht.«

»Toll! Dann muss jemand anders ertrunken sein«, schlussfolgert Rodney fröhlich. »In dem Fall steige ich mal aus dem Fluss.«

»Du bist … *im* Fluss? Richtig drin?«

Bei diesen Worten blickt Marcus auf und rückt näher.

»Ich durchkämme ihn! Nach Leichen!«

»Du …«

»Ist ja jetzt aber nicht mehr nötig, wenn es nicht Debs ist.«

Rodneys unerschütterliche Überzeugung, dass im Fluss eine Leiche liegt, haut mich um.

»Okay. Danke, Rodney. Bleib dran.«

Als ich auflege, sehe ich Marcus an und ziehe eine Grimasse. Er lacht.

»Dieser Mann ist wirklich jämmerlich«, sagt er. »Ein nasser Waschlappen in Menschengestalt.«

»Lass ihn in Ruhe«, sage ich. »Er tut keinem was. Würdest du aufhören, die Dose gegen das Auto zu kicken? Du zerkratzt noch den Lack.«

»Du bist der Sohn deines Vaters«, stellte Marcus fest, zieht eine Augenbraue hoch und versetzt der Dose einen weiteren Tritt. Er sieht meine Miene und zieht sich mit der Dose wieder auf den Parkplatz zurück. Es ist so heiß, dass wir beide unsere T-Shirts durchschwitzen, und sehnsüchtig blicke ich zu der klimatisierten Lobby des Budget Travel Hotels hinüber.

»Komm, setzen wir uns da rein«, sagt Marcus und ist bereits auf dem Weg in die Halle. »Maggie an der Rezeption freut sich über Gesellschaft. Maggie, mein Schatz«, schnurrt er, als wir durch die Türen treten. »Wir zerfließen.«

»Ach! Ihr Armen. Wollt ihr reinkommen? Setzt euch in die Lobby. Wollt ihr was trinken?«

Maggie, die Rezeptionistin, ist bereits in einer billigen Parfumwolke und mit ihren klackernden Perlenketten um den Hals entschwebt. Marcus und ich setzen uns auf die Plastikstühle in der mit Teppich ausgelegten Hotellobby und strecken gleichzeitig stöhnend die Beine aus. Dafür, dass wir den ganzen Tag nur im Auto gesessen haben, bin ich erstaunlich geschafft.

»Wie machst du das?«, fragt Marcus und wischt sich mit dem Handrücken über die Stirn. »Mit Addie?«

»Wie mache ich was?«

»Du scheinst noch nicht mal sauer zu sein. Nach dem, was sie dir angetan hat. Ich versteh das einfach nicht.«

Ich presse die Lippen zusammen und beobachte, wie Maggie im Türrahmen hinter der Rezeption hin und her eilt und Gläser, Eiswürfel und irgendwann eine Flasche Haarspray vorbeiträgt.

»Es ist kompliziert«, sage ich. »Lass es gut sein, Marcus.«

»Sie hat dich betrogen.«

Ich erstarre. »Sie …«

»Das weißt du. Ich habe dir das verdammte Foto gezeigt, Dylan.«

»Ich weiß«, zische ich, bevor ich mich beherrschen kann. »Und haben wir darüber gesprochen, warum *du* da warst? Warum dich so sehr interessiert hat, was sie getrieben hat?«

Er verstummt. Nach einer ganzen Weile bewegt er die Hände und zupft an einem dünnen schwarzen Lederband, das er ums Handgelenk trägt, aber er hebt nicht den Blick, um mich anzusehen.

»Ich war immer für dich da«, sagt er schließlich leise.

»Ja. Also, ich glaube, das ging weit über die Pflicht hinaus, oder?«

Maggie kommt mit Wassergläsern zurück.

»Maggie, Sie sind ein Engel. Ein *Engel*«, sagt Marcus, und es ist, als hätte das Gespräch zwischen uns gerade niemals stattgefunden. Darüber, wie blitzartig sich Marcus' Stimmung ändern kann, habe ich einmal geschrieben. *Eine Wolke reißt auf, verschwindet / die Sonne ist zurück / strahlt, pure Freude / bis Wind aufkommt.*

»Danke«, sage ich und nehme Maggie das Glas mit Wasser ab.

Sie steht mit geröteten Wangen und in ihren praktischen Schuhen vor uns und blüht unter Marcus' Blick auf. Mein Telefon klingelt und erspart mir weiteres Flirten. Ich hole es aus der Tasche meiner Shorts: Es ist Addie.

»Hey«, sagt sie. »Erschreck dich nicht. Aber ich bin in der Notaufnahme.«

# DAMALS

## *Addie*

Es ist der vierzehnte Februar – dummerweise ein Schultag, aber Dylan und ich haben abends Pläne für den Valentinstag. *Zieh warme Strümpfe an*, mehr habe ich nicht aus ihm herausbekommen, was mich total neugierig gemacht hat. Deb vermutet, wir würden wandern gehen. Ich hoffe, sie hat unrecht – ich bin schon den ganzen Tag lang auf den Beinen und hoffe eher auf Romantik im Sitzen.

Ich bekomme eine Nachricht von Dylan, als ich vom Parkplatz fahre.

Keine Panik, Ads, aber ich bin in der Notaufnahme. Bin von der Leiter gefallen, als ich unser Date vorbereitet habe. (Wollte eine Lichterkette für ein Picknick am Dell Quay vom Schrank holen. Das wäre schön geworden!). Lass mir nur kurz den Kopf durchleuchten, um sicherzugehen, dass ich nur eine leichte Gehirnerschütterung habe (bin mir sicher, dass es nichts Schlimmeres ist) xxx

Ich starre auf die Nachricht und bin wie versteinert.

»Bis morgen, Addie!«, ruft Moira, während sie zu ihrem Auto geht, und ich brauche viel zu lange, um ihr zu antworten. Ich stehe im Regen neben meinem Auto und stelle mir vor, wie es wäre, Dylan zu verlieren. Es ist furchtbar. *Furchtbar.* Ich würde es nicht überleben.

Ich fahre so schnell wie gesetzlich erlaubt zur Notaufnahme. Ein wenig schneller auf den Abschnitten der Autobahn, wo keine Blitzer stehen.

Marcus und ich gehen gleichzeitig durch den Eingang der Notaufnahme. Anfangs bemerke ich nicht, dass er es ist. Ich habe ihn seit Frankreich nicht mehr gesehen – das ist seltsam lang für den besten Freund des eigenen Freundes, aber Dylan hatte immer eine Ausrede parat und ganz ehrlich: So richtig hat es mich nicht gestört, dass er mir ganz offensichtlich aus dem Weg geht.

Wir halten im Türrahmen inne, vor der Anmeldung. Er dreht sich langsam zu mir. Als würde er Angst vor meinem Blick haben. Oder ihn vielleicht genießen.

Er sieht noch genauso aus wie früher. Dunkle, zerzauste Locken, ausgeprägte Wangenknochen, ein kluger, stechender Blick. »Addie«, sagt er.

»Hallo«, antworte ich.

Eine Krankenschwester geht an uns vorbei, ihre Turnschuhe quietschen auf dem Boden. Wir schweigen immer noch. Ich weiß einfach nicht, was ich sagen soll.

Marcus lächelt, während er mich mustert. »Du hast dich verändert«, sagt er und neigt ganz leicht den Kopf.

»Meine Haare«, sage ich und hebe eine Hand, um sie zu berühren. Ich habe mir heute Locken gemacht, weil ich bei meinem Date mit Dylan hübsch aussehen wollte.

»Nein«, sagt er und sieht mich so an wie damals in Frankreich. Fest und ungerührt. »Ich meine, du bist tougher geworden.«

»Was?«

Ich bin dieses Ich-kann-Menschen-so-gut-lesen-Geschwafel so leid. Er hat sich ganz sicher kein bisschen verändert. Er lächelt ein wenig wegen meines Ärgers, antwortet aber nicht, sondert starrt mich weiterhin an. Ich drücke mir die kalte Hand auf die Wange, um sie zu kühlen.

»Bist du wegen Dylan hier?«, sage ich.

»Natürlich. Und du?«

»Selbstverständlich.«

Wir stehen noch einen Moment herum. Marcus' taxierender Blick ruht immer noch auf mir.

»Er ist nicht sesshaft geworden«, sage ich abrupt.

»Hmm?«

»Du meintest, er würde sesshaft werden. Ist er nicht. Er weiß immer noch nicht, was er machen will, und … er wird immer noch traurig, von Zeit zu Zeit.«

Dylan denkt, dass ich es nicht bemerke. Wir sprechen nie darüber. Aber ich kenne ihn gut genug und bemerke, wenn er sich zurückzieht und sich verliert.

»Du könntest ihm sagen, was er machen soll, weißt du. Eigentlich versucht er, genau das herauszufinden, also was *du* willst, dass er macht, glaub mir«, sagt Marcus.

Ich blicke zum Empfang. Der Mensch vor uns ist fast fertig, das erkennt man an seiner Körpersprache.

»Er findet heraus, was *er* will«, sage ich.

Marcus lächelt ganz leicht. »Nein, das tut er nicht«, sagt er fast schon spöttisch. »So funktioniert Dylan nicht. Er benötigt Führung.«

»Niemand benötigt Führung«, sage ich scharf, während ich zum Tresen gehe. »Und er ist absolut dazu in der Lage, seinen eigenen Weg zu finden.«

»Ich dachte, er hätte dich sanfter gemacht«, sagt Marcus. »Aber du bist ganz schön auf Krawall gebürstet. Das gefällt mir, das steht dir gut.«

»Entschuldigen Sie«, sage ich zu der Empfangsdame, während ich immer noch versuche, mir die Wangen mit den Händen zu kühlen. »Kann ich zu meinem Freund reingehen? Er sitzt im Wartebereich.«

»Miss? Miss? Miss? Miss? Miss?«

Puh. Warum hat dieser Tyson Grey keinen Ausschaltknopf. Mein Kater ist grauenvoll, und Achtklässler sind gerade nicht das, was ich brauche.

Vor einer Woche habe ich Marcus in der Notaufnahme getroffen – mit Dylan war alles in Ordnung, er hatte keine Gehirnerschütterung –, und gestern Abend haben wir uns wiedergesehen, bei Cherrys Geburtstag. Ich glaube, er erträgt es inzwischen, sich mit mir in einem Zimmer aufzuhalten. Es war seltsam, irgendwie bedrückend und schwierig mit uns und ich habe zu viel getrunken, und nun schmerzt mein Kopf. Dylan hat mich immer wieder gefragt, ob alles in Ordnung ist, und ich wusste nicht, was ich sagen sollte. *Nein, es ist nicht alles in Ordnung, ich kann deinen besten Freund wirklich nicht leiden.*

Heute Morgen hat Marcus ein Video in seinen Instagram-Storys gepostet, in dem wir alle miteinander tanzen: Ich, Grace, Cherry, Luke, Javier, Marcus, Dylan und Connie und Marta, die Oxford-Mädels aus der Villa. Marcus und ich bewegen uns schließlich Seite an Seite und absolut synchron, während der Rest völlig aus dem Takt ist und nur betrunken hin und her wankt. Über das Video hat er geschrieben *Tanzen auf dem Dach unter den Sternen.*

Ich habe es fünf Mal gesehen, und es ist erst elf Uhr. Als ich in der Morgenpause zur Toilette gehe, öffne ich es wie ferngesteuert erneut und versuche, es zu verstehen. Ich werde das

Gefühl nicht los, dass es dabei um unsere Nacht in Frankreich geht, aber was soll es mir sagen? Jetzt habe ich Kopfschmerzen und bin verwirrt. Tyson Grey ist wie ein schrecklicher Bohrhammer mit seinem ewigen *Miss Miss Miss ...*

Ich drehe mich um, als sich die Tür des Klassenzimmers öffnet. Mein erster Gedanke ist, dass Tyson rausgegangen ist, weil ich ihn ignoriert habe. Einmal war er sauer, weil ich gerade einem anderen Schüler beim Schreiben geholfen habe, und ist aus dem Fenster geklettert. Aber es ist nicht Tyson – Etienne ist gerade hereingekommen.

Er lächelt mich kurz an und blickt sich in der Klasse um. Alle setzen sich ein wenig aufrechter hin. Trotz seines Alters ist Etienne ein ziemlich konservativer Rektor. Eigentlich ist die stellvertretene Schulleiterin Ansprechpartnerin für schlechtes Benehmen, trotzdem werden alle zu Etienne geschleift, wenn man ihnen einen ordentlichen Anschiss verpassen will.

Ich mache weiter mit meiner Stunde. Meine Stimme klingt allerdings ein wenig quietschig, obwohl ich mich inzwischen an andere Lehrer in der Klasse gewöhnt haben müsste – ich werde ständig beobachtet, das gehört zur Ausbildung.

»Tyson!«, bellt Etienne plötzlich.

Ich schrecke auf, dann versuche ich, mir nichts anmerken zu lassen, gehe ganz locker etwas von meinem Schreibtisch holen. Mist. Ich hätte das, was Etienne gerade aufgefallen ist, bemerken müssen.

»Hierher. Bring es mir.« Etienne zeigt auf ein Stück Papier auf Tysons Schreibtisch. »Miss Gilbert, Tyson wird den Rest der Stunde bei mir verbringen.«

»Natürlich«, sage ich und versuche streng auszusehen. »Vielen Dank.«

Vielen Dank? Ist das ein bisschen zu unterwürfig? Nun,

jetzt ist es zu spät. Etienne geht hinter Tyson her und schaut mich gelangweilt an, während er die Tür hinter sich zuzieht.

Ich mache mich auf die Suche nach Tyson, sobald die Stunde vorbei ist und ich die anderen Schüler in die Mittagspause gescheucht habe. Er verlässt gerade das Büro des Rektors, als ich dort ankomme. Etienne steht im Türrahmen und blickt ihm hinterher. Er entdeckt mich.

»Hier, Tyson, deine Gelegenheit«, ruft er.

»Tut mir leid, Miss Gilbert«, murmelt Tyson in Richtung meiner Schuhe.

»Ist okay, Tyson«, sage ich. Als er weg ist, frage ich Etienne leise: »Was hat er angestellt?«

Etienne winkt mich in sein Büro und schließt die Tür.

»Ah, vielleicht sollten Sie einmal tief ausatmen«, sagt er. Er hat einen ganz leichten französischen Akzent – ich höre es an dem *ah*. »Tyson hat seiner Kreativität freien Lauf gelassen.«

Ich blicke auf das Blatt Papier auf Etiennes Schreibtisch, das aus einem Übungsbuch ausgerissen wurde.

So schlimm ist es nicht, um ehrlich zu sein. Ich erkenne direkt, dass er mich gemalt hat. Also zumindest am Gesicht, der Rest ist … weniger gut getroffen.

»Wow«, sage ich. Meine Wangen werden warm. Ich blicke weiter auf das Bild. »Das ist …«

»Ja, ziemlich«, sagt Etienne. »Es tut mir leid, dass Sie das sehen müssen. Jungs im Teenager-Alter …« Er breitet die Hände aus, als wollte er sagen, *Bringt Sie das nicht zur Verzweiflung?*

Auf dem Bild bin ich nackt, in der klassischen Frauenpose aus Comics: Ich stehe mit dem Rücken zum Betrachter, drehe mich aber und blicke über eine Schulter, nur um sicherzustellen, dass man meine Brüste *und* meinen Hintern sieht. Ich bin sehr … drall. Und meine Taille hat ungefähr denselben Umfang wie mein Handgelenk.

»Ich hoffe, es macht Ihnen nichts, dass ich mich darum gekümmert habe. Ich wollte nicht, dass Sie sich unwohl fühlen.«

Ich lächele. »Dankeschön. Nein, ich … Das wäre schwierig gewesen.«

Ich beiße mir auf die Lippen und blicke das Bild an.

»Tyson wird den Rest des Monats nachsitzen müssen. Er und ich haben uns außerdem ausführlich über die Objektifizierung von Frauen unterhalten«, sagt Etienne, lehnt sich in seinem Stuhl zurück und verschränkt die Hände hinterm Kopf. »Ich würde vermuten, dass es weniger als ein Prozent davon in seinen Schädel geschafft hat, aber man weiß ja nie.«

»Zumindest hat er sich entschuldigt.«

»Mm«, sagt Etienne und hört sich wenig beeindruckt an.

»Danke, dass Sie sich so bemüht haben. Das weiß ich zu schätzen.«

Ich drehe die Zeichnung um. *Miss Gilbert die Ferführerin*, steht auf der Rückseite. Ich lache und drehe das Blatt zu Etienne. Er beugt sich vor, um es zu lesen, und seine Lippen zucken.

Etienne blickt zu mir auf, ein Lächeln umspielt seine Lippen. Er sieht gut aus, auf eine offensichtliche und gefällige Weise. Braunes Haar, braune Augen und diese Art weißer Haut, die schnell braun wird.

»Schön, dass sie drüber lachen können, Addie«, sagt er. »Ich mag Ihren … Realismus.«

»Zynismus, meinen Sie?«, rutscht es mir heraus. Es fühlt sich ein bisschen an, als würde ich dem Direx patzige Antworten geben, und ich werde ganz steif. Doch Etienne zuckt nur die Schultern und lehnt sich wieder zurück.

»Die Welt ist voller Träumer«, sagt er. »Praktische Veranlagung wird unterschätzt. Sie nehmen diese Kinder so, wie sie sind. Das wird Sie zu einer großartigen Lehrerin machen.«

Mir fällt auf, dass er im Futur gesprochen hat. Vor allem, weil ich das gestern unterrichtet habe. Dennoch wurde ich gerade zum ersten Mal von Etienne gelobt. Er ist gut darin, Kritik in Feedback einzubetten, aber ich weiß, dass ein Lob von ihm wirklich etwas bedeutet. Das ist das erste Mal, dass ich das Gefühl habe, er hätte etwas in mir gesehen, von dem ich wollte, dass er es sieht.

»Danke«, sage ich.

Etienne nickt. Das ist ein eindeutiges Zeichen, ich eile zur Tür, während Etienne Tysons Gemälde zusammenfaltet und sorgfältig in einer Schublade verstaut.

# *Dylan*

Das Haus meiner Eltern war einst ziemlich prächtig. Einen Teil dieser Pracht hat es sich wie ein alternder Hollywoodstar bewahrt. Der gesamte Westflügel ist heute jedoch abgeriegelt – die Heizkosten sind zu hoch –, und zeigt von außen die schlimmsten Zeichen von Verfall: einige Fensterscheiben sind gesprungen, und an der Wetterseite blättert fast überall die Farbe.

Dad lehnt alles ab, was Geld einbringen könnte: Er würde niemals zulassen, dass wir hier Hochzeiten ausrichten oder alles verkaufen und in ein weniger baufälliges und weniger abgelegenes Haus ziehen. Es ist der Sitz seiner Familie. Aber egal, wie gut seine Geschäfte an der Börse laufen, es ist nie genügend Geld für den Unterhalt da. Das Problem ist ein besonders maßloser Großonkel, der den Großteil des Familienvermögens beim Pokerspiel verloren hat, was ihn zu einem romantischen Helden, aber zu einem nervigen Vorfahr macht. Alles, was er bei seinem Tod hinterließ, war das Grundstück mit dem Haus.

Ich stehe auf der Türschwelle und schrecke zusammen, als plötzlich ein Schuss fällt. Jagen ist das Einzige, was mein Vater auf dem Anwesen erlaubt, insbesondere, da es schon sein Vater vor ihm getan hat. Moorhühner und Fasanen gehören zu Hause zum Leben dazu – einmal saß ein Fasan im Waschbecken, als ich unten ins Bad kam. Er war durchs Fenster hereingeflogen, das seit einiger Zeit klemmte und sich immer noch nicht richtig schließen lässt, wodurch ständig eiskalte Luft hereinzieht und scheinbar immer direkt auf die Toilette.

Wenn mein Vater draußen zur Jagd ist, heißt das zumindest, dass er gut gelaunt zurückkommt. Ich schiebe die Haustür auf – sie muss wieder geschliffen werden, sie lässt sich schwerer öffnen denn je – und trete in die Eingangshalle, den eindrucksvollsten Teil des Hauses. Auf dem Sockel am Fuß der Treppe stehen frische Blumen, und die Bodenfliesen sind erst kürzlich poliert worden.

»Dylan?«

Ich lächele. »Mum?«

»Ich bin hier!«, ruft sie.

Ich verdrehe die Augen. Meine Mutter hat sich nie daran gewöhnt, dass sie in einem so großen Haus wohnt, dass »hier« als Ortsangabe nicht genügt. Sie ist in einem kleinen Reihenhaus in Cardiff aufgewachsen, und auch nach dreißig Jahren Ehe mit meinem Vater ist das nicht ganz aus ihr herauszubekommen. Ihre Ehe war damals ein ziemlicher Skandal, auch wenn nur schwer vorstellbar ist, dass mein Vater jemals etwas auch nur annähernd Anstößiges getan hat.

»In der Küche?«, rufe ich.

»Im Wohnzimmer!«

Ich folge der Stimme in das einzige Wohnzimmer, das wir benutzen, das große Vorderzimmer, das beim Bau des Hauses für den Empfang von Gästen bestimmt war. Der Blick durch die hohen Fenster ist beeindruckend – grüne Felder, durch die der Wind streicht, dunkler Wald, kein Mensch oder Gebäude weit und breit.

Meine Mutter nimmt mein Gesicht in ihre kalten Hände. Sie trägt Reithosen und einen Pullover, der sie leicht pummelig aussehen lässt, weil sie alle möglichen Schichten darunter trägt. Ihr kurzes Haar wirkt etwas weißer als das letzte Mal, als ich sie gesehen habe, aber das ist immerhin auch fast sechs Monate her.

»Mein lieber Junge«, sagt sie und verstärkt den Druck auf meine Wangen. »Wolltest du, dass dein Vater einen Herzinfarkt bekommt?«

Ich löse mich aus ihrem Griff und umarme sie. Ich spüre bereits die dunkle Wolke aufziehen, langsam schleicht sie mein Rückgrat hinauf, dunkler Nebel sammelt sich an meinen Knöcheln. Dieses Haus ist voll davon: Hier bin ich der kleine Dylan, das Kind, das nie etwas für Sport übrighatte, nie gut in Mathe und überhaupt einfach labil war.

»Ich weiß nicht, warum Dad so wütend ist«, sage ich, als ich zurückweiche und mich auf das andere Sofa fallen lasse, das daraufhin verdächtig knarrt. Es ist viktorianisch und mit kratzigem Pferdehaar gefüllt. Sofort bohrt es sich wie kleine Nadelstiche in die Rückseite meiner Schenkel. »Ich habe jedenfalls einen Plan.«

Als ich die Erleichterung auf dem Gesicht meiner Mutter sehe, krampft sich mein Magen zusammen. »Wunderbar! Hast du dich um eine Stelle beworben?«

Ich schlucke. »Nicht … ganz. Aber ich habe mir überlegt, was ich machen will. Ich mache meinen Master in englischer Literatur. Ich will eine wissenschaftliche Laufbahn einschlagen.«

Sie erstarrt und ringt die Hände in ihrem Schoß, als würde sie etwas auswringen.

»Ach, Dylan …«

»Was ist?« Fast schreie ich. Ich war vorbereitet und gewappnet, habe die Abwehr hochgefahren, sobald ich durch die große knarrende Tür getreten bin. »Warum nicht?«

»Das ist nicht … Dein Vater will, dass du etwas machst, bei

dem du finanziell abgesichert bist, Dylan … Du weißt doch, wie die Dinge hier laufen«, sagt sie und streckt hilflos die Hände aus, um auf die schäbigen, von Motten zerfressenen Ränder der Vorhänge zu zeigen und die feuchte Wand, in die aus dem darüber liegenden Bad Wasser eindringt. »Wenn du erbst …«

»*Luke* erbt«, sage ich, wende den Blick ab und starre an die Decke. Sie ist etwas abgesackt und hängt leicht durch, als wollte das Haus mich erdrücken.

»Dylan«, sagt meine Mutter leise.

Dad hat Luke aus dem Testament gestrichen, als er sich als schwul geoutet hat. Ich war zehn, Luke zwölf. *Zwölf.*

Ich balle die Hände zu Fäusten. Ich weiß, dass ich mehr Verständnis für meine Mutter haben sollte – mit meinem Vater verheiratet zu sein muss unsagbar schwierig sein, auch wenn sie ihn liebt. Aber ich kann ihr nicht verzeihen, dass sie Dad in Bezug auf Luke nicht umgestimmt hat. Er erkennt ihn an, lässt ihn zu Besuch kommen, berät ihn bei seinen Geschäftsvorhaben – aber er weigert sich, Javier kennenzulernen, und will seinem schwulen Sohn nicht sein Anwesen vererben.

»Nimm den Job an, den dein Vater für dich in der Firma vorgesehen hat«, sagt meine Mutter sanft. »Dylan, du hast eine Verantwortung.«

»Elinor?«

Die Stimme meines Vaters. Sofort erstarre ich.

»Im Wohnzimmer! Dylan ist da«, ruft meine Mutter, legt die Hände wieder in den Schoß und richtet sich auf.

Es folgt ein Moment der Stille, dann kommt mein Vater noch in matschigen Jagdstiefeln den Flur heruntergestapft.

Er bleibt im Türrahmen stehen und taxiert mich eine Weile. Ich halte seinem Blick stand, die heftige Angst meldet sich, und die Wolke legt sich über mich, und dies ist der Grund, warum meine Mutter mich seit sechs Monaten nicht mehr gesehen hat.

»Schön, dass du Vernunft angenommen hast und nach Hause gekommen bist«, sagt mein Vater und wendet sich bereits zum Gehen. »Hilf deiner Mutter mit dem Abendessen. Und dann unterhalten wir zwei uns mal ernsthaft über deine Zukunft.«

# JETZT

# *Addie*

Im schlimmsten Fall ist es ein verstauchtes Handgelenk. Aber Felicity, die gute Samariterin, die gerade in der Nähe war, hat darauf bestanden, mit mir in die Notaufnahme zu fahren, deswegen bin ich jetzt hier und suche nicht nach Deb.

Ich habe ehrlich gesagt genug von guten Samaritern, die zufällig vorbeikommen. Kevin hat mir gereicht.

»Alles okay, Liebes?«, fragt Felicity und streicht mir mit einer Hand übers Haar. Felicity ist ganz schön touchy. Deb würde sie hassen. Wo immer sie auch sein mag.

In der Notaufnahme im Royal Preston Hospital ist gerade viel los. Jemand wurde mit riesigen Blutflecken auf dem Sommerkleid eingeliefert, wie in einem Horror-Film, und mir gegenüber sitzt ein Mann, dem seine Nase abfallen würde, wenn er sie sich nicht ins Gesicht drücken würde.

Die Pfleger und Ärzte gehen nicht, sie rennen. Ich bin einfach noch eine Patientin, die ihre Zeit verschwendet. Ich mache einen zweiten Versuch, um Felicity davon zu überzeugen, dass ich mich selbst entlassen kann – vergeblich.

»Erst, wenn deine Freunde hier sind«, sagt sie entschieden und reibt meine intakte Hand zwischen ihren. »Mensch, deine Finger sind ja eiskalt! Wie schaffst du es, bei diesen Wetter solche Eiszapfen zu haben?«

Felicity ist um die sechzig, würde ich schätzen, und sie

strahlt Mütterlichkeit aus. Sie trägt ein beiges T-Shirt, wie man es häufig in Secondhandläden findet und schwarze Jeans, auf deren Taschen kleine Blumen gestickt sind. Ihr glänzendes schwarzes Haar ist zu einem ordentlichen Zopf zurückgebunden.

Sie hat meinen Sturz die Autobahnböschung hinunter gesehen. Ich muss zugeben, das sah schon übel aus. Ich bin auf den Standstreifen gestürzt und auf den Asphalt gefallen, mit ausgestreckten Händen. Aber ich war *meilenweit* von Autos entfernt, und der Standstreifen war wegen Bauarbeiten abgesperrt. Und ja, ich habe mir die Knie aufgeschürft und hatte Blut auf der Latzhose, und mein Handgelenk schmerzt wie Hölle, wenn ich versuche, eine Faust zu ballen oder meine Hand zu bewegen, aber es ist alles in Ordnung mit mir.

»Bitte, Felicity«, sage ich. »Ich habe mir die Hand verstaucht, ich muss nicht geröntgt werden, ich muss gar nicht hier sein. Ich verschwende nur die Zeit von allen hier.«

Felicity tätschelt mein Knie. »Pst, Liebes«, sagt sie nur und reckt ihren Hals, um einer vorbeigehenden Krankenschwester nachzuschauen. »Mein Gott, hier wartet man ja ewig! Schlimm! Man würde annehmen, sie würden etwas schneller arbeiten, oder?«

Ich beiße mir auf die Lippen und hoffe, dass es niemand gehört hat. Ich blicke wieder auf mein Telefon: keine Nachricht. Sie würden mir bestimmt schreiben, wenn sie Deb gefunden hätten, also ist sie noch auf den Feldern von Lancashire unterwegs und versucht, uns zu finden. Oder sie fährt allein per Anhalter nach Schottland. Oder wird von einem LKW-Fahrer ermordet.

»Addie?«

Mir bleibt das Herz stehen. Dylan stolpert zwischen den

Taschen, Kindern und Menschen zu uns und lockt sich vor mich, berührt meine Schulter und mustert mein Gesicht.

»Alles in Ordnung mit dir?«

»Absolut!«, sage ich. »Ich habe mir nur ein wenig das Handgelenk verstaucht, mehr nicht. Würdest du Felicity bitte erklären, dass sie mich jetzt gehen lassen kann? Auf mich hört sie nicht.«

»Dylan«, sagt er und streckt Felicity eine Hand entgegen. »Vielen Dank, dass du dich um Addie kümmerst.«

»Sehr gerne«, sagt Felicity und lächelt. »Sie ist ein süßes Ding.«

Ich sehe, dass Dylans Lippe zuckt.

»Ein verbreiteter Irrtum«, sage ich, und aus dem Zucken wird ein kurzes Lächeln.

Dann bemerke ich Marcus. Er hält sich im Hintergrund und hat die Hände in die Taschen gesteckt, beobachtet uns von der Tür aus. Für den Bruchteil einer Sekunde, bevor er bemerkt, dass ich ihn gesehen habe, ist sein Gesichtsausdruck seltsam. Als würde er versuchen, die Antwort auf ein Rätsel zu finden. Er blickt mich an und sieht tatsächlich beunruhigt aus.

»Alles in Ordnung mit dir?«, fragt er lautlos.

Ich blinzele überrascht und nicke verhalten. Er lächelt und dreht sich zum Ausgang.

»Bist du sicher, dass du nicht einfach jemanden draufschauen lassen möchtest?«, fragt Dylan und runzelt wieder die Stirn, während er die Blutflecken auf den Knien meiner Latzhose betrachtet.

»Ich bin mir sicher. Ich will einfach weg.«

Dylan zuckt die Schultern und blickt Felicity an. »Hört sich an, als wären wir weg, Felicity. Vielen Dank noch einmal.«

Felicity schnalzt mit der Zunge. »Hierher! Jetzt! Sie muss einem Arzt vorgestellt werden!«

Dylan lächelt. »Wenn du sie nicht davon überzeugen kannst, Felicity, dann wird es mir auch nicht gelingen. Wenn Addie eine Entscheidung getroffen hat … gibt es daran nichts zu rütteln. Sie bleibt dabei.«

Ich knibbele an dem Blut auf meiner Latzhose und frage mich, was Dylan denken würde, wenn er meine ganzen E-Mails an ihn in meinem Entwürfe-Ordner sehen würde. Die zahllosen Male, in denen ich fast meine Meinung geändert hätte. Aber so ist es eben mit *fast*: Man kann sich zu neunundneunzig Prozent sicher sein, man kann ganz kurz davor sein, es zu tun, aber wenn man es dann nicht durchzieht, wird niemand jemals erfahren, wie kurz davor man war.

Wie sich herausstellt, sieht man in der Notaufnahme sehr schnell einen Arzt, wenn man entlassen werden will. Eine erschöpfte junge Frau schiebt mir einen Wisch hin, auf dem ich unterschreiben muss, dass ich die Verantwortung dafür übernehme, wenn ich – wegen meiner Entlassung gegen ärztlichen Rat – aus den Latschen kippe. Sie lächelt sogar kurz, bevor sie wieder abzischt.

Die Sonne brennt immer noch so hell, dass ich die Augen zusammenkneifen muss. Es ist schwierig, Marcus' Gesichtsausdruck zu deuten, als wir zum Auto gehen, wo er steht. Als wir nah genug sind, sieht sein Gesicht ausdruckslos aus.

»Alles in Ordnung?«, fragt er mich, als wäre er nicht eben reingekommen, um nach mir zu sehen.

»Ja, alles okay, danke.«

Dylan öffnet mir die Autotür, und ich klettere vorsichtig auf den Rücksitz, um mein Handgelenk nicht zu belasten.

»Moment«, sage ich und halte inne. »Ich sollte fahren. Du bist nicht versichert.«

»Schon okay«, sagt Dylan. »Ich kann einfach …«

Aber ich klettere wieder raus. Marcus hat schon auf dem Beifahrersitz Platz genommen. Ich werfe ihm einen Seitenblick zu, während ich mich hinters Steuer setze. Er ist in den Sitz gerutscht wie ein gelangweiltes Kind, als ich aber beim Versuch, die Handbremse zu lösen, leise aufstöhne, zuckt er zusammen und legt direkt seine Hand auf meine.

»Lass mich mal«, sagt er.

Hinter mir höre ich, wie Dylan sich auf seinem Platz windet.

»Danke«, sage ich zu Marcus und ziehe meine verletzte Hand wieder auf den Schoß.

Mit einem verstauchten Handgelenk zu fahren ist ... herausfordernd. Tränen steigen mir in die Augen, als ich schalte. Marcus zuckt nicht noch einmal zusammen, er starrt einfach aus dem Fenster.

»Ist das mein Telefon?«, frage ich plötzlich.

Wir rasen nun die Autobahn entlang. Ich japse kurz vor Schmerz, als ich hinter mir mit der gesunden Hand nach meinem Telefon taste und mit der verletzten vorsichtig das Lenkrad festhalte. Mein Telefon steckt in der Gesäßtasche meiner Latzhose.

»Soll ich ...«, setzt Marcus an, der das Problem erkannt hat und mir dabei helfen will, das Telefon herauszuziehen.

»Ich mach schon«, sagt Dylan und lehnt sich zwischen den Sitzen nach vorne. Seine Hand legt sich auf meine, und ich bekomme eine Gänsehaut. Die Haare stehen mir zu Berge, als er mir das Telefon aus der Tasche zieht.

»Hallo?«

Ich warte angespannt.

»Deb geht es gut«, sagt Dylan zu mir, und ich lasse mich wieder auf den Sitz fallen.

»Gott sei Dank«, murmele ich.

Dylan legt auf. »Unglaublich! Rodney hat sie gefunden«, sagt er.

»Wo war sie?«

»Rat mal«, entgegnet Dylan.

»Ähm … schon beim Budget Travel?«

»Nein.«

»Ist sie die Autobahn entlanggelaufen?«

»Nein.«

»Per Anhalter gefahren?«

»Schon wieder falsch. Du unterschätzt das Händchen fürs Absurde deiner Schwester.«

»Dann gebe ich auf«, sage ich. »Wo war sie?«

»Sie hat ein Bier mit Kevin dem LKW-Fahrer getrunken.«

Kevin hatte ihr anscheinend seine Nummer auf die Hand geschrieben. In der Lobby des Budget Travel erklärt Deb uns vergnügt, wie gut es war, dass sie sie nicht weggeschwitzt hatte. Der erste Mensch, dem sie auf ihrer Wanderung durch Lancashire begegnet war, hat ihr sein Telefon geliehen und sie hat ihn angerufen, damit er sie rettet. Nur, dass er schon in Lancaster war und dort viel Verkehr herrschte. Klar.

»Alles okay mit dir?«, frage ich und drücke ihren Arm kurz.

»Ich habe mir *tierisch* Sorgen gemacht.«

»Klar, alles gut«, sagt sie.

»Wie hat es Kevin in der Zeit bis nach *Lancaster* geschafft?«, lautet meine zweite Frage. »Wir haben das Picknick alle gleichzeitig verlassen! Und wir sind nur bis Preston gekommen!«

Deb zuckt die Schultern. »Kevin ist eben ein talentierter Mann.«

»Und wo ist er jetzt?«, frage ich und blicke zwischen ihr und Rodney hin und her.

Sie sehen beide ramponiert aus. Deb hat ihre andere Milch-pumpe – nicht die batteriebetriebene – in eine Steckdose ge-steckt, und sie surrt an ihrer Brust und auf ihrem Kleid prangen Milchflecken, außerdem hat sie an einem Schienbein einen braunen Fleck – ich hoffe, es ist Matsch. An einem Schuh ist die Sohle abgefallen. Und an Rodneys Gürtel hat sich tatsäch-lich Laichkraut verheddert. Seine Jeans ist pitschnass. Sie trock-net langsam oben, sieht deswegen wie gebatikt aus. Er müf-felt. Gott weiß, was die anderen Gäste dachten, als er in den Pub gewankt kam, wo Kevin und Deb ihr Bierchen gezischt haben.

»Auf dem Weg nach Glasgow, mit seinen Sesseln«, sagt Deb. »Er hat mir angeboten, mich zur Hochzeit zu bringen, aber ich dachte, ich sollte echt auf euch warten«, erklärt sie großzügig.

»Oh, danke.« Ich schaue auf meinem Handy nach der Zeit und fluche. Das mache ich jetzt immer, wenn ich auf die Uhr blicke. »Es ist acht. Wie kann es sein, dass es schon acht ist? Wo ist die Zeit hin?«

»Na ja, du warst in der Notaufnahme«, erklärt Rodney, »und Kevin hat ein wenig Zeit gebraucht, um …« Er verstummt, als er meinen Blick sieht. »Ach, war wohl eine rhetorische Frage, oder?«, bemerkt er.

»Genau, Rodney, eine rhetorische Frage. Wir müssen uns auf den Weg machen, sobald Deb fertig ist.«

»Aber ich bin am Verhungern«, nölt Marcus. Er liegt auf dem Rücken auf dem Teppich und hat Arme und Beine von sich gestreckt wie ein Stern. Von dem kleinlauten Mann im Auto ist nichts übrig geblieben, dem seltsamen neuen Marcus, der wegen meines Handgelenks besorgt war. Dieser Marcus ist so schnell gegangen, wie er gekommen war.

»Wir haben echt lange nichts mehr gegessen«, erklärt Deb.

»Sollten wir uns nicht eine Kleinigkeit holen? Gleich nebenan ist ein Harvester.«

»Ein was?«, fragen Marcus und Dylan wie aus einem Munde.

Ich lache. »Die Kette heißt Harvester, wie der Mähdrescher. Kommt schon, ihr findet das bestimmt gut.«

Marcus setzt sich auf. »Wenn es dort etwas zu essen gibt«, sagt er, »wird es mir gefallen.«

Er ist so lange glücklich, bis wir uns bei Harvester hingesetzt haben und einen Blick in die Speisekarte werfen.

»Dein Ernst?«, fragt er.

Ich verstecke mein Grinsen hinter meiner Karte. »Was meinst du?«

»Wo sind wir hier gelandet? Pizza und warmes Frühstück?« Er sieht zutiefst verwirrt aus. »Was soll das sein? Fusion-Küche?«

Deb prustet vor Lachen. »Essen ist Essen«, sagt sie.

»Also geht man da hin und holt sich Fleisch?«, fragt er und zeigt in die Mitte des Restaurants, wo die Fleischstücke auf Tabletts ausliegen. »Das ist schrecklich. Das ist wunderbar. Kann ich so viele Yorkshire Puddings haben, wie ich will?«

Vierzig Minuten später lehnt Marcus sich ächzend zurück und reibt sich den Bauch.

»Das sollte ihn zumindest für eine Weile ruhigstellen«, flüstert Dylan mir zu. »Wie sieht's mit dem Verkehr aus, Rodney?«

Ich weiß nicht, wann Rodney zum Verkehrslagebeauftragten wurde, aber nun ist er es. Er findet es toll, eine Aufgabe zu haben. Er hat schon sein Telefon herausgeholt und schaut auf Google-Maps nach.

»Ooh«, sagt er und verzieht das Gesicht. »Ähm …«

»So schlimm?«, frage ich.

»Die M6 in Richtung Norden ist gesperrt.«

»Das hört sich … schlimm an …«

»Keine gute Nachricht«, sagt Rodney entschuldigend. »Google leitet uns über die North Pennines um.«

»Wie lange soll das dauern?«, frage ich. Es ist fast neun Uhr, und draußen dämmert es langsam.

»Sechs Stunden.«

Ich lege den Kopf auf den Tisch. »Hmpf.«

»Es ist sinnlos, dort um drei Uhr früh aufzuschlagen, Ads«, sagt Deb. »Komm, wir schauen mal, ob wir Zimmer im Budget Travel bekommen und machen uns morgen früh auf den Weg. Dann sind die Straßen frei, und wir haben vor der Hochzeit ein wenig geschlafen.«

»Nein! Wir müssen weiterfahren!«, sage ich, ohne den Kopf zu heben.

»Das ist doch völlig unrealistisch«, sagt Deb und zieht mir meine Karte unterm Gesicht weg, damit ich mich bewege.

»Ich *hasse* es aufzugeben«, stöhne ich. »Und ich will nicht für eine Nacht in einem blöden Budget Travel zahlen! Wir mussten schon das Airbnb in Ettrick bezahlen, und ...«

Ich bemerke, dass ich vor Dylan über Geld rede. Ich erröte.

»Keiner von euch beiden soll anbieten, es zu bezahlen«, sage ich schnell in Marcus' und Dylans Richtung.

»Nichts läge mir ferner«, sagt Marcus. »Und Dylan ist gerade ohnehin ein armer Poet, deswegen kann man ihn nicht um Almosen bitten.«

»Ach, genau, ich ...« Ich bin gerade total abgelenkt. Ich glaube, ich hätte wissen müssen, dass Dylan kein Geld mehr von seinen Eltern nimmt, wenn er nicht mehr mit seinem Dad redet. »Können wir nicht einfach die Nacht durchfahren?«

»Du hast dir das Handgelenk verstaucht, und mir klebt vielleicht Hundescheiße am Bein, Addie. Ich habe gerade versucht, per Handentleerung Muttermilch abzupumpen, in einem

Wäldchen am Feldrand. Ich muss duschen, und wir müssen uns alle ausruhen, sonst wird bald einer von uns jemanden umbringen.«

»Das stimmt«, sagt Marcus. »Ich bin *so* kurz davor, Rodney zu töten. Wenn er noch einmal mit seinen Fingergelenken knackt ...«

Rodney hält beim Knacken inne. »Sorry, sorry, sorry ...«

»Oder sich entschuldigt.«

»Sor...«, Rodney zuckt zusammen. »Ups.«

Ich seufze. »In Ordnung. Gut. Lass uns mal schauen, ob es im Budget Travel Zimmer gibt.« Ich recke einen Finger in die Höhe, als Marcus den Mund öffnet. »Nein, wir können nicht nach einem Fünf-Sterne-Hotel suchen, Marcus. Wenn du mehr Luxus willst, musst du selbst suchen, aber ich fahre dich da nicht hin, Deb auch nicht.«

»Das stimmt«, sagt Deb. »Ich auch nicht.«

Marcus blickt mich kurz an. Ich bin ziemlich stolz auf mich und meine Rede mit erhobenem Zeigefinger. Sich gegen Marcus zu behaupten ist nicht leicht, selbst, wenn es nur um Hotelzimmer geht.

»Das wollte ich nicht sagen. Du wirst es nicht glauben, ich schaffe es auch eine Nacht ohne Zimmerservice. Ich wollte sagen, dass *ich* mich bei Maggie nach Zimmern erkundigen könnte.« Sein typisches Grinsen sieht etwas erschöpfter aus als normalerweise. »Sie wird uns wahrscheinlich alle upgraden, und wir bekommen eine Suite.«

»Das ist doch wohl ein schlechter Scherz.«

Deb und ich tauschen einen Blick über das Doppelbett hinweg aus und schauen dann schnell weg. Wir können uns mit Müh und Not das Lachen verkneifen.

»Wo soll ich schlafen? In dem scheiß Beistellbett oder was?«, fragt Marcus. Er sieht total schockiert aus.

Ich gebe ja zu, das Familienzimmer im Budget Travel ist nicht auf fünf Erwachsene ausgelegt. Aber es war lieb von Maggie, dass sie uns überhaupt ein Zimmer gegeben hat – das Hotel ist für diese Nacht ausgebucht, weil irgendwo in der Nähe eine Hochzeit stattfindet.

Es gibt ein Doppel- und zwei Einzelbetten, dazwischen ein schmaler Durchgang und ein Babybettchen.

Deb drückt sich eine Hand auf den Magen. »Oh«, sagt sie leise und schaut das Bettchen an. Gott, es hat sich überhaupt nicht gelohnt, ihren Sohn für diesen schrecklichen Roadtrip zu Hause zu lassen.

»Wenn jemand in dem Babybett schlafen muss«, sagt Marcus, »dann Addie. Sie ist so klein wie ein Kind.«

Ich betrachte das Beistellbett. Es ist groß. Aber immer noch ein Kinderbett.

»Ich nehme das Doppelbett«, sage ich. »Mit Deb«, stelle ich schnell klar, als alle direkt Dylan anschauen. »Ihr drei könnt den Rest unter euch aufteilen.«

Deb hat ihr Telefon in der Hand und schaut sich die neusten Bilder von Riley an, die Mum in der Familien-WhatsApp-Gruppe geschickt hat. Ich kann den Bildschirm nicht sehen, das muss ich aber auch nicht. Debs Blick ist ganz weich und sehnsüchtig geworden.

»Komm schon«, sagt Dylan und zieht Marcus am Arm. »Wir sollten Deb und Addie ein wenig Raum geben. Rodney, das gilt auch für dich – komm, wir trinken ein Bier an der Bar und entscheiden dann, wer auf dem Boden schläft.«

Wir blicken uns kurz an, als er sie aus dem Zimmer treibt. *Danke*, sage ich lautlos, und er lächelt.

»Oh, Mann«, sagt Deb und legt ihr Handy weg, als die Tür ins Schloss fällt.

»Was?«

»Das«, sagt Deb und zeigt auf mein Gesicht. »Dieses *Danke*.«

»War halt höflich.«

»Das hättest du vor zwölf Stunden noch nicht gesagt. Was mir wiederum zeigt … dass sich etwas verändert hat, oder?«

Ich setze mich aufs Bett und umfasse mein verletztes Handgelenk. Die Schwellung ist etwas zurückgegangen, aber es ist immer noch empfindlich und die Haut spannt.

»Nichts hat sich verändert. Also, ich vermute, wir haben mehr Zeit miteinander verbracht, deswegen … glaube ich, wir haben uns miteinander arrangiert. Weil wir mussten. Mehr auch nicht.«

»Keine Gefühle?«

»Doch, ganz viele Gefühle«, sage ich und lasse mich mit dem Rücken aufs Bett plumpsen, sodass meine Beine runterbaumeln. »Zu viele, um sie noch zu verstehen.«

Deb legt sich neben mich.

»Du solltest dich wirklich waschen, bevor du auch nur in die Nähe dieses Bettes kommst«, erkläre ich ihr.

Sie ignoriert das. »Erzähl.«

»Bist du sicher, dass du nicht darüber sprechen willst, wie sehr du Riley vermisst?«

»Ganz sicher. Das wird nicht helfen. Erzähl mir von den ganzen Gefühlen wegen Dylan.«

»Gut, also … Er wirkt verändert.«

»Echt?«

»Geerdeter. Lässt sich weniger von Marcus gefallen. Ist reifer. Und selbstbewusster.«

»Das ist alles grandios.«

»Ich weiß. Ich weiß.« Ich reibe mir mit der unverletzten Hand die Augen. »Aber vielleicht sehe ich nur, was ich sehen will.«

»Liebst du ihn noch?«

Deb redet nie lange um den heißen Brei herum. Ich schlucke und blicke an die Decke.

»Ich hasse es, wenn Leute so einen Kack sagen wie *Ich glaube, ich werde dich immer lieben*, wenn sie sich trennen, weil ich immer denke: Warum seid ihr dann nicht mehr zusammen? Aber mit Dylan ...«

»Denkst du, dass du ihn immer lieben wirst?«

»Sagen wir mal so: Ich glaube, ich habe gar nicht damit aufgehört.«

»Nicht einmal, als du damals ein Bild von ihm verbrennen wolltest?«

Ich lächele. »Besonders da nicht. Das war ein krasser Versuch, um ihn endlich zu hassen. Fake it 'til you make it.«

»Und was war mit dem Typen aus der Schule, mit dem du dich getroffen hast?«

Mein Lächeln verblasst. »Ich ... Er hat mich Dylan für eine Weile verdrängen lassen. Aber irgendwie war er trotzdem die ganze Zeit präsent.«

Und dann fragt Deb leiser: »Und als er dich verlassen hat?«

Das Fenster ist geöffnet, um kalte Luft reinzulassen, und man kann das Rauschen der Autobahn hören.

»Ich habe mir nie erlaubt ... ich ...« Mein Hals scheint sich zuzuschnüren.

Deb wartet geduldig.

»Ich habe es vorher nie laut ausgesprochen, Deb«, sage ich.

»Das ist in Ordnung«, antwortet sie. »Du kannst es aber jetzt sagen.«

»Ich kann verstehen, warum er mich verlassen hat.« Ich atme aus.

Die Autos rauschen weiter.

»Es war falsch, dass er dich verlassen hat«, sagt Deb.

»Aber ich verstehe, warum er es gemacht hat. Selbst damals habe ich es verstanden. Deswegen war ich so wütend. Weil ich wusste, dass er recht damit hatte, mich zu verlassen.«

Deb dreht den Kopf, um mich anzuschauen. »Du hast mal gesagt, dass du ihm nie vergeben hättest, dass er dich verlassen hat.«

»Ich weiß. Ihm vergeben hat sich wie Schwäche angefühlt. Und ich wollte mich stark fühlen.«

»Verzeihen ist eine Eigenschaft der Starken««, sagt Deb. »Das ist von Gandhi.«

Eine Träne ist mir vom Augenwinkel ins Ohr gelaufen. Ich schließe die Augen, und zwei weitere kullern hinterher und befeuchten mein Haar.

»Meinst du, ich hätte ihm damals schon vergeben sollen? So wie er mir vergeben hat?«

»Addie …«

»Nein, das ist okay, darüber kann ich reden. Ich kann es sagen.«

»Du weinst.«

Ich lache trotz der Tränen. »Manchmal hilft weinen. Manchmal muss man weinen.«

»Addie, dein Telefon«, sagt Deb und dreht sich auf die Seite, um mein Telefon vom Nachttisch zu holen, wo ich es hingelegt hatte. »Cherry ist dran.«

»Mist.« Ich setze mich auf, dann japse ich nach Luft, als ich aus Versehen die Hand bewege. »Gib mal bitte. Wir müssen ihr sagen, dass wir erst morgen kommen. Ich hätte sie längst anrufen müssen.«

Ich wische mir übers Gesicht und nehme den Anruf an.

»Hey Cherry«, sage ich. »Es tut mir leid, aber ich habe schlechte Nachrichten.«

»Nein!«, erschallt Cherrys blecherne Stimme aus dem Telefon. »Nein! Nein! Nein! Ihr seid nur fünf Minuten entfernt! Fünf Minuten!«

»Sind wir nicht«, sage ich und verziehe das Gesicht. »Sind wir *wirklich* nicht.«

»Krishs Tante und Onkel haben es auch nicht rechtzeitig aus London geschafft. Das ist *echt schlimm*, Ads.«

»Ist es nicht, es ist in Ordnung. Der Verkehr war heute nur besonders schlimm, mehr nicht. Morgen werden die Straßen frei sein, und alle werden rechtzeitig bei eurer Hochzeit sein.«

»*Heute* sollten aber alle schon da sein! Wir mussten unser Familienbarbecue ohne euch abhalten!«

Ich lächele und wische mir über die nassen Wangen. »Rechtlich gesehen gehöre ich nicht zu deiner Familie, weißt du?«

»Halt den Mund! Was! Oh, Gott, Krish winkt mich zu sich – vielleicht noch eine Hiobsbotschaft – beim Floristen gibt es kein Schleierkraut mehr, hast du schon mal so einen Müll gehört? Sie haben kein Schleierkraut mehr? Das ist sozusagen das Grundnahrungsmittel der Blumenwelt, Addie. Die Kidneybohnen im Chili. Verstehst du?«

»Nicht so ganz, aber ich verstehe, dass alles gerade etwas viel für dich ist«, sage ich so ruhig, wie ich es schaffe. »Aber du hast Krish. Das ist das Wichtigste. Und selbst, wenn der Florist keine einzige Bohne mehr im Chili hat, oder wie auch immer, wird Krish morgen Abend dennoch dein Ehemann sein.«

»Ja. Ja.« Ich höre, wie Cherry tief einatmet. »Das ist wichtig. Aber … die ganzen anderen Dinge sind auch wichtig. Nicht ganz so sehr vielleicht, aber immer noch ziemlich.«

Ich lache. »Ja, verstehe ich. Schau mal, wir fahren morgen so früh wie möglich los, und dann werde ich dich ganz fest umarmen und in allen anderen Blumenläden in Ettrick Schleierkraut klauen, wenn du willst. Oder ich bleibe einfach bei dir und sage beruhigende Dinge. Was auch immer du brauchst.«

»Ich liebe dich, Addie«, sagt sie. »Wirklich. Ist die Fahrt okay? Gott, Entschuldigung, ich habe noch gar nicht gefragt – du hast den ganzen Tag mit Dylan verbracht. Ist alles in Ordnung mit dir?«

»Alles gut. Ich habe Deb.«

»Deb ist einfach ein Segen«, sagt Cherry. »Ich wünschte mir, *ich* hätte Deb an meiner Seite.«

»Sorry. Wir werden alle morgen am späten Vormittag da sein, ok?«

»Ok«, sagt sie leise und hört sich gar nicht mehr wie *meine* Cherry an.

»Oh, ich erinnere mich nicht mehr, ob Dylan dir erzählt hat, dass Rodney auch bei uns ist, er wird also auch zu spät kommen. Und Marcus, aber ich glaube, das hast du dir gedacht. Und es ist dir egal.«

»Ja, Marcus muss wissen, dass ich ihn aus Mitleid eingeladen habe«, sagt Cherry. »Wer war noch bei dir, meintest du?«

»Rodney? Er hat eine Mitfahrgelegenheit aus Chichester gesucht, deswegen haben wir ihn mitgenommen. Armer Kerl. Er hat keine Ahnung, auf was er sich einlässt.«

»Rodney?«, fragt Cherry.

»Ja?«

»Rodney und wie weiter?«

»Wie? Ähm.« Ich schaue zu Deb. »Ich weiß nicht mehr. Rodney … Wilson, vielleicht, oder? Rodney White?«

»Rodney Wiley?«

»Ja, das hört sich richtig an. Warum? Gibt es da ein Problem?«

»Ads ... Addie ...«

»Was?«

Deb packt gerade aus, schaut aber zu mir, als sie meine Stimmlage hört.

»Rodney Wiley ist nicht zu meiner Hochzeit eingeladen.«

»Wie bitte?«

»Verdammt, Addie, hast du – ist er bei euch? Ist er gerade bei euch?« Cherry wird lauter.

»Nein, er ist unten an der Bar – was ist los? Was hat es mit ihm auf sich?«

»Er ist *der* Typ. Der Typ von der Weihnachtsfeier.«

»Oh mein Gott. Der seltsame Kerl, mit dem du geschlafen hast, der dir Liebesgedichte geschrieben hat?!«

»Ja!«

»Nein!«, sage ich und lege mir die Hand auf den Mund. »Nein! Der hieß nicht Rodney!«

»Doch, hieß er wohl!«

»Daran hätte ich mich doch erinnert!«

»Was soll ich dazu sagen, Addie, du hast dich *nicht* daran erinnert! Oh mein Gott. Warum kommt er zu meiner Hochzeit?«, kreischt Cherry. »Du musst ihn loswerden!«

»Was zum Teufel ist da los?«, fragt Deb.

»Ist er ... gefährlich?«, frage ich mit weit aufgerissenen Augen.

»Vielleicht!«, sagt Cherry. »Ich meine, na ja, eigentlich nicht, aber tierisch nervig. Und irgendwie hat er sich wohl selbst zu meiner Hochzeit eingeladen, was total abgefahren ist. Wie hat er dich überhaupt gefragt, ob du ihn mitnehmen kannst?«

»Er war in der Hochzeitsgruppe auf Facebook! Nur Menschen mit einer Einladung wussten davon, deswegen dachte ich ...«

»Was ist los?«, fragt Deb wieder.

Ich fuchtele, sie soll kurz leise sein.

»Was machen wir jetzt?«, frage ich Cherry. »Was sollen wir deiner Meinung nach tun? Ist er immer noch verliebt in dich?«

»Sieht ganz danach aus, oder?«, fragt Cherry und hört sich fast schon hysterisch an. »Ich glaube nicht, dass er uns nur beglückwünschen will!«

»Glaubst du, dass er die Hochzeit verhindern will?«

»Über wen redet ihr? Über *Rodney*?«, fragt Deb und kommt näher. Ich stelle das Telefon auf Lautsprecher.

»Cherry? Was sollen wir machen?«, frage ich.

»Ich weiß es nicht«, sagt Cherry und ist kurz davor, in Tränen auszubrechen. »Ich weiß es nicht. Aber er darf nicht hierherkommen. Werdet ihn einfach los.«

Deb und ich blicken uns an.

»Das schafft ihr doch, oder? Ihr könnt ihn loswerden?«

»Ja, natürlich«, sage ich. »Bei deiner Hochzeit wird es keinen Rodney Wiley geben.«

»Ok. Ok. Oh mein Gott, ich frage mich, was er vorhatte.« Cherry hört sich an, als hätte sie das Telefon mit den Händen abgeschirmt. »Ich muss auflegen, Leute, Krish winkt jetzt mit beiden Händen, und er sieht schon echt böse aus – aber ihr werdet es schon schaffen, oder? Es geht mir einfach nicht in den Kopf, dass ihr meinen Stalker *zu meiner Hochzeit* mitnehmt. Gott! Krish, warte mal einen Moment, ja? Ich muss los, Ladies, aber macht das so, wie ich gesagt habe, in Ordnung?«

»Wir werden ihn nicht einfach umbringen, wenn du das meinst«, sagt Deb.

»Was? Deb! Nein! Bloß … Lauert ihm einfach auf. Bindet ihn irgendwo fest. Erschreckt ihn ein bisschen.«

»Cherry!«, sage ich und lache.

»Das ist eine Notsituation, Addie! Ich zähle auf dich!«

Sie legt auf. Deb und ich starren uns an.

»Puh«, sage ich.

»Soso«, sagt Deb.

»Vielleicht … sollten wir einen Plan schmieden?«

»Einen heimtückischen Plan?«

»Nein, einfach einen normalen, vernünftigen Plan.«

»Cherry meinte, wir sollen ihn fesseln.«

»Cherry hat die Hochzeit verrückt gemacht. Das werden wir nicht tun.«

»Dieser Mann muss aufgehalten werden, Addie.«

»Ja, ich weiß, aber – wir müssen das geschickt einfädeln. Wir wollen nicht, dass er weiß, was wir wissen. Dann wird er merken, dass Cherry ihm auf die Schliche gekommen ist. Vielleicht sucht er dann nach einer anderen Möglichkeit, zur Hochzeit zu kommen.«

Deb sieht nun nachdenklich aus. »Stimmt. Wenn wir ihn jetzt loswerden, hat er noch den ganzen Tag, um nach Ettrick zu gelangen.«

»Genau.« Ich kaue mir auf der Lippe herum. »Ich finde es zwar schrecklich, dass Cherrys Stalker in unserem Auto mitfährt …«

»Und mit uns in einem Zimmer schläft …«

»Ich glaube, wir sollten ihn bis zum letzten Moment bei uns behalten und dann … etwas unternehmen. Und ihn *nicht* fesseln«, sage ich und hebe einen Finger in die Höhe.

»Okay, dann ist das unser heimtückischer Plan«, meint Deb mit einem zufriedenen Lächeln. »Den Feind genau im Blick zu behalten.«

Es klopft an der Tür. Wir springen beide auf.

»Hallo?«, sage ich. Ein wenig nervöser, als es mir lieb ist.

»Hey, wir sind's«, antwortet Dylan.

Ich blicke zu Deb. »Kommt rein.«

Dylan blinzelt uns an, und Marcus kommt rein.

»Ist mit euch alles in Ordnung?«, fragt er.

»Wo ist Rodney?«, fragt Deb.

Marcus fängt an, seine Taschen auf dem Nachttisch zu entleeren – Kleingeld, Telefon, Portemonnaie.

»Er hat das Auto genommen und ist losgefahren, weil er sich in einem Laden in der Nähe einen Schlafsack kaufen wollte«, sagt er.

»*Was* hat er gemacht?«, kreischen Deb und ich.

Marcus starrt uns an. »Er ist zu einem Laden gefahren. Was ist denn mit euch los?«

»Rodney hat das Auto?«, frage ich.

»Was stimmt mit dir nicht, Addie?«, fragt Dylan.

»Oh, wegen der Versicherung?«, fragt Marcus, verdreht die Augen und tritt sich die Schuhe von den Füßen. »Er fährt höchstens zehn Minuten, Addie.«

»Rodney ist also weggefahren. In unserem Auto. Alleine.«

»Ja, genau. Warum? Wo ist das Problem?«

# DAMALS

# Dylan

An den ersten warmen Sonnentagen im April sind Luke und Javier in England, und wir machen alle zusammen einen Ausflug nach West Wittering Beach – Addie, Marcus, Grace, Cherry, Luke und Javier. Zwischen Addie und mir hat sich in letzter Zeit etwas verändert. Seit ich ihr gesagt habe, dass ich zu Marcus in die Blockhütte ziehe anstatt zu ihrer Familie, ist sie distanziert, arbeitet viel und weicht mir manchmal aus, wenn ich sie berühren will. Ich wünschte, ich könnte die Entscheidung rückgängig machen.

Marcus ist wieder schlecht drauf – nachdem wir jetzt zusammen wohnen, ist offensichtlich, wie viel er trinkt, und jedes Mal, wenn Addie mich in der Hütte besucht, ist er mürrisch und führt sich kindisch auf. Ich weiß kaum, wie ich mit allem fertigwerden soll und neben dem Drama in der Blockhütte gibt es noch das Drama mit meinem Vater, dessen Haltung zu meinen beruflichen Plänen sich – wenig überraschend – nicht im Geringsten geändert hat.

Darum ist es herrlich, vorübergehend auszubrechen und mit Addie an meiner Seite im nach Salzwasser duftenden Sand zu liegen. Sie unterhält sich intensiv mit Grace, die Cherry eifrig mit Sonnencreme einreibt. Immer wieder hält sie Cherry am Arm zurück und sagt: *Nein, ich bin noch nicht fertig, Süße*, weil Cherry beim Anblick des Meeres sofort hineinspringen will.

Ich bemühe mich, Addies Freundschaft mit Grace nicht beunruhigend zu finden. Ich bin nicht gerade stolz darauf, wie ich mich Grace gegenüber verhalten habe. Damals war ich ein anderer Mensch. Es schien mir provokant und interessant, mit derselben Frau wie mein bester Freund zu schlafen. Dabei war es in Wahrheit ziemlich verwirrend und wahrscheinlich für keinen von uns gesund. Immer, wenn ich an diese Zeit denke, schäme ich mich, darum versuche ich, so wenig wie möglich daran zu denken.

»Ads? Kommst du?«, fragt Cherry, nachdem Grace mit ihr fertig ist und wippt auf den Zehenspitzen. Ich blinzele, als sie eine Ladung Sand in meine Richtung wirbelt. Der Strand ist voll mit Sonnenhungrigen, die alle überaus gut ausgerüstet zu sein scheinen: Es gibt einen mit Hummern bedruckten Windschutz, unzählige Sandeimer, sorgsam aufgestellte Liegestühle und Sonnenschirme, die schief im Sand stecken.

Addie stützt sich auf die Ellbogen. »Dylan?«, fragt sie.

»Ich lese«, sage ich und zeige auf eine Ausgabe von Byrons *Vollständigen Werken.* »Vielleicht etwas später?«

Cherry zieht Addie hoch. »Vergiss Dylan, der ist langweilig. *Du bist nicht* langweilig«, sagt sie zu Addie, die sich zunächst noch wehrt. »Komm! Schwimmen!«

Addie gibt nach, und sie stolpern zum Wasser. Ich beobachte Addie, ihren dunklen wippenden Pferdeschwanz, die klaren Konturen ihres schönen Körpers vor dem Meer.

»Du bist ein Idiot«, sagt Marcus neben mir. Er hat sich die Mütze über das Gesicht gezogen, um sich vor der Sonne zu schützen, wodurch seine Stimme gedämpft klingt. Er trinkt bereits, aber Luke, Javier und Grace ebenfalls, darum versuche ich, mir deshalb keine Sorgen zu machen.

»Ach?«, sage ich und drehe mich zu ihm.

Er rührt sich nicht. »Weißt du, wie leicht sie dir ein anderer Typ jetzt ausspannen könnte?«

»Was?«

Ich sehe mich nach Addie um, die inzwischen im Wasser auf Cherrys Schultern reitet und mit den Armen wedelt, um das Gleichgewicht zu halten. Neben mir dreht sich Grace auf die Seite zu Marcus und hört zu, wahrscheinlich hofft sie auf weiteren Stoff für ihr Buch. In ihrem Rücken knutschen Javier und Luke, die sich in Javiers Handtuch gewickelt haben. Sie rollen herum und werfen sanft Lukes Bier um, das daraufhin im Sand versickert.

»*Ach, amüsier dich ohne mich, Addie*«, sagt Marcus mit verstellter Stimme. »*Ich sitze hier mit meinem Buch und bin halt ein Langeweiler am ersten schönen Tag, den wir seit Monaten zusammen haben.*«

Etwas in meiner Brust zieht sich zusammen, und ungute Gedanken steigen in mir auf.

»Ich dachte, du *willst*, dass ich es versaue«, sage ich und versuche, locker zu klingen, aber eigentlich bin ich wütend, und das überrascht mich. Ich bin nicht oft wütend. »Ich dachte, du hättest gesagt, sie wäre nicht richtig für mich.«

Marcus wirft seine Mütze zur Seite und setzt sich auf. »Manchmal«, sagt er, »ist es wirklich schwer, dir ein guter Freund zu sein. Ich war die Zurückhaltung in Person, und du hast keine verdammte Ahnung, oder? Mann, scheiß drauf.«

Er läuft zum Wasser, zieht unterwegs sein T-Shirt aus, springt hinein und schwimmt zu Cherry und Addie. Sie kreischen, als er sich auf Cherrys Beine stürzt. Dann sind alle im Wasser, Meerwasser spritzt hoch, glitzert golden in der Sonne, und Addie wischt sich lachend die Haare aus dem Gesicht.

Neben mir legt sich Grace gähnend wieder hin.

»Liegt das an mir«, frage ich, »oder ergibt nichts, was er gerade gesagt hat, irgendeinen Sinn?«

Grace tätschelt mir liebevoll den Arm. Durch den Stoff ihres Designerbadeanzugs zeichnen sich ihre Rippen ab, und ich stutze – sie wird immer dünner, vielleicht zu dünn. Sie hat jetzt einen Job als Model, und ihr Haar hat einen schlichten Braunton, was ziemlich ungewöhnlich für sie ist – besser fürs Geschäft wahrscheinlich. Sie verbringt viel Zeit auf Koks-Partys in London oder L. A. Ihr Instagram Feed ist voll von Fotos, die sie mit irgendwelchen Milliardären zeigen oder beim Sonnen auf irgendwelchen Yachten. Über ihr Buch hat sie schon seit einer ganzen Weile nichts mehr gepostet. Ich sollte mich öfter bei ihr melden, aber ich denke immer, um Grace müsste ich mir keine Sorgen machen. Sie war immer die Erwachsene in unserer Clique.

»Marc versteht sich selbst nicht, geschweige denn dich und Addie«, sagt sie. »Achte nicht auf ihn, Süßer, du machst das schon gut.«

Doch für den Rest des Tages werde ich die gedrückte Stimmung nicht mehr los. Marcus' Worte schwirren in meinem Kopf herum wie Wespen, die etwas Süßes umkreisen, und wieder habe ich das Gefühl, dass etwas nicht stimmt, ohne es greifen zu können.

*Weißt du, wie leicht sie dir ein anderer Typ jetzt ausspannen könnte?*

»Wenn du weiterhin darauf beharrst, Dylan, siehst du keinen Penny mehr von uns«, sagt mein Vater.

Das ist das allerletzte Geschütz, das letzte Mittel meines Vaters, seiner Missachtung Ausdruck zu verleihen. Selbst Luke bekommt monatlich noch etwas Geld von ihm, und der leitet inzwischen in New York eine Reihe Schwulenclubs.

Ich straffe die Schultern. Wir stehen in Onkel Terrys Wohnung in Poole und starren durch die deckenhohen Fenster auf das graue aufgewühlte Meer. Ich habe es geschafft, seit dem schrecklichen Besuch Ende Januar nicht mehr nach Hause zu kommen, aber der Party zu Terrys fünfzigstem Geburtstag konnte ich nicht entgehen. Terry ist persönlich hinter meiner Antwort hergejagt. Am Ende habe ich zugesagt, nachdem ich herausgefunden hatte, dass Addie bei einem Junggesellinnenabschied sein würde – ich weiß, irgendwann muss sie meine Familie kennenlernen, aber meine Güte, doch nicht so.

Jeder hier denkt, arme Leute würden sich nicht genug bemühen; in einer Ecke steht eine riesige Eisskulptur in Schwanengestalt und in der anderen spielt ein Streichquartett. Ich bin mir ziemlich sicher, dass die Musiker angeheuert wurden, weil Terry hofft mit der Geigerin ins Bett zu gehen.

»Hast du mir zugehört, Dylan? Es kommt nicht infrage, dass du wieder auf die Uni gehst.«

Wenn mein Vater mir kein Geld mehr schickt, muss ich den Wohnungskauf, den ich schon halb abgeschlossen habe, wieder rückgängig machen. Ich muss den Master selbst finanzieren. Das bedeutet ... Ich weiß eigentlich gar nicht, was das bedeutet. So ungern ich es zugebe, ich habe noch nie kein Geld von meinen Eltern bekommen.

Auf das Geld zu verzichten ist der letzte Schritt in die Freiheit, aber das Geld meines Vaters *bedeutet* auch Freiheit, und wenn ich es aufgebe, kommen die härtesten Jahre meines Lebens auf mich zu.

»Dann gibst du mir eben kein Geld mehr«, sage ich und sehe zu, wie die Wellen brechen. »Ich verdien mein eigenes.«

Am nächsten Wochenende, es ist Mai, treffe ich mich bei Nieselregen mit Addie zu einem Spaziergang im Park des Bischofspalastes. Addie trägt eine graue Kappe und Lycra – sie ist vom Haus ihrer Eltern hergejoggt, ihre Wangen sind vom Training gerötet, und ich liebe sie so sehr, dass ich plötzlich ganz verzweifelt bin.

»Zieh mit mir zusammen«, sage ich.

Sie ist einige Schritte vor mir – wir gehen im Gänsemarsch, um einen Mann mit Kinderwagen vorbeizulassen. Sie dreht sich langsam um und sieht mich mit großen Augen an.

»Du meinst doch nicht …« Ihr Blick springt unsicher von mir zu einem Paar, das Hand in Hand an uns vorbeigeht. »Du meinst in die Blockhütte? Zu Marcus?«

»Nein, nein.« Ich gehe auf sie zu und nehme ihre Hände. »In unsere eigene Wohnung.«

Sie zieht verwirrt die Brauen zusammen. »Kaufst du nicht gerade eine Wohnung?«

Ich habe Addie noch nichts von dem Geld erzählt. Das eine Mal, als wir über Finanzen geredet haben, endete in einem Riesenstreit und war sehr unangenehm, und wenn ich momentan von meinen Eltern spreche, wirkt sie ziemlich verschlossen. Darum habe ich das Thema gemieden.

»Es war eine alberne Idee, in eine Wohnung zu investieren. Meine Güte, ich bin erst zweiundzwanzig. Lass uns irgendwo was mieten. Irgendetwas, das dir *und* mir gehört. In der Nähe der Schule, sodass du nicht so lange mit dem Bus fahren musst … und in der Nähe der Uni.«

Langsam wächst ihr Lächeln, und als sie meine Hände drückt und mich anstrahlt, fühle ich mich, als ginge es mir *besser*, als hätte ich Schmerzen gehabt und sie hätten endlich nachgelassen.

»Im Ernst?«

»Ganz ernst.«

»Du willst den Master machen?«

»Ich will ihn in Teilzeit machen und arbeiten. Vielleicht in einer Bar, oder ich unterrichte.«

Ihr Lächeln wächst weiter. »Wirklich? Du willst arbeiten?«

Ich empfinde so etwas wie Scham. »Ja, na klar ... Jetzt ist Schluss mit dem Rumhängen, meine Ewigkeitsauszeit ist vorbei.«

Sie lacht. »Dylan ... bist du sicher?«

»Ich bin mir sicher.«

Sie umarmt mich fest, und ich wirbele sie herum.

»Hast du dir das gewünscht?«, frage ich und presse meine Lippen auf ihre Kappe. »Warum hast du nichts gesagt?«

»Ich habe es mir nicht gewünscht«, sagt sie und vergräbt ihr Gesicht an meiner Jacke. »Ich meine, ich hatte nichts Bestimmtes im Kopf. Ich wollte einfach nur, dass du machst, was richtig für dich ist. Aber ich bin glücklich, ja. Ich freue mich, dass ich zu deinem Plan gehöre.«

*Du bist mein Plan*, will ich sagen.

»Wollen wir uns ein Café suchen und Wohnungsanzeigen studieren?«, frage ich stattdessen und nehme sie im Weitergehen fest in den Arm.

Sie nickt noch immer lächelnd.

»Hast du es Marcus schon erzählt?«, fragt sie.

Diese Frage trübt mein Glück ein bisschen. »Noch nicht. Aber das mache ich bald. Er ist nicht ... Er ist nicht ganz von der Idee überzeugt, also ...«

Ich verstumme. Addie schweigt.

»Er wird schon zur Vernunft kommen«, sage ich.

Addie sagt immer noch nichts.

»Ist alles okay?«

»Ja«, sagt sie. »Nur … ich habe mich kurz gefreut.«

»Und jetzt … nicht mehr?«

»Nun ja, wenn du es Marcus noch nicht erzählt hast, ist es nicht – ich bin mir einfach nicht sicher, ob du dir das wirklich gut überlegt hast.«

»Wie meinst du das?«

»Sei nicht sauer. Es ist einfach oft so, dass du deine Meinung am Ende noch mal änderst, wenn du etwas noch nicht mit Marcus besprochen hast.«

Ich verlangsame meinen Schritt. »Ach, ja?«

»Schon okay – ich werde nur nicht gleich anfangen, meinen Umzug zu planen«, sagt Addie und sieht mit angespanntem Lächeln zu mir hoch. »Sorry. Bist du jetzt sauer?«

»Nein, nein«, sage ich, obwohl ich mir nicht sicher bin. »Und du weißt doch, Marcus hat nur … Er will nur das Beste für mich.«

»Natürlich«, sagt Addie in merkwürdigem Ton.

»Addie?« Ich werde noch langsamer und löse den Arm um ihre Schultern, damit ich ihr Gesicht sehen kann. »Addie, nimmst du Marcus irgendetwas übel?«

»Nein, nein! Alles okay.«

»Das hast du schon gesagt, und diesmal klingt es noch weniger überzeugend.«

»Es ist *okay*, Dylan. Wie wäre es mit dem Café? Dad sagt, der Karottenkuchen ist ziemlich gut.«

»Addie.«

Sie presst sich die Hände aufs Gesicht und stößt einen Laut zwischen Knurren und Stöhnen aus. »Bitte nicht, Dylan, ich will nicht darüber reden.«

»Worüber? Worum geht es hier eigentlich? Um Marcus? Hat er dich mit etwas verärgert?«

»Hat er …« Sie bleibt stehen und windet sich aus meinem Arm. »Ist es dir ehrlich nicht aufgefallen?«

»Was?« Jetzt wird mir kalt. Es fühlt sich wie der Moment in einem Horrorfilm an, wenn man weiß, dass gleich etwas passiert und man dieses heftige Gefühl im Bauch haben wird.

»Er hat irgendein … Problem mit mir«, sagt sie. Ihre Wangen sind gerötet. »Die Hälfte der Zeit ignoriert er mich. Im Grunde beachtet er mich so gut wie gar nicht. Und in letzter Zeit macht er ständig Bemerkungen, wenn wir alle zusammen sind. Dass ich nicht gut für dich wäre und solche Sachen.«

Ich schlucke und denke an den Abend, als Marcus mit dem schäumenden Bier in der Hand auf und ab gelaufen war und mir gesagt hat, dass Addie schwierig und undurchsichtig sei.

»Und er wollte so unbedingt, dass du mit ihm in diese komische Holzhütte im Garten von seinen Eltern ziehst …«

»Das war total nett von ihm«, sage ich skeptisch. »Dass er mir eine Bleibe angeboten hat.«

»Ich weiß, ich weiß, aber es war auch – ach, vergiss es«, sagt sie und geht weiter. »Ich wünschte, ich hätte nie davon angefangen.«

»Tu das nicht«, sage ich, laufe ihr hinterher und fasse ihren Arm. »He, warte, Addie! Wenn du wütend bist, sollten wir darüber reden.«

»Aber wie klingt das? Es klingt *schrecklich*. Es klingt, als würde ich versuchen, mich zwischen dich und deinen besten Freund zu stellen und – und das ist wahrscheinlich genau das, was du denken sollst, wenn es nach ihm geht, und jetzt spiele ich ihm auch noch in die Hände und …«

»Ads, das ist doch Quatsch. Er spielt nichts. Das ist *Marcus*. Ich kenne ihn, seit ich klein war. Er ist wie ein Bruder für mich. Er ist … das ist Marcus«, ende ich schwach. Wir stehen jetzt vor dem Café und sehen hinein.

»Willst du mir erzählen, dass du ernsthaft dachtest, er findet mich gut? Das nehme ich dir nicht ab, Dyl. Ich wette, er redet ständig auf dich ein, dass du mit mir Schluss machen sollst.« Wieder sind ihre Wangen gerötet, diesmal vor Erregung.

»Ich …« Ich wende den Blick ab. »Er hat früher ein paar Bedenken gehabt, ja, aber ich dachte – manchmal scheint ihr euch gut zu verstehen. Ich dachte, ihr gewöhnt euch vielleicht aneinander.«

Sie schnaubt. »Ja, hin und wieder denke ich das auch. Aber dann ist er wieder ein Arsch.«

»Ich weiß, er kann heftig sein, aber …«

»Er ist dein Marcus. Ich weiß. Das verstehe ich, glaub mir«, sagt sie. »Er … gehört nun mal dazu.«

Fast blaffe ich sie an. Wenn ich Deb nicht mögen würde, würde ich es ihr jemals so schwer machen wie sie mir?

Ihre Miene ändert sich kaum merklich, und ich habe das seltsame Gefühl, dass sie weiß, was ich beinahe gesagt hätte.

»Ich gehe nach Hause«, sagt sie. »Ich muss duschen.«

»Was ist mit dem Karottenkuchen?«, frage ich und blicke zu dem Café.

»Ein anderes Mal«, erwidert sie und läuft bereits los.

Ich stehe da und sehe ihr hinterher, der grauen Kappe, die auf und ab wippt, während sie sich zwischen den Passanten hindurchwindet, und ich habe das Gefühl, etwas würde sich dehnen, ein Bungeeseil, irgendein Band, das uns zusammenhält. Will sie mit mir zusammenwohnen? Oder nicht?

Ich lasse mich aufs Sofa fallen, die weißen Fellkissen kitzeln mich im Nacken. Seitdem Marcus und ich in der Blockhütte wohnen, sind sie nicht mehr ganz so weiß wie vor fünf Monaten.

»Und dann ist sie buchstäblich weggelaufen. Wie wollen

wir weiterkommen, wenn sie immer wegläuft?«, sage ich und zupfe am Etikett meiner Bierflasche. »In letzter Zeit zieht sie sich immer zurück, wenn ich versuche, ihr näherzukommen.«

Aus der Küche ertönt Lärm; Marcus kocht, wozu normalerweise ein überaus kompliziertes Rezept gehört, das Aufsuchen diverser Supermärkte, um Zutaten wie Zitronenbasilikum und Tamarindenpaste zu besorgen, stundenlange Anstrengungen in der Küche, um am Ende den Lieferservice zu rufen.

»Sie hat gesagt, ich hätte ein Problem mit ihr?«, fragt er.

»Hm? Ja. So ungefähr.«

Ich warte, aber es erfolgt keine Antwort, nur weiterer Krach und Geklapper.

»Du hast doch nichts zu ihr gesagt, oder? So etwas, wie … du mir am Abend vor meinem Einzug hier gesagt hast?«

»Ich gehe ihr möglichst aus dem Weg«, sagt Marcus finster.

»Nicht die ganze Zeit«, widerspreche ich. »Neulich Abend habt ihr zusammen einen Film gesehen, während ich an der Bewerbung für den Master gearbeitet habe.«

»Ja, okay«, sagt Marcus, und ich höre, wie er eine neue Weinflasche aufmacht. »Das war ein Aussetzer. Es ist nicht leicht, konsequent zu sein.«

Ich verdrehe die Augen. »Wenn du sie nicht magst, warum sitzt du dann mit ihr auf dem Sofa und siehst einen Film?«, frage ich geduldig.

»Gute Frage, mein Freund. Und wenn du sie magst, warum verbringst du so viel Zeit auf eben diesem Sofa und beklagst dich über sie?«

»Das tue ich nicht«, sage ich stirnrunzelnd.

»Doch. Die Hälfte der Zeit machst du dir Gedanken, was sie denkt. Ständig sorgt sie für Spannungen und spielt irgendwelche Spiele.«

»Sie spielt keine Spiele.«

Marcus erscheint mit zusammengezogenen Augenbrauen im Durchgang zur Küche. »Du bist viel zu scharf auf sie, als dass du es bemerkst. Aber meinst du nicht, jeder spürt diese Energie bei ihr?«

»Was – welche Energie?«

»Diese dunkle, sexuelle Energie, die von ihr ausgeht. Ich sage es nur äußerst ungern, Dyl, aber die ist nicht nur für dich bestimmt. Sie verteilt sie großzügig.«

»Ich habe keine Ahnung, was du meinst.« Aber plötzlich schlägt mein Herz heftig und schmerzhaft, weil ich in Wahrheit genau weiß, was er meint. Addie besitzt diese absolute Ehrlichkeit, Offenheit, Natürlichkeit. Sie ist so *sexy*. Plötzlich fällt mir ein, wie sie in der Bar ausgesehen hat, als ich nach Hause zurückgekommen bin, wie mühelos sich das enge Kleid um ihren Körper schmiegte und dass sie das wusste. Ich denke an all die Male, die wir in einem Pub waren und mir auffiel, wie der Blick eines Mannes magnetisch von ihr angezogen wurde.

»Sie wird dir wehtun, Dyl.«

Die Verzweiflung trifft mich ziemlich überraschend. Es kommt nur selten vor, dass Marcus es schafft, mich zu provozieren, aber das ist zu viel.

»Du willst nur nicht, dass ich ausziehe«, zische ich. »Du willst mich hierbehalten.«

Er weicht leicht zurück, und ich sehe die Verletzung in seinen Augen.

»Ich versuche, auf dich aufzupassen. Das ist alles.« Er spricht mit fester Stimme, aber an der Hand um sein Weinglas treten die Knöchel weiß hervor.

In meiner Hosentasche meldet sich mein Handy. Ich will es

so hastig herausholen, dass ich es fallen lasse und höre, wie Marcus mit höhnischem Lachen wieder in der Küche verschwindet. Es ist eine WhatsApp-Nachricht von Addie.

*Wollen wir morgen reden? Sorry, dass ich so heftig geworden bin – ich hätte mich nicht bei dir über Marcus auslassen dürfen. Ich würde gern mit dir zusammenziehen* ☺

Gott sei Dank. Meine Sorgen lösen sich in Luft auf, und die Wut erlischt wie eine abgeschaltete Gasflamme. Ich ziehe mit Addie zusammen, suche mir einen Job und gehe meinen eigenen Weg, bis ich Professor Abbott bin, Wissenschaftler und Dichter und Geliebter von Addie Gilbert. Marcus' Beschützerinstinkt wird irgendwann nachlassen. Mit der Zeit wird er Vertrauen zu Addie fassen, und sie wird ihn besser verstehen. Alles wird gut.

## Addie

Es ist Frühsommer, Juni, und ich muss mich noch dran gewöhnen, wie wahnsinnig schön es ist, mit Dylan zusammenzuwohnen.

Also vielleicht nicht *wahnsinnig* schön. Wir streiten uns schon häufig, seitdem wir uns eine Wohnung teilen. Anlaufschwierigkeiten, denke ich – und Marcus. Er ist immer für einen Streit gut. Heute Morgen haben Dylan und ich uns eine halbe Stunde lang angeschrien, weil Dylan zweihundert Tacken für einen TV-Ständer ausgegeben hat, den wir nicht brauchen, doch der eigentliche Grund für unseren Streit war, dass Marcus mir vorgeworfen hat, ich würde mogeln, als wir bei Cherry Scharade gespielt haben, und Dylan wieder nicht kapiert hat, dass Marcus ätzend zu mir ist. Und ich konnte nicht sagen: *Marcus war fies, weil ihm meine Art, Scharade zu spielen, nicht passt, und du hast dich nicht für mich eingesetzt*, deswegen habe ich gesagt: *Wir können uns das nicht leisten.* Man kann sich wunderbar wegen Geld streiten. Besonders mit Dylan.

Als ich auf den Parkplatz der Schule fahre, steigt Etienne gerade aus seinem BMW. Er hebt die Hand und grüßt mich, und ich winke zurück, ziehe die Handbremse fest und versuche, mich daran zu erinnern, ob ich mir beide oder nur eine Augenbraue nachgezogen habe. Ich kann mich beim besten Willen nicht mehr daran erinnern. Der Tag ist im Eimer. Jetzt schon.

»Bist du reif für die Sommerferien?«, ruft Etienne, während ich das Auto abschließe und zu ihm gehe. Er lächelt. Im Laufe der letzten Monate ist die Stimmung zwischen uns entspannter geworden. Ich lege mir nicht mehr jedes Wort zurecht, bevor ich mit ihm rede, und mein Herz schlägt mir nicht mehr bis zum Hals, wenn er unangekündigt ins Klassenzimmer kommt.

»Nee«, sage ich und kräusele die Nase. »Ich dachte, ich bleibe hier und arbeite aushilfsweise für die Summer School.«

Er lacht, und ich strahle.

»Du hast dich dieses Halbjahr gut geschlagen, Addie«, sagt er. »Ich bin wirklich beeindruckt.«

Mein Grinsen wird immer breiter. »Oh, vielen Dank. Ich bin dir und Moira wirklich dankbar für alles, was ihr für mich getan habt, auch für eure Geduld, als ich noch ganz neu war.«

»Ich habe ein gutes Gespür für Menschen«, sagt Etienne und hält mir die Tür auf. »Ich wusste, dass du eine gute Lehrerin werden würdest. Und ich wusste, dass du gut zu uns passen würdest.«

Die Tür zum Lehrerzimmer ist schwer zu öffnen, und Etienne hat die Arme voller Aktenordner. Um sie mir aufzuhalten, steht er davor, und ich muss ganz nah an ihm vorbeigehen. Ich lächele ihn dabei kurz an, dann atme ich tief ein. Er sieht mir ins Gesicht, mir wird heiß. Ich kann es nicht genau beschreiben, aber ich habe mich nicht geirrt. In seinem Blick liegt Verlangen.

»Selbst Tysons Vater ist bei dir aufgetaucht«, spricht Etienne weiter, während wir nebeneinander zur Kaffeemaschine gehen.

Er klingt unbeschwert und locker. Von diesem besonderen Blick ist nichts mehr zu erkennen. Ich schaue ihn nicht an, während wir im Lehrerzimmer Kaffee kochen. Wir sprechen.

Plaudern nur. Ich vermute schon, ich hätte das eben bestimmt falsch interpretiert: Er hat mich gar nicht seltsam angeblickt, er war einfach nur höflich und hat mir die Tür aufgehalten.

Doch dann berührt er meine Hand, als wir beide nach der Kühlschranktür greifen. Mein Herz bleibt kurz stehen. Unsere Blicke treffen sich, und da ist es wieder, das geheimnisvolle Lächeln.

»Sorry«, sage ich, ziehe die Hand zurück, meine Wangen glühen. »Mach du ruhig, ich warte.«

»Alles gut, Addie«, sagt er und blickt mich immer noch an. Und dann ist der besondere Gesichtsausdruck wieder verschwunden.

Ich schlucke und nehme meinen Kaffee mit ins Klassenzimmer. Wenn Etienne doch bloß nicht so gut aussehen würde. Ich wünschte, Dylan und ich hätten uns heute Morgen nicht gestritten. Ich wünschte, ich wäre nicht errötet.

Ich blicke auf die Uhr – in wenigen Minuten kommen die Schüler. Ich stehe hier mit meinem Kaffee, starre auf meine leere Tafel und mache fast zehn Minuten lang nichts.

Ich ziehe mein Telefon aus der Tasche und öffne meinen WhatsApp-Chat mit Dylan.

Ich liebe dich. Tut mir leid, dass ich wegen des doofen TV-Ständers so böse geworden bin xxx

Er schreibt schon zurück.

Liebe dich auch. Nicht schlimm. Ich war eher doof, weil ich so viel Geld dafür bezahlt habe. Ich werde ihn dieses Wochenende zurückbringen.

Ich lächele. Dann fängt er wieder an zu tippen.

Kommst du denn morgen mit, wenn Marcus und ich etwas trinken
gehen? Ich fände es wirklich schön, wenn ihr euch besser verstehen
würdet. Bitte! xx

Ich brauche eine Stunde, bis ich mich für ein Outfit für den
Abend mit Marcus entschieden habe und ärgere mich bei jedem neuen Outfit, das ich aufs Bett werfe. Es ist warm, auch
nach sechs Uhr noch über zwanzig Grad. Ich liebäugele mit
den weiten Baumwollkleidern, die ich letzten Sommer in
Frankreich getragen habe, aber sie sind alle zu kurz. Ich bin
wegen der Schule so dran gewöhnt, Kleider bis über die Knie
zu tragen, ein Minikleid wirkt inzwischen skandalös auf mich.

Schließlich entscheide ich mich für Jeans, Chucks und ein
fadenscheiniges weißes T-Shirt, das mir immer von der Schulter rutscht. Ich werde unbekümmert und cool aussehen, weil
meine Schulter nackt sein wird, aber sobald ich das Haus verlassen habe, wird mir klar, dass ich deswegen an noch eine Sache
denken muss. Das Shirt rutscht zu weit und entblößt meinen
abgewetzten trägerlosen BH.

Wir gehen zu einem Pub einige Straßen von unserer Wohnung entfernt. Die Wände sind dunkelblau gestrichen, und
Biergläser hängen von den alten Balken an der Decke, in jedem
wurde eine Glühbirne befestigt. Einen Augenblick lang sehe
ich es durch Marcus' Augen: wie bemüht das aussieht, im Vergleich zu den coolen Pubs in London, die ihm gefallen.

Er ist schon da, sitzt an einem Tisch am Fenster. Das Licht,
das durch das Fenster fällt, wirft dreieckige Schatten auf sein
Gesicht. Er ist schön. Ich vergesse das immer wieder, weil er
fast immer so ein Arsch ist.

Wir umarmen uns zur Begrüßung. Er hält mich auf Distanz, seine Hüften halten Abstand zu meinen, so wie man einen Kollegen oder einen entfernten Verwandten umarmen würde. Er und Dylan reden eine Weile und ich verpasse immer den richtigen Augenblick, um mich einzuklinken, öffne und schließe den Mund wie ein Fisch.

»Und, Addie«, sagt Marcus und knibbelt an einem Bierdeckel auf dem Tisch. »Wie läuft's in der Schule?«

»Gut eigentlich. Ich weiß jetzt, wie man unterrichtet, ein wenig zumindest«, sage ich und drehe mein Glas in den Händen. »Disziplin herzustellen ist mir am schwersten gefallen. Die Schüler dazu zu bringen, dass sie mich respektieren.«

»Das ist bestimmt schwer, wenn man selbst nicht so viel älter ist als sie«, sagt Marcus.

»Genau, und die Hälfte der Elftklässler ist schon einen Kopf größer als ich«, sage ich und verziehe das Gesicht.

Dylan strahlt. Das bricht mir ein wenig das Herz, wie sehr er sich freut, dass wir miteinander klarkommen.

»Und der scharfe Schulleiter?«, fragt Marcus. »Wie geht es ihm?«

Ich erröte und werde noch röter, als ich es bemerke, weil es aussieht, als hätte er mich bei etwas ertappt.

»Etienne?«, frage ich. »Ihm geht es gut. Glaube ich. Wer hat dir erzählt, dass er scharf ist?«

»Dylan meinte das«, sagt Marcus und blickt ihn belustigt an. »Ein- oder zweimal.«

Wenn Dylan etwas peinlich ist, sieht man das an seinen Augen, er kneift irgendwie die Augenwinkel zusammen.

Dylan hat mit mir nie über Etienne gesprochen. Wenn ich darüber nachdenke, glaube ich, dass ich Dylan bei Etienne auch nie erwähnt habe.

»Soso«, sage ich und versuche so zu klingen, als wäre das alles keine große Sache.

»Er hat dich eingestellt, nicht wahr, der scharfe Schulleiter?«

»Ja, er und Moira, die stellvertretende Direktorin.«

Marcus schaut Dylan bedeutsam an.

»Was?«, frage ich und blicke zwischen ihnen hin und her.

»Marcus …«, Dylan spricht nicht weiter.

»Ich habe eine Theorie«, sagt Marcus. »Wenn ein Mann eine Frau einstellt, will er mit ihr schlafen.«

»Das ist … schrecklich«, sage ich. »Und ganz bestimmt nicht wahr.«

»Also will er nicht mit dir schlafen?«, fragt Marcus.

Ich erröte erneut. Ich habe meine blasse Haut nie mehr gehasst.

»Nein, er will nicht mit mir schlafen«, sage ich fest. Aber ich spüre Dylans Blick auf meinen Wangen. Ich spüre, dass er unsicher ist. »So ist es nicht. Ganz offensichtlich nicht.«

Ich will, dass Dylan etwas sagt. Sollte er hier nicht eingreifen? Sollte er Marcus nicht sagen, er solle den Mund halten, aufhören, abhauen? Marcus schmunzelt, und mein Blut kocht.

»Egal, ich habe Neuigkeiten«, sagt Marcus in die Stille. »Ich habe eine neue Idee. Eine App.«

Marcus hat eigentlich immer eine neue Idee. Allerdings wird nie etwas draus, sie zerplatzen wie Seifenblasen und machen Platz für das nächste Hirngespinst.

»Ich glaube, ich kann überall daran arbeiten, warum dann nicht hier?«, sagt er und breitet die Hände aus.

Ich brauche eine Weile, bis das Gesagte bei mir angekommen ist. Verlegenheit und Wut brodeln noch in mir.

»Mit *hier* meinst du Chichester?«

»Ja. Ich werde mir etwas an der Stadtgrenze suchen. Ein

Haus mit zwei Zimmern und einem Jacuzzi«, sagt Marcus und lehnt sich zurück. »Ich werde eine Einweihungsparty machen, das ist klar.«

»Das ist super«, sagt Dylan, aber er blinzelt zu häufig – er ist auch verblüfft. »Ich dachte, in Chichester wäre nichts los, hm?«

»Tja, dann sorge ich dafür, dass etwas los ist«, sagt Marcus grinsend. »Chichester wird nicht wissen, wie ihm geschieht. Noch mal so ein warmes Ale, Addie?«

Er blickt mir nicht in die Augen. Das macht er selten, um ehrlich zu sein. Als würde ich unter ihm stehen und wäre nicht mal eines Blickes würdig. Manchmal möchte ich ihn daran erinnern. Daran, wie er mich ganz am Anfang angeschaut hat. In Frankreich stand er auf mich, da bin ich mir sicher. Damals war ich anscheinend gut genug für ihn.

»Ja, gern«, sage ich. »Dankeschön.«

Als Marcus verschwunden ist, beobachte ich, wie Dylan den letzten Schluck seines Lagers austrinkt und werde wütend, weil er so nachsichtig ist. Er hat Marcus immer schon viel zugetraut. Mit mir ist er genauso, das liebe ich an ihm, deswegen ist es unsinnig, ihn deswegen zu hassen. Das ist total scheinheilig. Aber ich spüre meine Wut trotzdem.

»Findest du das nicht seltsam?«, frage ich. Ich kann mich nicht zurückhalten. »Dass er jetzt nach Chichester kommt, nachdem er so ein Theater gemacht hat, weil du hierherziehst? Und dass er erzählt, dass Etienne scharf ist, einfach so? In meiner Anwesenheit?«

»Warum?«, fragt Dylan und schaut zu mir. »Ist es seltsam für dich, darüber zu reden?«

Er hat noch nie in so scharfem Ton mit mir gesprochen. Manchmal schreit er mich an, wenn wir uns streiten, aber er ist sonst nicht so kurz angebunden und gehässig. Ich starre ihn immer noch an, während mein Telefon auf dem Tisch klingelt. Es ist Deb. Ich runzele die Stirn. Deb ruft mich fast nie einfach so an, sie schreibt mir fast immer zuerst eine Nachricht.

»Warte«, sage ich zu Dylan und rutsche von meinem Stuhl. »Ich bin gleich wieder da.«

Auf dem Weg nach draußen gehe ich an Marcus vorbei, dabei führe ich das Telefon schon ans Ohr. Er blickt mir in die Augen, das ist so ungewöhnlich, dass es mich durchzuckt. Sein Gesichtsausdruck ist schwer zu deuten, sieht aber weich aus – ganz untypisch für ihn.

»Gehst du schon? Habe ich etwas Falsches gesagt?«, fragt er. Seine Mundwinkel heben sich. Ein langsames, hämisches Lächeln, die Milde ist weg.

»Hallo?«, sage ich ins Telefon und gehe an Marcus vorbei. Ich höre, dass er geräuschvoll einatmet, als ich vorbeigehe. Wir rempeln uns etwas zu fest an, als dass es noch ein Versehen sein kann, aber ich weiß nicht, ob er schuld ist oder ich.

»Addie?«

Ich trete in den kühler werdenden Sommerabend und drücke mir das Telefon ans Ohr. Deb hört sich … seltsam an.

»Alles okay mit dir?«, frage ich.

»Wahrscheinlich schon«, sagt sie. »Wahrscheinlich.«

»*Weinst* du?«

»Ja«, sagt Deb verhalten. Sie schnieft. »Ich habe eine Krise, irgendwie.«

»Wie kann ich dir helfen? Was ist los?«

»Also. Hmm. Ich glaube, ich könnte schwanger sein.«


Deb atmet schwer, als würde sie gleich von einem Sprungbrett springen oder als wäre sie in einer frühen Wehenphase. Ihr Gesichtsausdruck ist seltsam. Viel zu ernst. Ich finde es schrecklich, wenn meine Schwester besorgt aussieht, das ist so, als ob Dad weint.

»Es ist nur ein Stück Plastik«, sage ich. »Du musst es dir nur anschauen, dann weißt du es.«

»Dieses Stück Plastik wird mein Leben verändern«, korrigiert Deb mich und blickt auf den Schwangerschaftstest, den sie halb in ihrer Faust versteckt hat. »Und ich kann einfach nicht draufschauen, weil ich es dann weiß.«

»Ja«, sage ich schwach. »Genau, das ergibt Sinn. Ich habe das vielleicht zu einfach ausgedrückt.«

Mit der freien Hand pikst Deb sich in die Brüste. »So sehr tun sie auch nicht weh«, sagt sie. »Wahrscheinlich auch nur, weil ich meine Tage bekomme. Die schon echt überfällig sind.«

»Ja, vielleicht liegt es daran. Du musst nur kurz auf den Test schauen und dann …«

»Oder ich könnte schwanger sein.«

»Du *könntest* schwanger sein.« Ich blicke den Schwangerschaftstest bedeutsam an. »Wenn man das doch nur irgendwie herausfinden könnte.«

»Du bist mir keine große Hilfe«, erklärt Deb.

»Tut mir leid, die Spannung bringt mich um. Bitte schau auf den Test. Ich ertrage es nicht, das nicht zu wissen. Wir sind eigentlich ein einziger Mensch, Deb. Dein Bauch ist mein Bauch.«

Deb hält nachdenklich inne. »Das ist total süß von dir«, sagt sie. »Glaube ich.«

Es herrscht lange Stille. Ich rutsche ein wenig auf dem Badezimmerboden unserer Eltern hin und her. Er besteht aus Teppich, einem abgewetzten dunkelblauen Teppich, der immer mit weißen Zahnpasta- und Seifenflecken übersät ist. Ich verspüre plötzlich Heimweh. Alles hier ist so einfach.

»Wenn dein Bauch mein Bauch ist«, sagt Deb, »würdest du dieses Kind annehmen, falls eins in meinem Bauch wächst?«

»Wow, ähm …«

»Oh«, sagt Deb leise. Sie hat ihre Hand weggenommen und sich das Ergebnis angesehen.

Ich nehme ihr den Test aus der Hand. Eine Linie. Nicht schwanger.

»Gott sei Dank«, sage ich, drücke mir den Test an die Brust und dann erinnere ich mich daran, dass Deb da drauf gepinkelt hat und werfe ihn auf den Boden.

Ich blicke Deb an. Sie weint leise und hat die Lippen aufeinandergepresst.

»Oh, Deb, hey«, sage ich und stoße sie mit der Schulter an. »Hey, es ist okay. Du bist nicht schwanger, es ist okay.«

»Ja«, sagt sie und wischt sich über die Wangen. »Ja, es ist okay. Es ist gut. Ich bin nur … Also, ich habe es mir vorgestellt, glaube ich. Das ist alles.«

»Es dir vorgestellt? Also vorgestellt, wie es ist, schwanger zu sein?«

»Ja.«

Ich warte, weiß nicht so richtig, was ich sagen soll.

»Ich werde nie ein Baby bekommen, oder?«, fragt Deb.

»Willst du … das denn? Ich dachte, du würdest es nicht wollen?«

»Dachte ich auch. Ich weiß es jetzt nicht. Ich will keinen Freund. Ich will keinen Mann. Aber ich wollte dieses Baby irgendwie kurz. Ganz abstrakt. Und deswegen denke ich, dass ich eines Tages vielleicht wirklich eins haben möchte.«

»Du brauchst keinen Mann für ein Baby!«, ich zeige auf den Schwangerschaftstest am Boden. »Schau mal! Du hättest fast eins gehabt, ganz alleine!«

Deb lacht mit tränenüberströmtem Gesicht. »Stimmt. Ich habe nur immer ganz doll versucht, keins zu bekommen. Also ist es ein wenig seltsam zu denken, dass ich vielleicht doch eins haben will. Man sollte doch denken, man kennt sich?«

Sie sieht wirklich perplex aus.

»Manchmal weiß man erst, was man will, wenn man es hat«, sage ich.

»Das ist aber schrecklich«, sagt Deb und reibt sich die nassen Wangen. »Gut. Lebenskrise vorbei. Kein Baby. Willst du einen Drink?«

Ich blicke auf die Uhr auf meinem Telefon. Ich sollte zurück zum Pub. Dylan wird hoffen, dass ich bald zurückkomme, Marcus nicht – noch ein Grund mehr zu gehen. Aber ich will hierbleiben, zu Hause, wo alles nach Gemütlichkeit und Mums liebstem Waschpulver riecht. Ich will bei Deb bleiben, die mich bedingungslos akzeptiert.

»Brettspiel und Wein?«, sage ich.

»Perfekt. Hilfst du mir auf? Meine Lebenskrise hat mich geschwächt.«

# Dylan

Der Sommer passt irgendwie zu Addie und mir, finde ich –
Sonnenschein und lange Tage, Pimms mit Erdbeeren und dicken
samtenen Pfirsichscheiben. Wir haben uns an das Zusammen-
leben gewöhnt und neue Rituale gefunden. Wir wissen, wer
morgens aus welchem Becher am liebsten seinen Kaffee trinkt,
und die dunkle Wolke ist so weit weg wie jemand, den ich
irgendwann in einem anderen Leben gekannt habe.

In Addies Ferien fahren wir an einem Wochenende nach
London, um uns ein Theaterstück anzusehen – sie wollte erst
nicht so recht und hat behauptet, alles, was mir gefiele, sei »un-
verständlich«. Mit der Aussicht auf berühmte Schauspieler und
ein Eis in der Pause habe ich sie jedoch umgestimmt. Innerhalb
von Minuten ist klar, dass ich eine schlechte Wahl getroffen
habe: Auf der Website wird behauptet, dass diese moderne
Interpretation von Marlowes *Das Massaker von Paris* so »schrill
und schillernd wie eine Folge *Love Island*« sei, aber es stellt
sich heraus, dass auch noch so viele neonfarbige Badeanzüge
dieses Stück nicht zugänglich machen. Mit zusammengebissenen Zähnen verfolge ich, wie die Königin von Navarra
ganze fünf Minuten lang stöhnend ihr Leben aushaucht. Was
zum Teufel habe ich mir nur dabei gedacht, Addie nach London zu schleppen, damit sie diesen absoluten Schwachsinn
sieht?

Als Addie gelangweilt und frustriert neben mir auf ihrem Platz herumrutscht, nehme ich ihre Hand.

»Lass uns gehen«, flüstere ich ihr ins Ohr.

»Was?« Sie blinzelt in dem dämmerigen Theater zu mir herüber.

»Das ist totaler Quatsch«, sage ich, die Lippen an ihrem Ohr. Ich spüre, wie sie bei der Berührung erschauert, und das macht mich scharf. Diesem Schauern kann ich nie widerstehen. »Das ist schrecklich, Addie. Es ist … was würde Deb sagen? Das ist absolut fürs Klo.«

Addie schnaubt vor Lachen, und hinter uns zischt jemand, damit sie ruhig ist. Ich ziehe sie an der Hand hoch, und wir schlängeln uns unter diversen Entschuldigungen – *tut mir so leid, entschuldigen Sie bitte* – durch die Reihe. Noch immer Hand in Hand stürzen wir aus dem Theater, und ich gebe mein Bestes, um den sich ewig hinziehenden Tod der Königin von Navarra nachzumachen. Addie lacht so sehr, dass dicke Tropfen mit grauer Wimperntusche auf die zarte sommersprossige Haut unter ihren Augen fallen.

»Ich brauche ein Bier«, sagt sie und wischt sich über die Wangen.

Ich widerstehe dem Drang, die beste Bar der Gegend zu googeln, und lasse mich stattdessen von ihr an der Ecke in einen spärlich beleuchteten Pub mit klebrigem Boden zerren. Sie schafft es, uns mit Deb-ähnlichem Geschick einen Tisch zu besorgen und schnappt einem Bankertyp im Anzug und seiner Begleitung den Stuhl vor der Nase weg.

Wir trinken zu viel und zu schnell, froh den Klauen der Königin von Navarra entkommen zu sein. Als ich aufstehe, um auf die Toilette zu gehen, gerät der Raum leicht ins Wanken, und ich muss mich kurz am Tisch abstützen.

Bei meiner Rückkehr lehnt ein Typ mit kahlrasiertem Schädel und Bart über meinem Stuhl und unterhält sich mit Addie. Unter dem Stoff seines blauen T-Shirts zeichnen sich deutlich seine Muskeln ab. Mir ist klar, dass er auf sie steht. Seine Körpersprache sagt alles, und sie sieht so wunderschön aus in cooler grauer Seide und mit den Perlenarmbändern, die an Kaugummikugeln erinnern.

»Alles klar?«, frage ich und bemühe mich, schroff zu klingen, krächze jedoch nur. Ich bin betrunkener, als ich es sein sollte, und der Anblick von diesem Mann, der sich zu Addie beugt, ihr dunkles Haar, das ihr über die Schultern fällt wie Tinte, die Schlieren durchs Wasser zieht ... Plötzlich erwacht derart heftig die Angst in mir wieder zum Leben, dass ich mich frage, ob ich mich jemals wirklich entspannt habe.

»Dyl«, sagt Addie lächelnd. »Tamal hier hat mich schon seiner Mutter vorgestellt! Wie findest du das, hm?«

Sie will mich nur ärgern. Das sollte ich eigentlich wissen. Doch als ich die ältere Dame bemerke, die hinter Tamal steht – er fragt, ob sie unseren Tisch haben können, damit sie sich setzen kann –, höre ich nur den Vorwurf. Ich bin wütend und eigentlich weiß ich, dass die Wut sich nur gegen mich selbst richtet: Ich hätte Addie inzwischen längst meinen Eltern vorstellen sollen. Doch ich habe sie nicht mehr gesehen, seit sie mir den Geldhahn zugedreht haben, und davon habe ich Addie immer noch nichts erzählt.

»Na, dann gehst du wohl mit Tamal nach Hause?«, entgegne ich.

Die schockierten Gesichter um mich herum katapultieren mich in die Realität zurück. Gott, wie konnte ich nur so etwas Schreckliches sagen. Ich habe ehrlich keine Ahnung, wo das herkam, und dann schießt mir ein Gedanke durch den Kopf, der mir einen Schlag in die Magengrube versetzt: Genau das hätte mein Vater gesagt.

Addie steht wortlos auf, lächelt Tamal und der älteren Dame zu und entfernt sich. Ich nehme an, dass sie draußen vor dem Pub auf mich wartet, aber sie ist nicht da. Vielleicht ist sie am Bahnhof. Sie wartet sicher in Chichester auf mich, damit wir uns ein Taxi nach Hause teilen können. Aber sie kommt noch nicht einmal nach Hause. Sie geht zurück zu ihren Eltern.

Ich bin außer mir. Um zwei Uhr morgens fahre ich zu Marcus, in der Hoffnung, dass er wach und allein ist und sich geduldig anhört, wie sehr ich mich hasse. Er öffnet mir in Boxershorts die Tür, und mir fällt auf, wie dünn er geworden ist – seine Rippen zeichnen sich als blasse Schatten unter der Haut ab, und seine Hüftknochen stehen hervor.

»Hast du sie verlassen?«, fragt er.

Ich glaube, er hat geschlafen. Er spricht undeutlich, und seine Augen sind leicht glasig.

»Ich habe Mist gebaut«, sage ich, »und sie ist einfach gegangen. Ich weiß nicht, ob sie zurückkommt.«

Marcus schließt einen Moment die Augen. »Komm rein«, sagt er und tritt zur Seite. Die Luft im Haus ist abgestanden und stickig. Der Geruch erinnert mich an jene Monate, die wir zusammen im Blockhaus gewohnt haben. Das Haus ist sehr geschmackvoll eingerichtet, und ich frage mich, ob India dabei die Hand im Spiel hatte, obwohl Marcus seine Stiefmutter seit Monaten nicht erwähnt hat.

»Was, wenn sie mich verlässt?«, frage ich. Ich klinge erbärmlich. »Was, wenn ich es so verbockt habe, dass ich sie einem anderen in die Arme treibe?«

»Dann weißt du, dass ich recht hatte«, sagt Marcus mit schwerer

Stimme, lehnt sich gegen den Kühlschrank und schließt erneut die Augen. »Und du kommst her, und wir betrinken uns und endlich wird wieder alles so, wie es sein soll.«

## Addie

Wir streiten uns immer mehr. Entweder sind wir total glücklich oder bekommen uns wegen absoluter Banalitäten in die Haare. Dazwischen gibt es bei mir und Dylan nichts.

An unserem Jahrestag im Juli lädt Dylan mich ins feinste Restaurant von Chichester ein. Er hat einen Job als Nachhilfelehrer bei einer superreichen russischen Familie – sie haben Dylan Hunderte Pfund zum Geburtstag geschenkt. Ich kaufe ihm eine Cafetière, die zu Hause auf unserem Sideboard steht und im Vergleich ein wenig piefig wirkt.

Im Restaurant ist es gespenstisch still. Die Portionen sind winzig, und bei jedem Gang ist mindestens eine Mousse dabei.

»Hmm, köstlicher Schaum … äh … megalecker. Ehrlich, das hat doch noch nie jemand wirklich gesagt, oder?« Ich fahre mit der Gabel durch ein besonders großes grünes Wölkchen.

Dylan schnauft in sein Wasserglas. »Das ist Haute Cuisine, Darling«, sagt er und spricht ganz vornehm. Also eigentlich mit seinem normalen Akzent. So hört er sich immer an, wenn er mit seiner Mum telefoniert. Die ich immer noch nicht kennengelernt habe. Noch ein schwelender Streit für später einmal. Meine Eltern haben ihm im Januar angeboten, zu uns zu ziehen, so gut kennen sie ihn, und ich habe mit seiner Mum und seinem Dad nicht einmal *ein Wort* gewechselt.

»Wie sind deine, äh, gequirlten Kutteln?«

Dylan lacht so doll, dass er fast sein Wasser auf mich spuckt. Ich fange auch an zu kichern, betrachte die anderen Tische, um sicherzugehen, dass niemand starrt. Das Restaurant ist voller sechzigjähriger Männer mit attraktiven Frauen um die vierzig. Was für ein Klischee. Ich betrachte die anderen Tische: Affäre, dritte Ehe, Affäre, Escort, die da wird ihn im Schlaf abmurksen, um an seine Lebensversicherung zu kommen ...

»Das ist gegrillte Entenleber«, korrigiert Dylan mich und räuspert sich. Seine Augen leuchten vor Lachen. »Und du bist eine Banausin.«

»Steht das auf der Nachspeisenkarte?«

Er lächelt, ein unartiges Lächeln, das niemand zu sehen bekommt, nur ich.

»Das hoffe ich.«

Das Telefon klingelt. Ich runzele die Stirn. Wir hatten uns auf ein Handyverbot geeinigt.

»Sorry!« Er zieht es aus seiner Hosentasche. »Ich mache es aus.« Er blickt auf den Bildschirm und erstarrt.

»Alles okay?«, frage ich.

»Ich ...« Er klickt, um die ganze Nachricht zu lesen.

Ich beobachte ihn, während ich gerade eine Gabel mit gegrilltem Salat zum Mund führe.

»Marcus ist ... es hört sich an, als wäre er in Schwierigkeiten.«

Mir wird schwer ums Herz. Marcus. War ja klar. Er weiß, dass es sich um unseren Jahrestag handelt. Natürlich würde er sich in Schwierigkeiten bringen.

»Was ist los?«, frage ich und versuche, meine Stimme so neutral wie möglich klingen zu lassen.

Dylans Schultern sind angespannt. »Er hat in letzter Zeit zu viel getrunken.«

Das weiß ich. Wir haben viel darüber gesprochen. Seitdem er in das seltsame Jacuzzi-Haus in der Nähe von Chichester gezogen ist, geht es mit ihm bergab. Mehr Drogen, mehr Alkohol, mehr Blackouts. Sogar Cherry macht sich Sorgen um ihn, und sie ist ziemlich entspannt, wenn es um persönliche Krisen geht. Sie muss selbst von Zeit zu Zeit von verdrogten Hauspartys ferngehalten werden, aber bei Marcus muss man in letzter Zeit aufpassen, dass er nicht in einen Straßengraben fällt und dort liegen bleibt.

»Ich glaube, er ist wirklich betrunken.«

Ich warte darauf, dass Dylan mir die Nachricht zeigt. Das macht er nicht.

»Ok? Und du denkst, er ist in Schwierigkeiten?«

»Die Nachricht ist ein wenig kryptisch«, sagt er und runzelt die Stirn. Er zeigt sie mir immer noch nicht.

Mein Telefon piepst. Ich zucke zusammen. Offensichtlich habe ich meins auch nicht auf stumm gestellt. Aber Dylan merkt das gar nicht.

Hab dich xx

Von Marcus. Mir wird kalt.

»Was zum Teufel ist das?« Ich zeige Dylan die Nachricht, und während ich sie ihm hinhalte, summt das Handy erneut.

Dylan sieht die Nachricht vor mir. Als ich das Telefon wieder in die Hand nehme, spüre ich, dass er mich beobachtet, so wie er es manchmal macht. Ein wenig misstrauisch. Als würde er denken, ich wäre jemand anderes, der Addie spielt.

Hab dich mit ihm gesehen. Glaub nicht, ich werd das nicht Dylan sagen

Was zum Teufel?

»Ich habe keine Ahnung, was das soll«, sage ich direkt und schaue hoch zu Dylan. »Aber du hast recht. Er ist ganz eindeutig betrunken. Diese Nachricht ist so … *creepy*.«

»Ich gehe zu ihm«, sagt Dylan und legt die Serviette vom Schoß auf den Tisch.

»Wie? Jetzt?«

Er hat die pochierten Hühnerdärme noch gar nicht aufgegessen, oder was auch immer das sein mag.

»Ja, jetzt«, sagt Dylan knapp und schiebt schon seinen Stuhl zurück. Die schönen Frauen schauen alle als Erste zu uns. Drama im Anflug!

»Aber …«

»Wir sehen uns zu Hause.«

Ich muss das Essen mit meiner Kreditkarte bezahlen. Dylan hat eine lächerlich teure Flasche Wein bestellt und obwohl wir es nicht bis zum Nachtisch geschafft haben, bekomme ich eine Rechnung über hundertfünfzig Pfund. Bei dieser Zahl steigen mir Tränen der Panik in die Augen. Ich ertrage es nicht, dass die Reste von Dylans Menü weggeworfen werden, deswegen esse ich die Überbleibsel seines dämlichen Schaums und trinke den Wein. Das alles ist total erbärmlich.

Als ich nach Hause komme, liegt Dylan auf dem Sofa. Er ist zusammengerollt und sieht kleinlaut aus, aber ich bin außer mir vor Wut.

»Sorry«, setzt er an.

»Wofür? Die Tatsache, dass du mich bei unserem Jahrestagsdinner versetzt hast, oder dass ich mich gerade verschuldet habe, um dafür zu zahlen?«

»Oh, Scheiße«, sagt er kurz darauf. »Ich habe nicht daran geda…«

»Natürlich nicht. Dein wertvoller Marcus war in Schwierigkeiten, nicht wahr?« Ich versuche, an ihm vorbeizugehen, aber er probiert mich abzufangen. »Nein, nein«, sage ich und rausche die Treppe hoch.

»Addie, komm schon, lass uns reden«, sagt er, so wie immer. Ich weiß aber, wie man ihn jetzt am besten bestraft. Er hasst es, wenn ich schweige.

»Ich gehe ins Bett. Alleine«, sage ich. »Du kannst auf dem Sofa schlafen. Oder bei Marcus. Was dir lieber ist.«

Als ich am nächsten Morgen runterkomme, liegt er nicht auf dem Sofa. Er ist auch sonst nirgendwo. Ich setze mich auf den Platz, wo er gestern lag und versuche, ruhig zu atmen. Er hat mich verlassen. Er ist weg, weil ich gesagt habe, er solle bei Marcus schlafen oder weil ich meinte, ich würde nicht mit ihm reden, oder weil ich eine Freundin bin, die wütend wird, wenn er seinem Freund helfen will.

Aber – hm. Was ist mit all den anderen Malen, wo ich meinte, es wäre in Ordnung? Als wir für ein Wochenende in die Cotswolds gefahren sind und er wegen Marcus vorzeitig abgereist ist. Als er es nicht einmal zur Geburtstagsfeier meiner Schwester geschafft hat, weil Marcus irgendwo umgekippt war. Als ich ihn mal um einen gemütlichen Sofaabend gebeten habe und er meinte: *Tut mir leid, Marcus will ein wenig Quality Time mit mir verbringen.*

Ich habe mal vermutet, Marcus wäre vielleicht verliebt in Dylan. Aber er hat bislang immer nur Interesse an Frauen gezeigt und an der Art und Weise, wie er Dyl anblickt, lässt sich kein sexuelles Interesse ablesen. Die beiden sind nur … irgendwie auf eine Weise verbunden, die ich nicht verstehe.

Die Tür öffnet sich, und ich setze mich schnell auf.

»Dylan?«

»Hey«, sagt er leise. Er lässt die Schlüssel im Flur fallen und zieht die Schuhe aus. Die Geräusche sind so vertraut, dass ich vom Sofa aus genau sagen kann, was er macht.

»Wo warst du?«

»Ich bin zu Marcus gegangen.«

Ich schlucke. »Oh.«

»Du meintest, ich könnte das machen.«

»Dafür brauchst du meine Erlaubnis nicht, Dylan.«

»Es fühlt sich aber manchmal anders an.«

Er kommt ins Zimmer. Er trägt einen von Marcus' Vintagepullovern mit olivgrünen Rauten. Sein Haar ist zerzaust, und er hat Ringe unter den Augen.

»Es tut mir leid.« Ich schlinge die Arme um mich. »Ich finde das schrecklich. Ich will dir nie das Gefühl geben, du könntest irgendetwas nicht tun. Ich finde nur … dass er dich ganz schön oft in Anspruch nimmt.« *Und er hat ein interessantes Timing*, will ich hinzufügen. *Also eigentlich braucht er dich immer dann, wenn du etwas Wichtiges mit mir machst.*

»Dafür sind Freunde da, Ads. Komm schon. Was würdest du tun, wenn es sich um Cherry handeln würde? Oder Deb?«

Cherry oder Deb würden so etwas nie von mir verlangen. Und – ganz ehrlich – wenn sie Dyl so eine Nachricht schicken würden, wäre ich ganz schon angepisst von ihnen.

»Ich glaube nur, Marcus gefällt unsere Beziehung nicht«, sage ich, stehe auf und gehe zu ihm.

Selbst das kostet Überwindung. Mein Instinkt rät mir zum Weglaufen. Ich will aber wieder Herrin über meine Sinne sein.

»Und manchmal habe ich das Gefühl, er versucht, die Sache zwischen uns zu sabotieren.«

Dylan schüttelt ungeduldig den Kopf. »Marcus meinte, dass du so etwas sagen würdest.«

Er tritt einen Schritt zurück.

»Er meinte, es sei nicht gesund, dass du mich meinen besten Freund nicht sehen lässt.«

»Das stimmt doch gar nicht«, sage ich. Ich stehe wie angewurzelt auf dem Teppich, Dylan ist wieder außer Reichweite. »Tatsächlich lasse ich immer zu, dass du ihn siehst. Sag doch mal, wann ich es nicht zugelassen habe.«

Dylan sieht verloren aus. »Was soll ich sagen, Addie? Dass ich nicht mehr mit ihm befreundet sein will?«

»Nein! Nein.« Obwohl ich es in Wahrheit ganz gut fände. »Du sollst nur zur Kenntnis nehmen, dass es so wirkt, als könnte er mich echt nicht leiden. Dadurch werden immer wieder solche Unterhaltungen zwischen uns ausgelöst. Wenn wir uns streiten wirkt es immer so, als wäre es wegen Marcus.«

»Und ist das seine Schuld?«

»Denkst du etwa, es wäre meine?«

Dylan seufzt und blickt zur Decke. »Ich weiß es nicht. Ich bin total verwirrt. Ich kann keinen klaren Gedanken fassen. Ich liebe euch beide, und ihr erzählt mir völlig gegensätzliche Dinge.«

Er sieht dermaßen verzweifelt aus, dass es mein Herz erweicht. Die Distanz zwischen uns zu überwinden fühlt sich plötzlich nicht mehr so schwer an. Ich bewege mich in seine Richtung und ziehe ihn an mich, ignoriere die Tatsache, dass er die Hände in die Taschen gesteckt hat.

»Ich werde mir mehr Mühe geben«, sage ich. »Ich werde mir mit Marcus mehr Mühe geben, wenn du dir das von mir wünschst.«

# JETZT

# Dylan

»Ein Verräter in unserer Mitte«, sagt Marcus. Er schleicht im Familienzimmer des Budget Travel Hotels umher und überprüft die Fenster, als befänden wir uns in einem Spionageroman von John Le Carré.

»Gibt es etwa keinen Grund, Rodney für gefährlich zu halten?«, frage ich. Es scheint mir eine wichtige Frage zu sein, die man ernst nehmen muss. Marcus liebt Intrigen. Die Gilbert-Schwestern werden mit einer solchen Nachricht spielend fertig. Ich bin der Einzige, der gern wissen würde, ob Cherrys Stalker jemanden umbringen wird.

»Nein«, sagt Deb. Sie ist frisch geduscht und sieht deutlich gepflegter aus. »Komm schon. Wir sprechen von Rodney.«

Es klopft an der Tür.

Wir sehen uns an.

»Ist das – was, wenn er das ist?«, flüstert Addie.

»Das ist gut«, erklärt Deb. »Wir wollen, dass er zurückkommt. Wir brauchen doch schließlich das Auto.«

»Hallo?«, ruft eine Stimme.

Wieder sehen wir uns fragend an. Dass sofortiges Handeln gefragt ist, lähmt uns.

»Und? Ist er es?«, fragt Marcus laut.

Alle zischen ihn an. Ich bin mir nicht ganz sicher, ob es Rodney ist – ich weiß nicht, ob ich ihn nur anhand seiner

Stimme identifizieren könnte, was entlarvend ist. Hat irgendeiner von uns Rodney in den letzten achtzehn Stunden zugehört?

»Hallo, Leute? Ich bin's, Rodney!«

»Das wäre also geklärt«, sagt Deb und steht auf, um ihn hereinzulassen.

Wir richten uns alle etwas mehr auf, als Rodney eintritt – wir versuchen wohl, normal zu wirken, was uns, Rodneys verwirrter Miene nach zu urteilen, nicht sonderlich gut gelingt.

»Alles klar?«, fragt er. Er hat einen Schlafsack unterm Arm und die Autoschlüssel in der anderen Hand.

»Alles klar«, sagt Addie und sammelt sich. »Gibst du mir die Autoschlüssel, Rodney?«

Rodney wirft sie ihr derart ungeschickt zu, dass Addie übers Bett hechten muss, um sie mit der gesunden Hand zu fangen. Als sie sich dabei das verletzte Handgelenk stößt, verzieht sie vor Schmerz das Gesicht. Marcus schnaubt vor Lachen über Rodneys lausigen Wurf, dann scheint ihm wieder einzufallen, dass Rodney ein möglicherweise gefährliches Individuum ist, deutlich interessanter als zunächst angenommen, und er verstummt.

»Also«, sagt Rodney und reibt sich die Hände, »Addie und Deb im Doppelbett, Marcus und Dylan in den Einzelbetten, ich auf dem Boden?«

»Genau«, sage ich. »Wir richten dir am Fußende von unseren Betten ein Lager ein.«

»Hier ist mehr Platz«, sagt er und zeigt auf den Boden am Fußende des Doppelbetts.

Addie wirft mir einen flehenden Blick zu. Der folgende stumme Dialog ist wundervoll – nicht wegen des Themas versteht sich, sondern weil wir so vertraut miteinander sind und uns mühelos auch ohne Worte verstehen. *Schaff ihn so weit fort von mir wie möglich*, sagt sie. *Bin schon dabei*, antworte ich

»Lassen wir den Damen etwas Privatsphäre«, sage ich. »Wenn dir das zu eng ist, nehme ich den Schlafsack und du kannst das Bett haben.«

Marcus sieht mich an, als hätte ich vorübergehend den Verstand verloren, aber ich verlasse mich auf Rodneys Edelmut.

»Ach, natürlich, die Damen sollen ihren Raum haben!«, sagt er erschrocken. »Gott, natürlich! Und natürlich behältst du das Bett, Dylan.«

Marcus nickt mir beeindruckt zu, doch es ist Addies zartes Lächeln, das mein Herz peinlicherweise vor Stolz schneller schlagen lässt.

Deb gähnt. »Es ist nach zehn, zwei Stunden über meiner üblichen Schlafenszeit, und ich habe morgen früh einen Skype-Termin mit meinem Baby. Das ist alles, woran ich gerade denken kann … also, alle runter von meinem Bett.«

»Wir gehen um zehn Uhr ins Bett?«, fragt Marcus und sieht mich verwirrt an. Ich frage mich, wann er das letzte Mal vor Mitternacht geschlafen hat.

Ich erwäge, ihn aufzumuntern und mit ihm zurück in die Bar zu gehen, doch offen gestanden habe ich keine Lust.

»Ja«, sage ich, nehme meine Tasche und begebe mich ans andere Zimmerende zu Einzelbetten und Kinderbett. »Wenn du noch aufbleiben willst, nimm einen Schlüssel mit.« Und als ich genauer darüber nachdenke: »Und mach keine Dummheiten.«

Es folgt gekränktes Schweigen.

»Alter. Du hast dich echt verändert«, sagt Marcus.

Das hoffe ich doch sehr.

Ich liege auf der Seite, die Polyesterdecke bis zum Kinn hochgezogen und kann Marcus gerade noch in der Dunkelheit erkennen. Trotz seines Aufbegehrens gegen unser frühes Zubettgehen schläft er mit beneidenswerter Leichtigkeit ein. Jetzt atmet er tief und gleichmäßig ein Stück entfernt von mir, seine unscharfen Umrisse zeichnen sich grau in dem schwachen Licht ab, das durch einen schmalen Spalt zwischen den Vorhängen hereinfällt. Rodney schnarcht wie mein Onkel Terry: ziemlich laut und wie ein Schwein, es ist fast ein Grunzen. Und äußerst beruhigend. Wenn er schnarcht, weiß ich wenigstens, dass er schläft und nicht mit einem Messer vor mir steht.

Ich kann nicht glauben, dass Rodney Cherry diese schrecklichen Gedichte geschrieben hat. Hoffentlich sind meine Gedichte besser als seine. Hoffentlich hat Addie sie nicht alle gelesen und mich insgeheim für einen Rodney gehalten.

Ich drehe mich um, ich kann nicht schlafen. Das ist kein unbekanntes Phänomen. Ich steigere mich in etwas hinein, das ist das Problem. Ich habe einen Gedanken – zum Beispiel: *Was hat Addie gedacht, als sie meine Gedichte gelesen hat* – und dann folge ich diesem Gedanken unaufhaltsam und komme zu dem Schluss, dass oh, Gott, ich sie noch liebe. Ich habe das Gefühl, dass ich nie aufhören werde, sie zu lieben. Alle sagen, so etwas wie die eine Richtige gebe es nicht, und es seien noch viele Fische im Teich, aber jedes Mal, wenn ich einen von diesen Fischen treffe, vermisse ich Addie nur noch mehr. Ich habe den Versuch aufgegeben, sie zurückzugewinnen, aber das scheint nicht zu genügen, um sie zu vergessen – man sollte denken, dass der Schmerz der unerwiderten Liebe genügt, damit das Gehirn von der ganzen Geschichte Abstand nimmt, aber anscheinend nicht.

Ich stehe auf. Ab irgendeinem Punkt ist das Herumliegen in

der Dunkelheit unerträglich, und ganz plötzlich befinde ich mich an diesem Punkt. Auf Zehenspitzen schleiche ich ins Bad, an Deb und Addie im Doppelbett vorbei, zwei undeutlichen stillen Gestalten. Die Gilbert-Schwestern, unzertrennlich wie eh und je. Früher dachte ich, Marcus und ich wären wie sie.

Nachdem ich auf der Toilette war, ist nichts mehr zu tun – normalerweise, wenn ich nicht schlafen kann, wandere ich umher, lese vielleicht etwas oder schreibe sogar. Doch hier kann ich nirgends hingehen, außer draußen auf den Parkplatz, und ich gehöre zu den wenigen in unserer Gruppe, der nicht exzentrisch genug ist, um im Pyjama auf dem Parkplatz eines Budget Travel Hotels herumzuspazieren.

Stattdessen betrachte ich mich im Spiegel über dem Waschbecken. In den letzten eineinhalb Jahren hat es Momente gegeben, in denen ich sogar mein Spiegelbild kaum ertragen konnte. Jetzt sehe ich nur einen traurigen müden Mann, der schlechte Entscheidungen getroffen hat, was schon ein Fortschritt ist.

Ich spritze mir kaltes Wasser ins Gesicht und lasse es von meinen Haarspitzen tropfen, dann richte ich mich auf und will einen Laut ausstoßen, beherrsche mich jedoch – ich habe immer noch den Impuls, leise zu sein. Die Tür geht auf. Ich habe vergessen, sie abzuschließen.

Es ist Addie. Als sie mich sieht, erschrickt sie, aber ebenfalls leise, sie ringt nur nach Luft und fasst sich mit einer Hand an den Hals.

»Sorry«, flüstern wir beide gleichzeitig.

»Ich …« Ich mache Anstalten, zur Tür zu gehen.

»Nein, ich gehe«, murmelt sie, die Hand auf dem Türknauf. »Ich muss gar nicht pinkeln, ich musste nur …«

»Raus?«

»Ja.« Sie lächelt schwach. »Kannst du immer noch nicht gut schlafen?«

Schlimmer denn je – ich habe nie so gut geschlafen wie an ihrer Seite.

»Rodney tut sein Übriges«, sage ich.

Addie schließt leise hinter uns die Tür und somit die Laute der drei Schläfer aus.

»Das Schnarchen? Oder dass er so gruselig ist?«, fragt sie.

»Er ist einfach eine *tragische Gestalt*«, sage ich. »Ich habe ein paar der Gedichte gelesen, die er Cherry geschickt hat.«

»Das, in dem er ihre Vagina mit einer Erdbeere vergleicht?«

»Was? Nein!«

Addie schlägt sich eine Hand vor den Mund. »Oh.«

»In welcher Hinsicht?«

»Hm?«

»Inwiefern ist sie wie eine Erdbeere? Denn wenn er sich auf die Farbe bezieht, bin ich nicht sicher, dass …«

Ich verstumme, und Addie beginnt zu lachen, wobei sie sich immer noch mit einer Hand den Mund zuhält, um den Laut zu ersticken. Sie beugt sich mit bebenden Schultern vor und stützt sich mit der anderen Hand auf dem Waschbecken ab.

»Oh, Gott«, sagt sie. »Wir sind allesamt Idioten.«

»Dabei sollte man doch meinen, dass er bei ihrem Namen eher an Kirschen als an Erdbeeren denkt«, überlege ich.

Sie lacht noch mehr, und ich merke, wie glücklich mich das macht. Nichts ist schöner, als Addie zum Lachen zu bringen.

»Dylan«, sagt sie.

Ich weiß nicht, ob es absichtlich geschieht, aber sie bewegt die Hand auf dem Waschbeckenrand und plötzlich liegt sie auf meiner, und sie sieht mit strahlenden lachenden Augen zu mir hoch. Mein Herz schlägt in meinem ganzen Körper, bis in die Fingerspitzen unter ihrer Hand. Meine Freude wächst, es ist wie eine irre nukleare Explosion inmitten meiner Brust, und der Gedanke, dass ich jemals aufhören könnte zu hoffen, dass sie meine Liebe aufs Neue erwidert, ist lächerlich. Denn die Hoffnung ist sofort wieder da. Sie war nie wirklich weg.

Sie nimmt ihre Hand fort. »Tut mir leid.«

»Nein, nein«, hebe ich an und balle meine Hand zur Faust, um sie nicht nach ihr auszustrecken.

Sie führt die Hand zu ihrem Gesicht und legt sie auf Wange und Stirn.

»Das hätte ich nicht tun sollen«, sagt sie. »Es tut mir leid. Ich habe versucht – ich habe ...«

»Addie?«

Sie weint. Vorsichtig rücke ich näher, sie ebenfalls. Sie lehnt sich an meine Brust, und ich lege die Arme um sie, als wären wir zwei Puzzleteile, die sich ineinanderfügen. Sie passt perfekt zu mir, sie gehört hierher.

»Addie, was ist los?«, frage ich. Es kostet mich meine gesamte Kraft, nicht den Kopf zu neigen und meine Lippen auf ihr Haar zu drücken, so wie früher, wenn sie traurig war.

»Es tut mir leid«, sagt sie. »Es tut mir so leid.«

»Pscht. Schon okay. Dir muss nichts leidtun.«

Ihre Faust umschließt den Stoff von meinem Pyjamaoberteil. Ich spüre ihre nassen Tränen an meiner Brust und nehme sie noch fester in den Arm.

»Bei dir sieht das so leicht aus«, sagt sie mit gedämpfter Stimme, die auf meiner Haut vibriert.

»Was sieht leicht aus?«

»Mir zu vergeben«, sagt sie so leise, dass ich es kaum verstehe.

»Dir zu vergeben?« Langsam und behutsam streiche ich ihr über den Rücken.

»Ich weiß nicht, ob ich das so kann wie du.«

»Addie ... ich erwarte nicht, dass du mir vergibst. Ich verstehe, wie schwer das ist.«

»Nein«, sagt sie und schüttelt an meiner Brust den Kopf. »Nein, das weißt du nicht ... Ich meine nicht, dass ich dir nicht vergeben kann, Dylan – Gott, ich habe dir schon vor Monaten vergeben, eigentlich gleich, vielleicht ist es ...«

Ihre Stimme verhallt, sie bebt in meinen Armen, und ich empfinde zu vieles gleichzeitig: Hoffnung, Traurigkeit, den Verlust dessen, was wir miteinander hatten ...

Da geht die Badezimmertür auf, und wir erstarren.

»Oh, verdammte Scheiße«, sagt Marcus. »Ich hätte es wissen müssen.«

# *Addie*

Ich flüchte aus dem Badezimmer, schiebe mich an Marcus vorbei. Wegen der Dunkelheit und meiner Tränen sehe ich kaum etwas. Ich wecke Deb, weil ich mich auf ihr Schienbein knie, als ich versuche, wieder ins Bett zu klettern.

»Addie?«, flüstert Deb.

Ich verstecke mich unter der Decke.

»Das ist total typisch«, sagt Marcus im Badezimmer. Seine Stimme klingt so laut. Ich wette, Rodney sitzt jetzt aufrecht in seinem Schlafsack, weil ihn der ganze Krach aufgeweckt hat. Ich presse die Augen zu und versuche, mich auf meine Atmung zu konzentrieren, aber ich atme einfach zu schnell.

»Wir hätten in diesen Teil von Schottland am Arsch der Heide *laufen* sollen; ich hätte dich nie mit ihr in dieses Auto einsteigen lassen sollen!« Marcus spricht immer lauter.

»*Er* wollte mit uns fahren«, sagt Deb. Sie kommt zu mir unter die Decke. »Ignoriere ihn, Addie. Du weißt, dass er eine Ausgeburt der Hölle ist.«

»Sei ruhig«, sagt Dylan zu Marcus.

Deb und ich fahren zusammen. Das ist ein Ton, den ich noch nie zuvor bei Dylan gehört habe. Nicht, wenn wir uns gestritten haben und auch nicht an dem Abend, als er mich verlassen hat.

»Sei. Einfach. Ruhig.«

Wir liegen reglos da. Ich kann Deb nicht sehen, aber ich spüre ihren Blick.

»Du hast keine Ahnung, wovon du sprichst. Und ich lasse dich nicht so über Addie reden.«

»Willst du mich *verarschen*?«

»Was ist los?«, fragt Rodney aus der anderen Zimmerecke.

»Warum sagst du immer wieder, ich wisse nicht, wovon du sprichst?« Marcus schreit jetzt. »Warum sagt jeder so einen Scheiß, wenn ich der Einzige hier bin, der weiß, wovon er spricht? Ich habe ein Foto davon gemacht, Dylan. Ich habe sie in seinem Büro gesehen, als er ihr den Oberschenkel gestreichelt hat, als würde er …«

Ich höre ein Handgemenge – Deb greift nach meiner guten Hand und drückt sie so fest, dass es schmerzt, ich spüre wieder Verzweiflung, die mir die Kehle zuschnürt, ich reiße mich von Deb los, springe aus dem Bett durch die Badezimmertür und lande bei Marcus und Dylan, die ineinander verkeilt und brüllend miteinander kämpfen, und ich drücke mich an den verknoteten Gliedmaßen vorbei und schaffe es gerade rechtzeitig zur Toilette, um mich zu übergeben.

# DAMALS

# *Dylan*

So habe ich Marcus noch nie gesehen. In seinen Locken klebt getrocknetes Erbrochenes, und sein Blick ist derart leer, dass er aussieht wie ein Zombie. Das Wohnzimmer seines Hauses ist voll mit Imbissschachteln, und alles klebt und stinkt. Auf dem Teppich breitet sich langsam und kreisförmig Fanta aus. Er muss sie gerade umgeworfen haben, als er zur Tür gegangen ist, um mir zu öffnen.

»Marcus«, hebe ich an, dann taumelt er nach vorn und ich fange ihn auf. Ich versuche, trotz seines Geruchs nicht den Kopf zur Seite zu drehen. »Marcus, was zum Teufel ist passiert?«

Es ist drei Monate her, dass ich das Essen an unserem Jahrestag verlassen und Marcus betrunken mitten auf der Straße vor seinem Haus gefunden habe. Er stolperte mit einer Flasche in der cinen und seinem Handy in der anderen Hand durch die Vorstadt von Chichester – ein Bild der Zerstörung. Seither war ich so oft wie möglich mit ihm zusammen, doch das genügt nicht – er braucht professionelle Hilfe. Im September war Luke für einige Wochen hier, und Grace kommt häufiger als erwartet – sie kann auch gut mit Marcus umgehen, bei ihr ist er ruhig –, aber keiner von ihnen ist im Notfall für ihn erreichbar. Grace lebt jetzt in Bristol und versucht, Abstand von der Londoner Modelszene zu bekommen, und Luke ist mit Javier nach New York zurückgekehrt.

Die Tage werden kürzer und dunkler, und Marcus benimmt sich zunehmend seltsamer. Letzte Woche habe ich ihn vor unserer Wohnung gefunden – die er sich eigentlich in letzter Zeit aufzusuchen weigert –, wo er auf die Mülltonne geklettert war. Als ich ihn fragte, was er da mache, hat er sich nur an die Nase getippt. »Alles zu seiner Zeit, mein Freund«, sagte er, wobei eine Knäckebrotschachtel aus dem Müll wie ein Schmetterling an seinem T-Shirt hing. »Alles zu seiner Zeit.«

Heute Abend, nach Schulschluss, sollte ich Addie mit nach Wiltshire nehmen, damit sie endlich meine Eltern kennenlernt. Die Vorstellung, wie wir uns streiten werden, wenn ich ihr sage, dass wir es erneut verschieben müssen, ist unerträglich, aber ich kann Marcus auf keinen Fall allein lassen.

»Ich wusste, dass du kommst«, sagt er, als ich ihn aufrichte und zum Sofa führe. »Ich wusste es.«

»Ja, ich bin da«, sage ich müde und setze ihn so gut es geht aufs Sofa. »Musst du dich noch mal übergeben?«

»Was? Nein! Hau ab. Ich muss nicht – ich muss nicht kotzen.«

Als ob hier nicht an allem bereits der beißende Geruch von Erbrochenem haften würde, einschließlich an mir selbst, nachdem ich ihm aufs Sofa geholfen habe. Ich setze mich in den Sessel ihm gegenüber und betrachte meine Füße. Ich bin körperlich erschöpft. Ein Gedicht kommt mir in den Sinn, etwas über *das Verlangen zu geben* und *die stille Leere*, aber ich bin zu müde, um es weiterzuspinnen.

Das Masterstudium ist hart – auch als Teilzeitstudium scheint es jede freie Stunde in Anspruch zu nehmen, und ich habe vergessen, wie anstrengend Lernen sein kann. Viel zu lange habe ich diese Muskeln nicht mehr trainiert. Die ganze Zeit bin ich durch Kambodscha gereist und habe moderne Romane gelesen und plötzlich sind die Texte, die ich für meine Abschlussprüfung in- und auswendig kannte – Chaucer, Middleton, Spencer – wieder wie eine Fremdsprache für mich.

Im Sommer war es kein Problem, abends in der Bar zu arbeiten. Da war ich tagsüber mit Addie zu Hause, aber durch die Spätschichten fällt es mir zunehmend schwer, morgens früh aufzustehen und zu lernen. Hin und wieder kommt eine Nachricht von meiner Mutter, um die Stimmung zu testen und zu sehen, ob ich verzweifelt genug bin, meine Eltern wieder anzubetteln.

Ich hoffe, dass sie es als Friedensangebot verstehen, wenn ich ihnen Addie vorstelle. Insgeheim, in meinem Hinterkopf, habe ich nie wirklich geglaubt, dass meine Eltern mich für immer im Stich lassen. Ich dachte, sie würden sich irgendwann auf den Chichester-Plan einlassen, und die Geschenke, die monatlichen Zahlungen und die Kreditkarten würden zurückkehren. Mir das einzugestehen ist nicht angenehm, und außerdem sieht es allmählich so aus, als hätte ich mich getäuscht.

»Ich rette dich, mein Freund«, sagt Marcus und wedelt mit dem Finger vor mir herum. »Alles, alles ergibt einen Sinn, wenn du es weißt. Wenn du es *weißt*.«

»Wovon redest du?«, erwidere ich schärfer als nötig – er ist kaum in der Lage, die Wörter zu formen, geschweige denn, etwas Sinnvolles von sich zu geben.

»Ich zeige es dir. Wie verdorben sie ist. Wie schlecht für dich. Addie. Ich meine, du denkst, ich brauche Hilfe, du denkst, ich brauche Hilfe, du …«

Er lässt sich jetzt ständig über Addie aus und erzählt mir, ich sollte sie verlassen, mit ihr Schluss machen, alles sei besser gewesen, bevor sie in mein Leben getreten sei. Ich glaube, dass diese Fixierung auf Addie ein Symptom seiner Krankheit ist – Alkoholismus, vermute ich, vielleicht auch noch etwas anderes –, aber es ist schrecklich und so sehr ich mich bemühe, Addie davor zu schützen, sie weiß, dass er sie verachtet. Ich finde es unerträglich, wenn er so über sie spricht und stehe auf, um in die Küche zu gehen. Unterwegs steige ich über eine Plastikschachtel mit chinesischem Essen, aus der seitlich Nudeln wie Eingeweide herausquellen. Er braucht Wasser, wenn er es denn bei sich behalten kann.

In der Küche sieht es noch schlimmer aus als im Wohnzimmer – es gibt keine sauberen Gläser, und ich spüle zwei mit Handseife, weil kein Spülmittel da ist.

Seit India Joel verlassen hat, war Marcus nicht so schlecht drauf. Ständig wache ich nachts auf und frage mich, was ihn so dermaßen aus der Fassung gebracht hat, was ihn so verändert hat, was ihn so in die Verzweiflung treibt, dass er sich wieder verliert. Marcus' Vater hat den Kontakt zu ihm abgebrochen, ebenso India, darum braucht er mich mehr denn je – es ist schrecklich, was er tut, um das Geld für Miete und Alkohol zusammenzubekommen. Vor ein paar Wochen, als ich sein Handy aus einer Pfütze mit klebriger heißer Soße aus einem Imbiss gefischt habe, habe ich sein Profil auf einer Escort-Website entdeckt.

»Trink das«, sage ich und reiche Marcus das Wasser. »Ich gehe raus und besorge dir was Anständiges zu essen. Etwas Nahrhaftes.«

»Kommst du anschließend wieder. Und isst mit mir?«, fragt Marcus und sieht mit glasigen Augen zu mir hoch.

»Ja, mach ich.«

Er lächelt. »Gut«, sagt er und lässt sich aufs Sofa zurückfallen. »Gut.«

## Addie

»Addie, beruhig dich …«

Ich presse mir das Telefon schluchzend ans Ohr. Ich sitze in einer Kabine der Personaltoiletten, nach vorne gebeugt mit meinem Haar im Gesicht. Ich muss leise weinen. Ich kann nicht riskieren, dass ein anderer Lehrer mich hört. Und ich habe nur zehn Minuten, bevor die Glocke läutet und ich eine ganze Klasse launischer Teenager dazu bringen muss, die Schlacht am Boyne historisch einzuordnen.

»Ich kann nicht mehr, Deb«, flüstere ich. »Ich habe das Gefühl, er macht mich verrückt. Ich bin jetzt jemand, der ich nie sein wollte. Weißt du noch, gestern, als ich dachte, Marcus würde in unserem Müll wühlen?«

»Wie bitte?«

»Aber als ich runtergegangen bin, war es nur der Typ von nebenan. Und ich habe mich gefühlt, als wäre ich *verrückt*.«

»Du bist nicht verrückt. Die ganze Geschichte mit Marcus ist irgendwie aus dem Ruder gelaufen.«

»Glaubst du, dass er einen Keil zwischen Dylan und mich treiben will?«

Am anderen Ende der Leitung herrscht Stille. Ich presse die Augen so fest zusammen, dass ich kleine rote Punkte sehe, als ich sie wieder öffne.

»Glaubst *du* das denn?«, fragt Deb schließlich.

»Ja. Wirklich. Dieser Typ hat echt Probleme, er trinkt Whisky zum Frühstück. Und es ist so süß, dass Dylan versucht, ihm zu helfen, aber ich habe das Gefühl, er ist … böse. Ich glaube, er hat was gegen mich. Ich glaube, er verfolgt mich.«

»*Verfolgt* dich?«

»Oder vielleicht ist es so wie mit den Mülleimern, ich bin einfach total paranoid. Ich weiß es schon gar nicht mehr. Aber Dylan ist gerade bei ihm, das war's also *schon wieder* mit unserem Trip nach Wiltshire …« Ich erbebe beim Schluchzen. Ich wische mir die Tränen vom Rock. Wenigstens ist er schwarz, es wird also nicht auffallen, wenn ich wieder vor der Klasse stehe.

»Das allein ist schon ziemlich verdächtig«, sagt Deb. »Wie viele Trips nach Wiltshire sind schon wegen Marcus ins Wasser gefallen?«

»Vier«, sage ich wie aus der Pistole geschossen. Ich kenne diese Zahl so gut, als hätte ich sie mir ins Gehirn graviert. Ich denke die ganze Zeit darüber nach.

»Na dann steckt wirklich etwas dahinter.«

»Und Marcus scheint immer dann einen Zusammenbruch zu haben, wenn ich den Abend mit Dylan verbringe.« Ich schaue auf meinem Telefon nach der Uhrzeit. »Oh, Gott, ich muss mich zusammenreißen.«

»Wissen wir denn, dass Marcus das alles auslöst, Ads? Und nicht Dylan?«

Ich putze mir die Nase. »Was meinst du denn?«

»Er muss nicht immer nach Marcus sehen, oder?«

»Er ist ein guter Freund«, sage ich und wische mir über die Augen. »Das ist das ganze verdammte Problem.«

»Richtig. Vielleicht.«

»Vielleicht?«

»Vielleicht benutzt er Marcus auch als Entschuldigung.«

Ich schweige kurz. »Glaubst du das?«

»Ich weiß es wirklich nicht. Aber diese ganze Situation ist ziemlich seltsam, und ich finde die Vorstellung komisch, dass das ganze Chaos nur von Marcus ausgehen soll. Ich weiß, dass du ihn für böse hältst, aber das wirkt ein wenig zu einfach, oder?«

Ich weiß, was sie meint. Ich schiebe alle Probleme meiner Beziehung auf Marcus, weil das einfacher ist, als von meinem Freund enttäuscht zu werden. Das habe ich schon einmal gedacht. Doch dann schreibt Marcus etwas Boshaftes auf Instagram, und ich muss es einfach auf mich beziehen. Oder er hat genau dann einen Zusammenbruch, wenn Dylan und ich uns gerade wieder vertragen haben und alles wieder besser ist. Oder Dylan kommt von einem Treffen mit ihm nach Hause und sieht mich mit diesem seltsamen, argwöhnischen Blick an und berührt mich eine Zeit lang nicht. Und ich denke: *Das hat Marcus angerichtet.*

»Ich muss los, Deb«, sage ich und blicke wieder auf die Uhr. »Vielen Dank, dass du mich beruhigt hast.«

»Komm heute Abend vorbei, wenn du magst. Wir könnten mit Dad ein Brettspiel spielen.«

Beim Gedanken daran schließe ich die Augen. Zu Hause fühle ich mich geborgen.

»Ja. Das wäre schön. Vielen Dank.«

Als ich aus der Personaltoilette komme, steht Etienne da. Ich renne fast direkt in ihn. Mein Herz stolpert kurz, als ich zu ihm aufblicke.

»Alles okay mit dir?«, fragt er.

Etwas Schlimmeres hätte er nicht sagen können.

»Ja.« Meine Lippe zittert schon. »Ja, alles okay, danke. Ich muss jetzt schnell ...«

Er nimmt meinen Arm. »Addie«, sagt er.

Seine Stimme klingt tief und mitfühlend, in mir bricht alles zusammen. Meine Schultern beben wieder.

»Komm, wir gehen in mein Büro«, sagt er. »Ich bitte Jamie, nach deinen Schülern zu sehen, die 10b, richtig?«

Ich nicke, schniefe in meinen Ärmel, während er mich in sein Büro führt und sanft die Tür hinter uns schließt. Ich stehe in der Mitte des Teppichs und schluchze, bis er wiederkommt.

»Alles ist geregelt. Bitte, setz dich doch«, sagt er. »Erzähl mir, was los ist.«

»Gott, es tut mir so leid«, sage ich und nehme mir ein Taschentuch aus dem Karton auf seinem Schreibtisch und wische mir wie wild über das Gesicht. Ich bin rot vor Scham.

»Dein Freund?«

Ich nicke und setze mich auf den Stuhl.

»Nun, es geht mich ja nichts an. Aber ein Freund sollte einen nicht dazu bringen, allein auf der Toilette zu weinen. Das würde ich zu einem Schüler sagen. Ich bin mir sicher, das würdest auch du zu einem Schüler sagen.« Er blickt mir in die Augen. »Du verdienst etwas Besseres, Addie.«

Ich muss schon wieder weinen. Er kommt hinter seinem Schreibtisch hervor, reibt mir die Schulter und hockt sich hin, damit er auf Augenhöhe mit mir sprechen kann. Mein Körper reagiert auf seine Berührung, etwas flackert in meinem Bauch auf, ich schäme mich.

»Nimm den Nachmittag frei.«

»Das kann ich nicht – was ist denn mit – der Schlacht von Boyne«, bringe ich hervor.

Er lächelt. »Ich kann einspringen, oder Moira. Irgendjemand wird einen Film anmachen können, in dem etwas entfernt Bildungsrelevantes gezeigt wird.«

Ich weine immer noch. Er reibt immer noch meinen Arm, seine Hand fühlt sich warm und beruhigend an.

»Wenn du mal jemanden zum Reden brauchst, Addie, dann bin ich für dich da. Jederzeit. OK? Du hast meine Handynummer. Ruf mich einfach an.«

Ich gehe doch nicht zu meinen Eltern. Stattdessen liege ich in dem Bett, das ich mir mit Dylan teile, starre an die Decke und denke an Etienne. Meine Haut fühlt sich heiß an, als wäre mein Körper zu groß dafür. Ich berühre mich selbst und stelle mir vor, meine Hand sei die von Etienne, fest und gleichmäßig. Anschließend ist mir schlecht. Ich kann mir nicht vergeben, und ich tigere in der Wohnung auf und ab, kratze mich an den Armen und wünschte, ich könnte die Zeit zum letzten Sommer zurückdrehen, als alles perfekt war.

Um zehn ist Dylan immer noch nicht zu Hause. Er war den ganzen Tag über bei Marcus. Ich frage mich zum ersten Mal, ob er wirklich dort ist. Was ist, wenn Marcus nur ein Vorwand ist? Wenn Dylan jemand anderen kennengelernt hat? Jemanden, der genauso perfekt ist, wie er es will. Eine kluge, vornehme und poetische Frau, die nie auf seinen kranken besten Freund eifersüchtig wäre.

Das Telefon summt in meiner Hand. Ich habe es geistig abwesend betrachtet, ohne eine Ahnung, was ich von dem Ding will.

»Hallo?«

»Wow, hallo«, sagt Deb. »Das ging aber schnell. Kann ich mit dir über ein moralisches Problem sprechen?«

»Sicher«, sage ich.

Ich habe vergessen, etwas zu essen. Ich stehe auf und gehe zum Kühlschrank, durchsuche ihn nach etwas, das noch nicht abgelaufen ist.

»Wenn ich also weiß, dass ich ein Baby haben will und dann an jemanden gedacht habe, der recht sorglos seine Spermien in der Weltgeschichte verteilt … Könnte ich dann einfach mit ihm schlafen und schwanger werden und ihm einfach nie erzählen, dass er der Vater ist?«

Ich schaue mir einen Klumpen Cheddar genauer an.

»Ähm«, sage ich.

»Ich rede von Mike«, hilft sie mir auf die Sprünge. »Diesem Türsteher, mit dem ich nach deiner Geburtstagsfeier nach Hause gegangen bin.«

Ich versuche, meine Gedanken zu ordnen.

»Er hat es nicht so mit Kondomen«, sagt Deb. »Hallo? Bist du noch dran?«

»Ja, sorry«, antworte ich und schließe den Kühlschrank. »Ich höre nur zu.«

Deb wartet geduldig.

»Ich glaube, das könnte eine echt falsche Entscheidung sein«, sage ich. »Ja. Ich denke, das ist wirklich falsch.«

»Oh«, sagt Deb und hört sich niedergeschlagen an. »Aber wenn ich es aus Versehen getan hätte, wäre es in Ordnung.«

»Ja, schon. Nur wäre es nicht aus Versehen, wenn du es jetzt machst.«

»Wer weiß es denn außer mir?«

»Ähm, ich vielleicht? Du hast es mir doch gerade erzählt.«

»Verdammt. Warum musstest du denn drangehen?«

Ich seufze. »Warum fragst du Mike nicht, ob es ihm etwas ausmacht?«

»Er sagt vielleicht, dass es ihm nichts ausmacht«, antwortet Deb. »Aber dann besteht das Risiko, dass er – wenn mein Kind sieben oder so ist und wir uns als liebevolle Familie ohne Vater gut eingespielt haben – dass er dann reingeschneit kommt und seine Rechte einfordert.«

Es ist so seltsam, dass Deb über ein Baby spricht. Ich dachte wirklich, das würde nie passieren. Ich hätte wissen müssen, dass es bei ihr keine Grauzone gibt, kein Hin und Her. Bei Deb lautet das Motto immer *Alles oder nichts*.

Ich frage mich, was sie an meiner Stelle tun würde. Deb würde niemals auf einer Toilette wegen eines Mannes heulen, und ich schäme mich ein wenig.

»Warum suchst du dir keinen Samenspender? Gibt es dafür keine privaten Unternehmen?«, frage ich.

»Das hört sich zu kompliziert an. Und viel weniger spaßig, als mit Mike Sex zu haben.«

»Warum gerade Mike, nur interessehalber?«

»Ach, ich hab dir doch schon gesagt, dass er keine Kondome mag.«

Ich warte.

»Und ich glaube, dass er einfach ein gutes Exemplar ist. Groß, gutaussehend, liebevoll, witzig, so eben.«

»Hört sich nach einem Volltreffer an.«

»Was? Ach, das ist doch egal. Ich suche nach einem Samenspender, nicht nach einem Freund.«

»Wäre es nicht gut, das eine mit dem anderen zu verbinden?«

»Musst du gerade sagen«, sagt Deb trocken. »Du machst im Moment nicht gerade Werbung für Beziehungen.«

Ich krame im Schrank nach Brot. Es ist trocken, aber für Käsetoast wird es reichen.

»Ich würde sagen, eine Beziehung mit einem Menschen ist toll«, erkläre ich ihr. »Das Problem für mich ist, dass ich mich gerade so fühle, als hätte ich eine Beziehung mit zwei Männern.«

»Mit Dylan und Etienne?«

Ich erstarre, während ich eine Scheibe Brot über den Toaster halte.

»Was?«

»Nicht?«, fragt Deb unsicher.

»Warum hast du das gesagt?«

»Sorry, war das doof? Ich dachte, du findest ihn gut.«

»Ich meine, ich wäre in einer Beziehung mit Dylan und *Marcus*.«

»Oh, natürlich. Richtig.«

Mein Herz schlägt zu schnell. Deb kennt mich besser als jeder andere Mensch. Wenn sie denkt, dass ich Etienne gut finde …

Stimmt das denn nicht? Ein kleines bisschen? Woran habe ich heute Abend gedacht? Ich reibe mir den Bauch, mir ist schon wieder schlecht. Ich liebe Dylan. Ich liebe *Dylan*.

»Sorry, Ads.«

Ich drücke den Toasterhebel nach unten. Ich muss etwas essen. Gleich nach dem Toasten bemerke ich, dass ich das Brot auch in den Schlitz hätte stecken müssen.

»Schon okay«, bringe ich hervor. »Es ist nur … seltsam, dass du das gesagt hast. Mir war gar nicht klar, dass ich überhaupt über ihn gesprochen habe.«

»Du hast recht viel über ihn gesprochen, um ehrlich zu sein. Aber wahrscheinlich habe ich das einfach falsch verstanden.«

Es herrscht lange Stille.

»Nein ... eher nicht«, flüstere ich.

»Oh, also findest du ihn wirklich gut?«

»Manchmal schon. Ich weiß es nicht. Oh Gott, ich bin ein schrecklicher Mensch. Ich bin eine Betrügerin.«

»Bitte, Addie. Du bist doch keine Betrügerin, wenn du jemand anderen ein bisschen gut findest. Magst du ihn denn lieber als Dylan?«

»Was? Nein! Natürlich nicht! Es ist nur … Mit Dylan ist gerade alles so … angespannt. Also wirkt es so eskapistisch.«

Ich höre den Schlüssel im Schloss. Ich drehe mich um, fühle mich schuldig. Der Toast ist fertig, ich zucke zusammen.

»Ich muss los. Hab dich lieb, Deb.«

»Was wäre denn, wenn Mike derjenige ist, der sich gegen das Kondom entscheidet? Dann wüsste er von dem Risiko und würde es bewusst eingehen.«

Ich schließe die Augen. »Bye, Deb.«

»Okay, gut. Bye.«

Dylan sieht erschöpft aus. Mein ganzer Ärger verfliegt, als ich ihn beobachte, wie er zum Schrank taumelt, sich ein Glas nimmt, es mit Wasser füllt, hinunterstürzt und sich dann noch eins einschenkt. Ich will ihn umarmen, aber er macht einen Schritt zurück.

»Ich stinke nach Kotze«, sagt er. »Ich muss duschen. Sorry.«

Mein Magen zieht sich zusammen. »Ging es ihm so schlecht?«

Dylan nickt bloß. Als er ins Badezimmer geht, stehe ich da und fühle mich krank vor Schuld und Scham, weil es Marcus schlecht geht und Dylan ihm hilft und ich die unvernünftigste Freundin überhaupt bin.

Die erste Nachricht von Etienne kommt zehn Tage später an einem Samstagabend.

Wie geht's, Addie? Also ich meine, wie geht es dir wirklich? Ich weiß, dass es schwer ist, in der Schule über so etwas zu reden. X

Ich lasse das Handy in meiner Tasche, will auf keinen Fall antworten. Es ist nicht professionell von ihm, mich wegen persönlicher Dinge anzuschreiben. Dann wiederum denke ich,

ich würde es nicht komisch finden, wenn es sich um Moira handeln würde. Oder Jamie, und der ist auch ein Single in meinem Alter. Ich bin diejenige, die daraus etwas Unprofessionelles macht. Etienne ist nur ein höflicher, hilfsbereiter Kollege und Schulleiter.

Dylan muss sich gerade wieder um Marcus kümmern. Wir hatten eine gute Woche – wir haben uns vernünftig über Marcus unterhalten und dass er schon häufig entgleist ist. Ich habe ihm versprochen, dass ich mehr Verständnis zeigen würde.

Viel besser, danke. Es war echt nett, dass du mir neulich eine Vertretung organisiert hast. Addie

Keine Antwort. Ich frage mich, ob ich zu schroff war. Aber als ich Etienne am Montag sehe, lächelt er mich motivierend an, mit einem Lächeln, das sagt, *ich weiß, dass du alles im Griff hast,* und ich fühle mich besser.

So geht das einen oder zwei Monate lang. Ab und zu mal eine Nachricht – nicht in Richtung Flirt, nichts Unangemessenes. Nur ein kleines bisschen freundlicher als wir sind, wenn wir uns persönlich begegnen. Als Dylans Master immer mehr Zeit erfordert und er weitere Schichten in der Bar übernimmt, bin ich viel alleine. An einigen Abenden bleibe ich lange in der Schule. Etienne ist oft da, und wir führen ruhige Gespräche bei einer Tasse Tee. Mehr nicht.

Aber ich kann nicht abstreiten, dass es mich nervös macht. Es passiert nichts. Ganz offiziell ist alles in Ordnung. Aber ich weiß, dass das nicht stimmt.

Ich weiß, dass Etienne mich will. Manchmal will ich ihn auch.

Es ist zwei Tage vor den Weihnachtsferien und spät – neun Uhr abends. Niemand sonst ist da, nicht einmal der Hausmeister. Etienne hat die Schlüssel. Er wird abschließen.

»Addie?«, fragt er und steckt den Kopf in mein Klassenzimmer. Ich wische gerade ein Tafelbild ab, durch das Tyson wie ein Werwolf mit den Fingernägeln gefahren ist. »Gläschen gefällig?«

Ich brauche einen Augenblick, um zu realisieren, dass er eine Flasche in der Hand hält. Es scheint sich um Rotwein zu handeln.

»Das Schuljahr ist fast schon vorbei, und wir haben uns dieses Jahr wirklich abgerackert«, sagt er und wackelt mit der Flasche. »Wir verdienen eine kleine Belohnung.«

Ich nehme die Einladung an. Ich folge ihm ins Büro. Ich nehme zwei Gläser aus der Küche mit, und wir trinken Wein aus Wassergläsern. Ich trage Lippenstift und hinterlasse einen pinken Kussmund am Glasrand.

Wir reden fast die ganze Zeit über die Arbeit. Lachen über die Kinder, die uns in den Wahnsinn treiben, beschweren uns über die Richtlinien von der Regierung, die sich immer ändern, vergleichen die Eltern, mit denen wir uns am schwersten tun. Meine Wangen sind gerötet, und ich bin von der halben Flasche betrunken. Vielleicht auch ein wenig mehr als eine halbe Flasche. Ich habe nicht aufgepasst, wie häufig er uns nachschenkt.

Alles passiert wie selbstverständlich. Er legt mir die Hand auf den Oberschenkel. Ich brauche zu lang, um zu bemerken, dass es seltsam ist.

Ich stehe auf und gehe weg. Er folgt mir.

»Addie«, sagt er.

»Ich sollte gehen«, sage ich.

Ich wende mich zur Tür.

Er drückt sie zu, hinter meiner Schulter, sein Körper berührt meinen Rücken.

»Dafür haben wir ganz schön lange gebraucht«, sagt er mir ins Ohr. »Oder nicht?«

Kaltes Grauen schnürt mir die Kehle zusammen. Er hat recht, ich wusste, dass es passiert. Was hatte ich sonst erwartet? Ich habe das Gefühl, ich rutsche aus, oder vielleicht bin ich auch schon ausgerutscht und nun falle ich und greife nach etwas, woran ich mich festhalten kann.

Seine Lippen sind auf meinem Hals. Ich spüre leises Verlangen, aber vor allem spüre ich Ekel. Vor ihm? Vor mir selbst?

Als er mich an sich zieht, an seinen Ständer, weiß ich, dass ich das nicht will. Fuck. Ich kann es nicht, beim Gedanken daran wird mir schlecht, die Nässe seines Mundes auf meinem Hals fühlt sich wie eine Tarantel auf meiner Haut an.

»Nein«, sage ich.

Ich sage Nein.

## Dylan

Gegen sieben ruft Luke an, um mir zu sagen, dass mein Vater meine Mutter betrügt.

Ich lasse mich langsam auf die Sofakante sinken und sage eine ganze Weile nichts.

»Dyl?«, fragt Luke. »Dyl, tut mir leid. Ich kann dir gar nicht sagen, wie sehr mir vor diesem Anruf gegraut hat.«

In meinem Kopf herrscht vollkommene Leere. Ich bin nicht wirklich überrascht, aber es ist schrecklich – als würde man erfahren, dass man ein ganz anderer ist als der, der man zu sein meint.

»Weiß sie es?«, bringe ich schließlich heraus.

»Ich habe es ihr gesagt, bevor ich dich angerufen habe. Ich dachte … ich dachte, sie sollte es zuerst erfahren. Sie wollte es absolut nicht glauben. Ich konnte sie nicht überzeugen.«

Ich höre nur mit halbem Ohr zu – in mir steigt unvermittelt heftige Wut auf, eiskalte Wut. Ich bin so selten wütend, dass ich gar nicht mit diesem Gefühl umzugehen weiß. Die Wut scheint sich in meinen Hals, meine Ohren, die kleinen Kapillaren in meinen Lungen gesetzt zu haben.

»Ich glaube nicht, dass sie ihn je verlassen wird«, sagt Luke. »Sie wollte es einfach nicht hören.«

Auf meinem Telefon geht eine Nachricht von Marcus ein. Ich sehe zunächst gar nicht richtig hin und lese sie nur mit halbem Auge.

Du musst zu Addies Schule kommen. Sie ist mit Etienne zusammen, und ... das sieht nicht gut aus.

Als Nächstes folgt ein Bild. Durchs Fenster aufgenommen sieht man das warm erleuchtete Büro, in dem die beiden nebeneinandersitzen und Wein aus Wassergläsern trinken, dabei liegt seine Hand auf ihrem Schenkel.

»Luke?«, sage ich mit erstickter Stimme. »Ich muss Schluss machen.«

Ich schalte das Display aus, dann starre ich mit heftig klopfendem Herzen auf das Telefon in meinen Händen. Der Ausdruck »rotsehen« hat mir nie etwas gesagt, doch jetzt verstehe ich ihn. Ich habe das Bild noch nicht einmal eine Sekunde lang gesehen, aber es hat sich in die Innenseiten meiner Augenlider gebrannt wie Wunderkerzen in der Nacht.

Schließlich, nach langen erdrückenden Sekunden der Stille schnappe ich mir meine Jacke und ziehe mir Schuhe an – langsam und nüchtern, als würde nicht gerade meine Welt untergehen – und laufe zum Wagen.

# *Addie*

Er knabbert an mir.

Ich drehe mich in seiner Umarmung. Es wird noch schlimmer. Er schiebt mir den Rock hoch, fährt mir der Hand meinen Oberschenkel hinauf, zieht mein Bein nach oben, sodass der Muskel an der Oberschenkelrückseite kurz schmerzt und ich die Hände zu Fäusten balle, versuche, meinen Kopf wegzudrehen – ich verhalte mich ganz *eindeutig*, eindeutiger geht es nicht. Ich schubse ihn. Ich sage und denke – *Hör bitte auf –*, und unsere Zähne stoßen gegeneinander, ein dumpfer Schlag in meinem Kopf, während er weiterhin seine Lippen auf meine presst.

»Ich weiß, dass du das willst«, erklärt er mir. »Nicht wahr?«

Ein Geräusch draußen sorgt dafür, dass er den Kopf kurz zur Seite dreht. Von hier aus können wir das Fenster nicht sehen; er tritt einen halben Schritt zurück, dann hält er unsicher inne. Ich erinnere mich an etwas aus der Vergangenheit. Vielleicht aus dem Selbstverteidigungskurs an der Schule. Die Faust, mit der ich gegen seine Brust gedrückt habe, löst sich und ich umfasse seine Schulter, während er keinen festen Boden unter den Füßen hat und mein Rock schon hochgerutscht ist und ich ihm deswegen mit dem Knie zwischen die Beine treten kann, sodass er zusammensackt und mich endlich loslässt – ich schluchze bereits.

Ich renne. Die Tür ist nicht abgeschlossen. Ich sprinte den Gang entlang zum Hinterausgang, durch das Lehrerzimmer. Ich habe eine Höllenangst, dass er die Schule abgeschlossen hat, das hat er aber nicht. Er hatte keine Angst, dass ich abhauen würde. Er wüsste, dass ich es wollte, hatte er gesagt.

Ich renne den ganzen Weg nach Hause. Das sind mindestens zehn Kilometer. Meine Füße bluten. Als ich in der Wohnung die Schuhe ausziehe, zucke ich zusammen, als ich sie sehe. Ich zittere so stark, dass mir meine Finger nicht gehorchen. Ich sitze auf dem Boden und weine so sehr, als würde ich nie wieder damit aufhören. Ich grabe mir die Fingernägel in die Arme. Ich erinnere mich an all die Male, als ich sein Lächeln erwidert habe.

# *Dylan*

Als ich an der Schule eintreffe, kommt Etienne gerade aus dem Gebäude. Er dreht sich um und schließt sorgfältig hinter sich ab.

»Das ist er«, sagt Marcus, der plötzlich neben mir steht. »Da. Der da.«

Ich weiß. Ich habe das Foto gesehen. Der Sekundenbruchteil, den ich das Bild auf dem Display gesehen habe, hat vollauf genügt, um mir das Gesicht dieses Mistkerls genau einzuprägen.

Ich laufe zu ihm. Marcus ruft hinter mir her – er klingt überrascht. Er hat getrunken und reagiert nicht schnell genug, um mich aufzuhalten. Meine Faust trifft Etiennes Kiefer, als dieser sich gerade umdreht. Ich spüre einen heißen Schmerz in meinen Knöcheln und eine heftige Erschütterung in meinem Ellbogen. Er krümmt sich zusammen.

»Was zum …«

»Was zum Teufel hast du mit meiner Freundin gemacht?«, frage ich und merke beschämt, dass ich weine.

Etienne sieht mit großen Augen zu mir hoch. »Es ist nicht, was du denkst«, sagt er.

»Nein? Sah aber ziemlich gemütlich aus«, sagt Marcus.

Etienne wirft ihm einen kurzen Blick zu, seine Augen sind schmal, und er bleibt in geduckter Haltung stehen. Ich balle die Fäuste an den Seiten und wünschte, ich würde nicht schniefen und zittern wie ein Kind.

»Sie ist … leidenschaftlich«, sagt Etienne. »Sie hat mich das ganze Semester über angemacht, ständig Gründe gesucht, mit mir allein zu sein, ist lange geblieben und …«

»Sei still«, fahre ich ihm über den Mund und wische mir energisch durchs Gesicht. »Halt die Klappe, halt die Klappe, halt einfach die Klappe. Verdammt noch mal!«

»Nein, rede weiter«, sagt Marcus. Er tritt vor. »Erzähl.«

»Hört zu, ich habe versucht, mich anständig zu verhalten. Aber sie ist – ich hatte einen schwachen Moment. Sie hat gesagt, wie sehr sie mich begehrt und …«

Als ich erneut eine Bewegung auf ihn zu mache, weicht er zurück, und diesmal hält Marcus mich auf.

»Es tut mir leid«, sagt Etienne. »Es tut mir wirklich leid.«

»Was ist passiert?«, fragt Marcus. »Wo ist sie jetzt?«

»Ich habe sie sofort aufgehalten, als ich begriffen habe, was passiert«, sagt Etienne, und sein Blick springt von mir zu Marcus und wieder zurück. »Sie ist sauer geworden und gegangen. Ich wollte nicht, dass etwas zwischen uns vorfällt. Sie bringt … mich einfach durcheinander. Wenn sie in meiner Nähe ist, kann ich nicht klar denken.«

Marcus nickt. »Ja«, sagt er nuschelnd. »Ja. Das klingt ganz nach Addie.«

## Addie

Ich rufe meine Schwester an. Für Deb kann ich einfach nicht dankbar genug sein. Ich kann es kaum mit Worten ausdrücken, aber sie würde nie sagen: *Ich dachte, du würdest ihn gut finden.* Sie würde nie sagen: *Du wolltest es ja so.* Sie erscheint in meiner Wohnung und zieht mich so vorsichtig aus, als wäre ich zerbrechlich, dann bringt sie mich in die Dusche. Als ich sauber bin, wickelt sie mich in meinen alten fadenscheinigen Bademantel ein und drückt mich fest an sich. Das ist keine Umarmung – sie sorgt dafür, dass ich nicht auseinanderfalle.

Nach dem Schock folgt das Schuldgefühl. Das war vorhersehbar. Weil ich nicht mehr vor ihm weglaufe, weil sich der Horror nicht mehr direkt vor meinen Augen abspielt, bin ich mir ganz sicher, dass ich schuld bin. Ich fand ihn gut. Ich habe seinen Wein getrunken und auf seine Nachrichten geantwortet.

Deb sagt: »Was würdest du zu mir sagen? Wenn ich so etwas behaupten würde?«

Ich sehe kurz klar. Ich weiß, was ich zu meiner Schwester sagen würde. Ich weiß, wie vehement ich protestieren würde, dass Einverständnis ein permanenter Prozess ist. Dass Nein immer Nein bedeutet, egal, was man vorher gesagt hat. Aber dann ist die Klarheit wieder verschwunden, sie ist Horror und Scham gewichen.

## Dylan

Marcus überredet mich, mit ihm in den Pub zu gehen, bevor ich zu Addie in die Wohnung zurückkehre.

»Du musst einen klaren Kopf bekommen«, sagt er, dann besorgt er mir vier Bier, als ob das helfen würde.

Ich weine in mein Glas. Ich erzähle Marcus nicht, was Luke gesagt hat, weil ich offen gestanden, kaum daran denke. Alles, woran ich denken kann, ist der Schmerz in meiner Brust, es ist, als hätte mir jemand die Rippen auseinandergedrückt, und jetzt würde dort ein Loch klaffen.

»Sei nicht traurig, sei wütend«, sagt Marcus und schiebt mir noch ein Bier zu. »Addie hat mit dem Lehrer rumgemacht, und Gott weiß, mit wem noch. Und dabei tut sie so lieb und süß. Ich *wusste*, dass mit ihr was nicht stimmt. Habe ich es nicht gesagt? Habe ich es nicht gleich gesagt?«

## Addie

Deb will bleiben. Aber ich brauche Dylan. Er wird bald zu Hause sein. Ich muss mich noch einmal duschen. Ich muss alles abwaschen, und dann muss ich es Dylan erzählen, weil das irgendwie erschreckender ist als alles andere.

Aber wie sich herausstellt, muss ich es ihm nicht erzählen. Er weiß es schon.

## Dylan

Als ich in die Wohnung zurückkomme, sieht sie anders aus – ihre Augen sind groß und ängstlich. Sie sieht aus wie ein verschrecktes Kätzchen, und da weiß ich, dass es das erste Mal ist, dass sie mich mit einem anderen betrogen hat. Sie könnte es mir nicht verheimlichen: Es steht ihr ins Gesicht geschrieben.

»Ich weiß, was du getan hast«, sage ich und dann, dass ich sie verlasse, genau wie ich es im Pub geübt habe. Ich erkläre ihr, dass es Sachen gibt, die ich nicht verzeihen kann, und im Stillen denke ich: *Ja, ich habe recht, und ich bin stark genug zu gehen. Ich bin nicht wie meine Mutter. Ich schaue nicht einfach weg. Ich bin stark.*

Zunächst ist sie ganz ruhig. Sie sieht blass und schmal aus wie ein kleines Tier, das man aus der Kälte gerettet hat und das nicht weiß, ob es sich verstecken oder kämpfen soll.

Die Stille ist schrecklich; wir stehen am Rand einer schrecklichen Leere. Mir ist schwindelig vom Alkohol und schlecht vor Angst, und ich will aus meiner Haut, will jemand anders sein, *irgend*jemand anders.

»Willst du noch nicht mal meine Seite der Geschichte hören?«, fragt sie in die Stille. Ihre Stimme klingt wie die eines Kindes.

»Etienne hat mir alles erzählt. Es gibt nichts, was du sagen könntest.«

Die nächsten Minuten verschwimmen. Sie wirft sich auf mich, und ich denke, sie will mir wehtun, sie schlägt mit ihren kleinen Fäusten auf meine Brust und stampft mit den Füßen auf. Zugleich wirkt es, als wollte sie in mich hineinkriechen und mir ganz nah sein. Sie brüllt. Es klingt unüberhörbar nach Schmerz. Im Stillen denke ich: *Dann liebt sie mich also. Sie will mich nicht verlieren.* Was für ein Zeitpunkt, es zu erfahren.

## Addie

Kein Schmerz kommt an den hier heran. All die schlimmen Dinge haben sich bestätigt. Ich bin genauso schlimm, wie ich befürchtet habe. Ich bin sogar noch schlimmer.

Ich erzähle es niemandem, nicht einmal meiner Mum.

Deb hat mir das Leben gerettet, glaube ich. Sie hat die Anrufe getätigt. Sie bringt mich zur Polizei und weicht mir nicht von der Seite. Wenn sie nicht hier wäre, wäre Etienne der Schulleiter der Barwood School geblieben und ich wäre draufgegangen.

# Dylan

Wie Dunst kriecht der Zweifel heran. Am nächsten Tag wache ich in der Blockhütte im Garten von Marcus' Vater auf, als sei ich wieder in jenen langen dunklen Winter zurückgekehrt, bevor meine Eltern ihre Zahlungen an mich eingestellt haben. India hat uns gestern Abend in Chichester abgeholt. Marcus muss sie angerufen haben, stelle ich überrascht fest, bevor sich wieder die Dumpfheit über mich legt. Ich starre an die Decke und stelle mir – nur einen Moment lang – vor, wie es wäre, ohne Addie zu leben. Das genügt, schon krümme ich mich wie ein Insekt zusammen und verkrieche mich unter der Decke.

Ich stehe erst abends auf und dann auch nur, weil mein Magen vor Hunger knurrt.

»Was, wenn es eine Erklärung gibt?«, sage ich zu Marcus, als wir zwischen Imbissschachteln auf dem Boden sitzen und Whisky trinken. »Was, wenn es eine vernünftige Erklärung gibt?«

»Wie zum Beispiel?« Marcus ist blass und hager, seine Augen sind vor Erschöpfung gerötet. »Sieh dir doch das Foto an, Dylan. Da siehst du, wer sie wirklich ist. In High Definition.«

## *Addie*

Ich weiß, dass zumindest die Hälfte meines Leides die Nach-
wirkungen dessen sind, was ich mit Etienne erlebt habe. Aber
ich verspüre nur Schmerz, weil ich Dylan verloren habe.

Ich fühle mich nicht so, als hätte er mich verlassen – ich
fühle mich so, als wäre er gestorben.

Ich durfte mich nicht einmal erklären. Der Mann, den ich
liebe, hat *immer* zugelassen, dass ich mich erkläre.

Wer ist Dylan dann?

# Dylan

Deb ist diejenige, die mir die Wahrheit sagt.

Eine Woche nach dem Abend in der Schule taucht sie vor der Tür von Marcus' Blockhütte auf und verzieht angewidert das Gesicht.

»Du Scheißkerl«, sagt sie. »Du bist ein Stück Scheiße, und ich hoffe, du schmorst in der Hölle.«

Sie stellt einen großen Karton mit meinen Habseligkeiten ab und wendet mir den Rücken zu. »Der Rest steht am Ende der Straße«, sagt sie über ihre Schulter. »Du hast Glück, dass ich es nicht in den Scheißsee gekippt habe.«

»Hey«, sage ich und stehe unschlüssig in der Tür – ich habe nur Socken an –, doch dann laufe ich ihr trotzdem hinterher. »Hey! Was fällt dir ein?!«

Sie geht weiter.

»Sie hat mich betrogen! *Sie* hat *mich* betrogen! Und du sagst mir, ich soll in der Hölle schmoren?«

Da macht sie auf dem Absatz kehrt. »Dylan. Du bist ein *Idiot.*«

Noch nie hat sie Addie ähnlicher gesehen, klein und leidenschaftlich und vollkommen unnachgiebig.

»Was redest du denn da?«, schreie ich, fange jetzt allerdings an zu zittern, mich beschleicht das Gefühl, dass ich womöglich falschliegen könnte. »Marcus hat sie gesehen. Und Etienne hat es mir erzählt.«

Vielleicht habe ich schon geahnt, dass ich falschliege. Die letzten Tage habe ich mehr denn je getrunken, weil sich mein Blick geklärt und ich mich an meine Addie erinnert habe. Sie ist stark und aufrichtig und unmöglich mit der Person zu vereinbaren, von der mir Etienne und Marcus erzählt haben, als ich schluchzend vor der Schule stand.

»Ach, *Marcus* hat sie gesehen, ja? Und was hat er da gemacht?«

Es ist nicht das erste Mal, dass ich mich das frage. *Ich hab dich gesucht* ist alles, was Marcus dazu gesagt hat, als ich ihn fragte. Doch er hatte schließlich recht und darum wirkte es nicht verrückt, dass er Addie gefolgt ist, sondern weitsichtig.

»Und Etienne hat dir alles erzählt. *Etienne.* Weißt du, was es über dich aussagt, dass du eher einem fremden Mann glaubst als der Frau, die du liebst?«, fragt Deb.

Das nasse Gras durchweicht meine Socken. Mein Herz schlägt heftig.

»Er hat sie gezwungen. Ja, sie hat etwas Wein getrunken. Vielleicht hat sie ein bisschen mit ihm geflirtet. Und dann hat er versucht, sie zu vergewaltigen.«

Regentropfen verfangen sich in Debs langen dunklen Haaren. Sie hält meinen Blick fest.

»Aber vielleicht ist es dir ja egal«, sagt sie. »Vielleicht willst du ja trotzdem, dass sie auf dem Dorfplatz gesteinigt wird, Dylan.«

Daraufhin beuge ich mich nach vorn und übergebe mich ins Gras.

# Addie

Es tut ihm leid. Nie hat jemandem etwas mehr leidgetan. Er ist komplett neben der Spur, er ist ein furchtbarer Mensch, das Letzte, er lässt sich zu leicht beeinflussen, das erkennt er jetzt, er weiß, dass er sein Leben in den Griff bekommen muss, er hätte mir nie etwas unterstellen dürfen, er hätte mich nie verlassen dürfen, Deb hat ihm alles erzählt, er weiß es jetzt, bitte, bitte, es tut ihm leid. Er sitzt vor meiner Tür und weint.

Ich mache die Tür nicht auf. Ich schicke ihm eine Nachricht als Antwort auf die Flut an Entschuldigungen, die er mir an diesem Tag schickt.

*Erzähl Marcus nicht, was wirklich passiert ist,* schreibe ich.

Ich kann es nicht vernünftig erklären. Vielleicht sehe ich etwas von Etienne in Marcus. Vielleicht sorgt er dafür, dass ich mich verletzlich fühle. Vielleicht liegt es daran, dass Marcus immer meinte, er würde Abgründe in mir erkennen und dass sich mein Herz niemals dunkler angefühlt hat als jetzt.

Ich kann einfach den Gedanken nicht ertragen, dass Marcus es weiß.

*Versprich es mir,* schreibe ich. *Und dann schick mir bitte keine Nachrichten mehr. Ich weiß, dass es dir leidtut. Ich verstehe, warum du so gehandelt hast, wie du gehandelt hast. Aber bitte. Kontaktiere mich nicht mehr.*

# JETZT

# Dylan

Marcus' Nase blutet; ein Tropfen fällt auf den Rücken von Addies Pyjama, während sie würgend über der Toilette hängt, und breitet sich wie rote Tinte mit unscharfen Rändern auf dem Stoff aus. Hier drin ist nicht genügend Platz für uns alle. Mein Kopf pocht, wo Marcus mich gegen die Schläfe geschlagen hat.

»Addie, hey«, sage ich und schiebe Marcus zur Seite, um mich neben sie zu knien.

Er taumelt rücklings gegen die Wanne. Deb schiebt sich hinter mir durch die Badezimmertür, und ich blicke einen Moment zu ihr hoch, dann wende ich mich wieder Addie zu, die mit zitternden Fingern die Toilettenschüssel umklammert. Ihr Gesicht ist gelblich weiß, wie saure Milch.

»Hat sie was Falsches gegessen?«, fragt Marcus.

Deb reagiert wie immer praktisch und betätigt die Toilettenspülung.

»Komm. Komm schon. Was habe ich nicht mitbekommen?«, fragt Marcus. »Warum tun alle, als wäre *ich* der Böse, wenn *sie* diejenige ist, die sich an einen Typen rangemacht hat, der nicht Dylan war?«

»*Sie* hat sich an niemanden rangemacht«, sagt Deb und schließt dann einen Moment die Augen. »Sorry. Sorry, Ads, ich … das stand mir nicht zu.«

»Alles in Ordnung da drin?«, ruft Rodney von draußen.

»Alles okay, Rodney«, erwidere ich mit fester Stimme. »Geh einfach wieder ins Bett.«

»Gut«, sagt er unsicher.

Nach einer ganzen Weile setzt sich Addie zurück, zieht die Pyjamaärmel über ihre Hände und zuckt, als sie ihr verletztes Handgelenk berührt. Sie sieht mich nicht an. Deb hockt auf ihrer anderen Seite, wir sitzen zu dritt auf dem Badezimmerboden, nur Marcus steht und lehnt an der Wand. Er drückt zusammengeknülltes Klopapier gegen seine blutende Nase, und seine Augen verfärben sich bereits, doch in ihnen kann ich lesen, dass er Angst hat.

»Wie meinst du das? Was ist wirklich an dem Abend passiert?«, fragt er mich. »Warum hast du mir nichts erzählt?«

»Sie hat mich darum gebeten. Es war ihre Entscheidung.«

Ich beobachte, wie Marcus allmählich begreift. Langsam dreht er sich zu Addie um. »Etienne? Er …«

Ohne Marcus anzusehen, erwidert Addie mit dünner heiserer Stimme: »Ist dir nie in den Sinn gekommen, dass er lügen könnte?«

Marcus stößt einen halberstickten Laut aus und lässt sich schwer auf den Wannenrand sinken. Er presst sich eine Hand an die Stirn. Die Stille dehnt sich. Hinter uns tropft der Wasserhahn.

»Du hast mich in dem Glauben gelassen … Warum hast du mich in dem Glauben gelassen?«, fragt Marcus Addie.

Deb reicht ihm frisches Klopapier für seine blutende Nase, und ich bin fassungslos ob der Absurdität der Situation: Wir vier zusammen in diesem schäbigen Bad, nach all den Jahren, die wir uns umkreist haben, ohne uns je nah zu kommen.

»Du hast mir nachgestellt«, sagt Addie zu Marcus. »Stimmt's?«

Marcus dreht den Kopf zur Seite. Überrascht merke ich, dass er weint. Deb mustert ihn nachdenklich aus schmalen Augen. Er wischt sich die Tränen fort, als würde er sich nur etwas von der Wange putzen – einen Regentropfen oder einen Schmutzfleck.

»Ja. Manchmal.«

Eine Weile sagt er nichts, und der Wasserhahn tropft weiter. Ich denke schon, er ist fertig, doch dann:

»Es war wie – ich kann es nicht erklären«, sagt er und starrt immer noch zur Seite. »Ich habe viel zu viel getrunken, ich hatte mein Leben versaut, India war sauer auf mich, Dad hat nicht mehr mit mir geredet – aber ich hatte das Gefühl, wenn ich Dylan davor bewahre, *sein* Leben zu versauen … Es war, als könnte ich dadurch auch mich retten, dann hätte ich etwas Gutes getan, dann wäre ich okay. Dylan war immer für mich da gewesen. Ich konnte nicht zusehen – ich konnte nicht –, ich durfte ihn nicht auch noch verlieren.«

Deb schüttelt den Kopf. »Das nehme ich dir nicht ab. Du hattest ein – irgendein *Problem* mit Addie. Das hatte nichts mit diesem Quatsch zu tun, dass du Dylan beschützen wolltest.«

Marcus hebt den Blick zur Decke. Mein Herz hämmert. Ich möchte Addie an mich ziehen oder sie einfach nur berühren, ihr Haar zurückstreichen, ihr einen Kuss auf die Wange geben.

»Ich weiß nicht«, sagt Marcus. »Es war nur ein …« Er deutet auf seinen Bauch. »Ein Bauchgefühl. Ich hatte das Gefühl, ich *wusste* einfach, dass sie nicht gut für Dylan war, und dann ist dieses Gefühl irgendwie gewachsen. Sie war immer da, hat sich in Dylans Kopf geschlichen, bis er nur noch an sie gedacht hat, bis er völlig von ihr besessen war, er war ganz *verrückt* nach ihr …«

»Oh, mein Gott«, sagt Deb. »Du hast sie geliebt. Du hast Addie geliebt.«

Alle verstummen.

Meine Therapeutin war die Erste gewesen, die vermutet hat, dass Marcus in Addie verliebt gewesen sein könnte. Sie verstand, dass das der Schlüssel für mich war, um ihm zu vergeben. Ich war Marcus' Bruder, sein Seelenverwandter, sein ältester Freund. Wie muss er sich dafür *verachtet* haben, dass er in Addie verliebt war. Wie leicht muss es für ihn gewesen sein, den Hass auf jemand anderen zu lenken, sie zu hassen, anstatt sich selbst.

Doch wir haben nie darüber gesprochen. Nicht ein Mal.

»Du hast sie geliebt, stimmt's?« Deb lässt nicht locker, und plötzlich dreht sich Marcus um, schlägt die Hände vors Gesicht und beugt sich vor.

Seine Schultern beben. Er schluchzt.

»Oh, mein Gott«, sagt Deb. »Darum warst du an der Schule. Darum hat es dich so sehr interessiert, ob sie mit Etienne schläft. Darum warst du immer so fies zu ihr und Dylan.«

Ich sehe zu Addie. Sie starrt mit großen Augen auf Marcus' Rücken, der zitternd auf dem Rand der billigen Kunststoffwanne kauert, und ich sehe ihn ebenfalls an und denke: *Er ist so klein.* Wie konnte er so viel Schaden anrichten?

»Marcus?«, sagt Addie.

Er stampft in der Wanne mit dem Fuß auf, und wir erschrecken uns alle über den plötzlichen Lärm.

»Natürlich habe ich sie geliebt. Verdammt! Natürlich. Scheiße, Dylan, du warst damals dermaßen schwer von Begriff. Du warst so dumm, du hast nicht kapiert, dass ich dich manchmal *gehasst* habe«, er erhebt die Stimme und ballt bebend die Hände. »Ich habe dich gehasst, weil du es mir so leicht gemacht hast. Ich hätte sie so leicht haben können. Ständig hast du uns zusammengebracht. Immer warst du so scharf darauf, dass wir uns gut verstehen. Und ich bin kein guter Kerl, ich bin kein Typ, der für seinen besten Freund zurücksteckt. Weißt du, wie hart das war? Am Ende wollte ich einfach nur, dass sie *weg* ist, weil es eine Qual war, dich mit ihr zu sehen. Zuzusehen, wie du es versaust, zuzusehen, wie du es richtig machst ...«

»Du hättest mich nicht haben können«, sagt Addie leise. »Ich hätte Dylan nie für dich verlassen, Marcus.«

»Und ich war nicht schwer von Begriff«, sage ich ohne Verbitterung. »Ich habe dir vertraut. Ich habe meinem besten Freund vertraut.«

»Addie, ich wusste es nicht, das schwöre ich«, krächzt Marcus noch immer das Gesicht in den Händen vergraben. »Der Lehrer ... ich dachte wirklich ... ich bin manchmal zur Schule gegangen. Hab gesehen, wie du noch spät mit ihm gearbeitet hast. Da hängen keine Vorhänge vor den Fenstern, und da alles erleuchtet war ...«

Addie starrt auf den Badezimmerboden. Ich möchte ihr sagen, dass ich sie liebe. Ich liebe sie, es tut mir leid.

»Ich musste auf den Container klettern, um dich im Büro des Direktors zu sehen«, sagt er leise. »Ich weiß noch, wie seine Hand auf deinem Schenkel gelegen hat, dann bist du aufgestanden und hast dein Weinglas abgestellt, und er ist dir gefolgt. Dann ...« Er schluckt. »Dann konnte ich euch nicht mehr sehen.«

Ich schließe einen Moment die Augen.

»Und ich habe dich nicht gehen sehen. Dann kam Etienne heraus, und Dylan traf ein, und Etienne sagte ...«

»Wir wissen alle, was Etienne gesagt hat«, unterbreche ich ihn.

Addie stößt einen leisen Laut aus, ein Miauen.

»Warum hast du nichts gesagt?« Marcus hebt leicht den

Kopf, hat das Gesicht aber weiterhin von uns abgewandt. Seine Stimme ist belegt. »Warum hat *niemand* etwas gesagt?«

»Ich wollte nicht, dass du es weißt«, sagt Addie und wischt sich über die Augen. »Du … du warst wahrscheinlich der letzte Mensch auf der Welt, von dem ich wollte, dass er es erfährt. Du hättest gesagt, es wäre meine Schuld gewesen, oder?«

Marcus dreht den Kopf so weit, dass ich sein Gesicht sehen kann. Er lässt die Hände sinken und löst das Klopapier von seiner Nase. Mund und Kinn sind mit Resten von Blut verschmiert. So habe ich ihn noch nie gesehen, so nackt und so verängstigt. Er sieht sehr, sehr jung aus.

»Natürlich nicht. Das hätte ich nicht gesagt, Addie. Gott, ich kann nicht glauben, dass du das denken konntest.«

Addie schüttelt jetzt verzweifelt den Kopf. »Du hast *ständig* nur das Schlechteste von mir gedacht. Du hattest es auf mich abgesehen. Ich konnte den Gedanken nicht ertragen, dass du es erfährst.«

»Selbst wenn ich betrunken und manisch und was auch immer war – bitte, Addie.« Marcus' Stimme bricht. »Du musst wissen, dass ich ehrlich dachte, du würdest Dylan betrügen. Ich dachte, zwischen dir und dem Lehrer wäre etwas gelaufen.«

Eine Weile folgt Schweigen. Der Wasserhahn tropft immer schneller, und ich frage mich, ob das die ganze Zeit schon so ist. Addie verändert leicht ihre Haltung und sieht zu mir hoch.

Sie holt tief Luft. »Du hast nicht … Ich … Es stimmt … Ich war ein bisschen in Etienne verknallt. Einen kurzen Moment lang habe ich es erwogen – und es zugelassen –, und dann wollte ich nicht mehr, aber er hat nicht aufgehört und …« Jetzt schluchzt auch sie, wiegt ihr verletztes Handgelenk im Schoß und streicht mit den Fingern über die Schwellung. »Dyl, ich glaube, dass du nicht mehr wütend auf mich warst, weil mir etwas Schlimmes passiert ist, aber darum bin ich noch kein guter Mensch. Das ändert nichts an der anderen Tatsache.«

Das verletzt mich – ich spüre einen echten körperlichen Schmerz in der Brust.

»Addie. Nein. Komm schon. Stell dir vor, es hätte anders geendet. Stell dir vor, du hättest das Büro einfach in dem Moment verlassen, in dem du es wolltest. Hättest du immer noch gesagt, du verdienst keine Vergebung?«

Sie schweigt. »Ich weiß nicht«, sagt sie. »Ich kann ... das nicht klären.«

»Für mich besteht daran kein Zweifel. Vielleicht warst du kurz davor, mich zu betrügen, aber du hast es nicht getan. Das ›fast‹ ist mir egal. Mir ist wichtig, was tatsächlich passiert ist. Jeder gerät mal in Versuchung, das Falsche zu tun – wenn man uns danach beurteilen würde, würden wir alle schlecht wegkommen. Es geht darum, was man *macht*. Und du hast ihm gesagt, er soll aufhören. Du bist gegangen. Und ich bin derjenige, der Mist gebaut hat, Addie. Ich hasse mich dafür, dass ich mir nicht angehört habe, was wirklich passiert ist, als ich an dem Abend zu dir gekommen bin. Ich war genau der Mensch geworden, der ich auf keinen Fall werden wollte. Ich habe dir nicht zugehört. Ich habe dich enttäuscht.«

Da beugt sie sich zu mir und lehnt ihren Körper an meine Brust, und ich schließe die Augen und drücke sie an mich, während sie weint.

Wir sitzen vielleicht noch weitere fünf Minuten im Bad. Addies Kopf unter meinem Kinn, und ich spüre Deb hinter mir, ihr Bein an meinem Rücken, und Marcus sitzt weiter gebeugt und gebrochen mit dem Rücken zu uns.

Deb rührt sich als Erste. »Wir sollten ...« Sie deutet mit dem Kopf auf Marcus. Addie und ich stehen langsam auf. Marcus regt sich nicht. Wir lassen ihn dort sitzen. Deb führt uns alle hintereinander aus dem Bad. Im Licht der Straßenlaterne, das durch den Spalt zwischen den Vorhängen hereinscheint, fällt mein Blick auf Rodney. Er liegt alle viere von sich gestreckt mitten im Doppelbett und schnarcht mit offenem Mund.

## Addie

Ich glaube, Marcus schläft im Badezimmer – oder vielleicht sitzt er auch einfach die ganze Nacht auf dem Badewannenrand. Ich weiß es nicht, und wahrscheinlich ist es mir auch egal.

Ich weiß nicht, wie ich mich wegen der ganzen Geschichte fühle. Ich bin nicht überzeugt davon, dass es wirklich *Liebe* war, die er für mich empfand, ganz egal, was Deb denkt und was Marcus sagt. Ich denke, Marcus wollte einfach das, was sein bester Freund hatte – und er wollte es umso mehr, als er es nicht bekommen konnte.

Deb schiebt Rodney zur Seite und begnügt sich mit einem Drittel des Doppelbettes. Ich nehme Marcus' Bett und lege mich auf die Seite, beobachte Dylan beim Schlafen.

Er sieht wunderschön aus in der Dunkelheit. Das Licht, das zwischen den Vorhängen hindurchfällt, schimmert auf seinen Wimpern und wirft lange Schatten auf seine Wangen. Bevor ich weiß, wie mir geschieht, schlage ich meine Decke zurück und gehe zu ihm.

Er wacht auf, als ich neben ihm ins Bett klettere und einen Sekundenbruchteil lang – während er mich schläfrig und verwirrt anschaut – zögere ich, spüre kurz einen Stich dieser alten Angst. Ich dachte so lang, dass Dylan dieses sexy Summergirl haben wollte. Eine Frau, die er jagen konnte, so wie er Grace gejagt hatte. Jemanden, den er nicht haben kann. Selbst jetzt ist es noch schwer, einmal zu *ihm* zu gehen, die Erste zu sein, die die Waffen niederlegt.

Doch dann lächelt er und zieht mich an sich, schmiegt sich an meinen Rücken.

»Es tut mir leid«, flüstert er. »Es wird mir immer zutiefst leidtun.«

»Bitte nicht«, flüstere ich. »Es darf einem etwas nicht für immer leidtun. Dafür ist Vergebung schließlich da, nicht wahr?«

Er drückt mich fester an sich, so wie er es immer getan hat. Als ich seinen Duft rieche, steigen so viele Gefühle in mir auf, dass sich meine Kehle zuschnürt.

»Ich hab dich«, flüstert er, während er mich drückt. Das ist etwas, das er oft gesagt hat, ich weiß gar nicht mehr, warum. Ich weiß aber, was es bedeutet: *Ich bin hier. Ich bin für dich da. Ich gehöre dir.*

Ich verschränke die Finger meiner guten Hand mit seinen, ziehe seinen Arm enger an meine Brust. Ich glaube, ich habe immer seine Hand geküsst, wenn er diesen Satz gesagt hat, vielleicht habe ich auch nur gelächelt. Aber ich hatte viel Zeit zum Nachdenken in den letzten eineinhalb Jahren und wenn ich mich an all die Male erinnere, als er mir sagte, er würde mich lieben und ich die Worte nicht erwiderte, werde ich sauer auf mich. Als würde ich irgendwie gewinnen, indem ich diesen Satz zurückhalte. Als würde ich Schwäche zeigen, wenn ich ihm meine Gefühle zeige.

»Ich hab dich«, flüstere ich. »Ich hab dich auch.«

Ich werde von dem Summen meines Telefons aufgeweckt. Es steckt in meiner Schlafanzugtasche. Dylan hält mich immer noch fest, er schläft tief. Ich lächele. Ich fange an, mich zu hinterfragen – was habe ich mir dabei gedacht, einfach so in sein

Bett zu steigen –, aber ich bringe die Stimme in meinem Kopf zum Schweigen, bevor sie weitersprechen kann.

Die Nachricht ist von Deb.

Alles OK? Xx

Alles gut. Ich liege mit Dylan im Bett xx

Ich höre ihren Aufschrei am anderen Ende des Raums und drücke mein lachendes Gesicht ins Kissen.

Öhm, und was heißt das?!

Keine Ahnung. Aber ... ☺

Aber Smiley oder was? Hast du ...

Wir haben nur gekuschelt.

Ekelhaft.

Deb hasst das Wort »kuscheln«. Ich war einer Meinung mit ihr, bis ich niemanden mehr zum Kuscheln hatte – da wurde mir klar, dass es ein Luxus war, das Wort zu hassen.

»Schreibst du Deb?«, flüstert Dylan neben mir.

Ich halte kurz inne. Ich *spüre*, dass er sich entscheiden muss. Nun, wo er wach ist, sollte er mich da loslassen?

Er windet sich, als wolle er sich von mir lösen. Ich lasse mein Telefon fallen und verschränke meine Finger wieder mit seinen, wie zuvor. Ich spüre, wie er lächelt, als er sich wieder an mich schmiegt.

»Ich habe von kuscheln gesprochen. Sie meinte, das sei ekelhaft«, flüstere ich zurück.

Er lacht so leise, dass ich es kaum höre, es ist nur ein leichtes Rumoren an meinem Haar. Meine Glücksgefühle versetzen mich fast schon in Panik, und ich ergreife seine Hand fester, damit sie nicht wegrutscht.

»Alles okay mit dir?«, flüstert er.

»Alles gut. Mir geht es wirklich gut.«

»Ich bin froh, dass wir miteinander gesprochen haben. Obwohl ich mir diese Unterhaltung vielleicht unter etwas anderen Umständen vorgestellt hätte, aber …«

»Weniger Kotzen?«

»Weniger Zuschauer.«

Ich lächele.

»Aber ich wollte dir das schon wirklich lange sagen«, erklärt er.

Er umschließt mich kurz etwas fester. Natürlich weiß ich nicht, was das alles bedeuten soll. Wir kuscheln gerade einfach, und wenn wir dieses Bett wieder verlassen, weiß Gott, wie das mit uns weitergeht. Dylan und ich hatten abgesehen von Etienne und Marcus noch ganz andere Probleme. Es gibt Hunderte Gründe, warum wir …

»Stopp«, flüstert Dylan. »Es ist okay. Entspann dich.«

Ich entspanne meine Schultern. Ich hatte gar nicht bemerkt, wie angespannt ich war.

»Lass uns einfach die letzten paar Minuten in diesem Bett genießen«, sagt er. »Wir können uns der Welt da draußen stellen, nachdem wir aufgestanden sind.«

»Dylan Abbott«, flüstere ich. »Willst du mir etwa sagen, ich solle im Jetzt leben?«

# Dylan

Am Morgen herrscht hektische Aktivität – wir wollen um sieben aufbrechen, aber Deb vergisst die Zeit, als sie mit ihrer Mum und Riley skypt. Außerdem hat sich Marcus im Bad eingeschlossen und ist eingeschlafen, sodass keiner von uns duschen kann, ehe er aufwacht. Und Addie kann ihre Brille nicht finden. Abgesehen von alledem kann ich kaum klar denken vor lauter Freude, als ich über das Chaos hinweg Addies Blick auffange und sie mich anlächelt. Als wir ins Auto steigen und Rodney fröhlich seine Haferkekse als improvisiertes Frühstück herumreicht, entsteht ein Gedicht in meinem Kopf. Die neuen Worte reihen sich aneinander: *Das stille Erblühen / das Wiedererwachen / die zarte Andeutung des Wunsches auf eine Chance.*

Addie, Rodney und ich sitzen hinten. Marcus sitzt vorn und ist ungewöhnlich schweigsam, das ramponierte Gesicht dem Tag zugewandt, der vor dem Fenster erwacht. Gestern habe ich Addies Haut an meiner bewusst wahrgenommen, heute *verbrennt* sie mich. Ich kann kaum an etwas anderes denken, ich bin gefährlich glücklich, voller Hoffnung, und dann nimmt sie auch noch meine Hand, und ich denke, dass ich tatsächlich gleich vor Freude weinen muss.

»Ist das nicht schön!«, sagt Rodney und strahlt, weil wir uns an den Händen halten.

Addie lacht und verschränkt ihre Finger noch fester mit meinen.

Ich darf nicht vorschnell sein. Wir müssen noch über so vieles reden. Aber es ist – *die zarte Andeutung des Wunsches auf eine Chance* –, und das ist so viel besser als alles, was ich in den letzten eineinhalb Jahren hatte, und der große Spalt in meiner Brust ist wie ein Riss in trockener Erde, der beim ersten Regen verschwindet.

Plötzlich scheint die Fahrt problemlos zu verlaufen, als hätten die Straßen die Neuigkeit gehört – dass Addie und ich im Auto Händchen halten – und wären der Ansicht, dass jetzt alles auf der Welt in Ordnung sein sollte. Erst als wir endlich eine unbedingt nötige Pause machen (Deb hat alle Luxuspausen verboten und hält nur, »wenn sich jemand sonst in die Hose pinkelt«) und an einer kleinen Tankstelle in der Nähe von Carlisle halten, fällt mir wieder das andere Problem ein, das sich noch in Debs Mini befindet.

»Einer muss mit Rodney gehen!«, zischt Deb Marcus und mir zu, als wir zum Tankstellenshop schlendern. »Lasst den Mann nicht allein!«

Ach, ja. Rodney, der Stalker. Ich erinnere mich.

»Nicht einmal beim Pinkeln?«, fragt Marcus.

»Insbesondere dann nicht! Was, wenn er durchs Klofenster flieht?«

Ich bin mir nicht sicher, was Marcus und ich dann tun sollen.

»Es ist ziemlich schwierig, ihn im Blick zu behalten, wenn er auf dem Klo ist, Major«, entgegnet Marcus. Er spricht heute nicht ganz so gedehnt.

»Was ist mit Pissoirs? Sind die nicht dafür gemacht?«

Marcus und ich tauschen einen verwirrten Blick.

»Geht einfach! Geht!«, sagt Deb und schiebt uns in Richtung Toiletten.

»Sie hat wirklich kein Interesse an mir, oder?«, fragt Marcus und dreht sich noch mal nach Deb um, die davoneilt, um Addie bei den Snacks einzuholen.

»Sie hat lieber Sex mit Kevin dem Trucker als mit dir. Darum glaube ich nicht. Und du bist nur aus reiner Gewohnheit hinter ihr her.«

Marcus tritt mit der Schuhspitze gegen einen Stein. »Hm. Mir wäre lieber, wenn du immer meiner Meinung wärst. So wie damals, bevor du ein unabhängiger Mann geworden bist und deinen Freund im Stich gelassen hast, weil deine Therapeutin es dir gesagt hat.«

»Nein, das stimmt nicht. Damals war unsere Freundschaft …« Ich verstumme.

»Ich weiß«, sagt Marcus und blickt immer noch auf seine Füße. Und dann, nach einer Weile sagt er: »Auch schon vor Addie. Sie war nicht gesund.«

Ich blinzele überrascht. »Ja. Das stimmt.«

Er wirft mir einen Blick zu. »Tu nicht so überrascht. Du bist nicht der Einzige, der eine Therapie gemacht hat.«

»Sorry«, sage ich. »Ich freue mich nur, dass du das sagst. Und ich habe übrigens keinen Freund im Stich gelassen, wir waren nie wirklich …«

»Getrennt?«, fragt er und hebt eine Augenbraue.

Darüber muss ich gegen meinen Willen lachen. »Was soll ich sagen? Ich glaube an zweite Chancen. Außerdem brauchst du jemanden, der dich ermahnt, dich anständig zu benehmen, wenn du ein Arsch sein willst. Und du hast großes Glück, dass ich dumm genug bin, es weiter zu probieren.«

Die Toilettentür fällt hinter uns ins Schloss. Rodney steht mit großen Augen am Pissoir, als hätten wir ihn bei etwas Unsittlichem erwischt.

»Ach, meine Güte, äh, hallo«, sagt er und hebt eine Hand zum Gruß.

»Vermutlich darf ich seinen Kopf nicht in die Toilette stecken?«, fragt mich Marcus.

»Korrekt. Gut gemacht.«

Marcus seufzt. »Wieder anständig zu werden ist ziemlich langweilig. Darf ich einfach weiter ein verkommenes Subjekt sein?«

Ich lächele schwach. »Nein«, sage ich und sehe ihn aufmerksam an. Die eingefallenen Wangen, die gebeugten Schultern, den ruhelosen Blick. »Nein, ich glaube nicht, dass du das darfst.«

# Addie

»Ich habe dir doch gesagt, dass wir einen heimtückischen Plan brauchen!«

»Wir sagen das Wort ›heimtückisch‹ immer wieder, aber ich bin mir nicht sicher, was es bedeuten soll«, erkläre ich Deb. Sie pumpt schon wieder ab – die batteriebetriebene Pumpe ist leer, deswegen hat sie die andere in der Nähe des Lagerraums angeschlossen. Die beiden Teenager-Jungs hinter der Kasse starren sie an, als wäre sie gerade aus einem Zoo ausgebrochen. »Können wir nicht einfach ohne ihn fahren? Oder ihn irgendwo aussetzen?«, frage ich.

»Oder ertränken?«

»Was? Nein! Warum weiß ich bei dir nie, ob du Witze machst oder nicht?«

»Das liegt an meinem trockenen Humor«, sagt Deb und zieht den Poncho zurecht, der ihren Oberkörper bedeckt. »Das ist nicht deine Schuld.«

»Ich dachte, wir könnten ihn einfach irgendwo zurücklassen und ihm vielleicht … sein Telefon abnehmen …«

»Ich kann es einfach nicht fassen, dass wir über so etwas reden.«

Ich blicke zur Kasse. Marcus und Dylan versuchen, Rodney abzulenken, während wir eine Strategie aushecken. Marcus täuscht nicht sonderlich überzeugend Interesse an Rodneys Gerede vor.

»Vielleicht können wir einfach mit ihm reden? Eine vernünftige Lösung mit ihm finden?«, frage ich.

Deb neigt den Kopf und beobachtet Rodney. »Er wirkt … ziemlich harmlos.«

»Ja, schon. Ich weiß, dass Cherry ausgerastet ist, aber sie ist im Hochzeitswahn. Ich bin mir sicher, dass wir ihn einfach bitten können, nicht zur Hochzeit zu kommen. Das wird für ihn in Ordnung sein.« Bei diesem Gedanken verspüre ich Erleichterung. Das ist viel rationaler. In diesem Familienzimmer im Budget Travel haben wir alle verrücktgespielt. Wir waren kopflos gewesen.

»Eine vernünftige Unterhaltung«, sage ich. »Genau. Ich meine, er wirkt ein bisschen seltsam, aber nicht *gefährlich*.«

Deb winkt Dylan, und die Jungs kommen wieder zu uns.

»Wie, jetzt?«, frage ich.

»Na ja, während ich an die Wand gestöpselt bin, kann ich sonst eh nicht so viel unternehmen«, sagt Deb. »Da kann ich die Zeit doch nutzen. Hi, Jungs. Rodney. Wir wollten nur mal kurz mit dir über deine Pläne bei Cherrys Hochzeit reden.«

Rodney reißt die Augen auf. Sein Körper wird ganz steif. Er blickt verzweifelt von mir zu Dylan zu Deb, zu Marcus und dann wieder zu mir. Und dann stürzt er sich auf Deb.

Sie kreischt und schreckt zurück. Dylan schreit irgendetwas und springt mit ausgestreckten Armen nach vorn, um Rodney wegzuschubsen, aber Rodney ist zu schnell. Er schnappt sich die Autoschlüssel von Debs Schoß und hat sich schon an Dylan vorbeigedrückt.

Marcus reagiert als Erster, als Rodney wegrennt. Aber Rodneys lange, schlaksige Beine sind nützlich – er ist *schnell*. Marcus erwischt nur noch das Ende von Rodneys T-Shirt, dann windet Rodney sich wieder aus der Umklammerung, und Marcus fällt in ein Regal voller Schokokekse.

Ich renne, bevor ich noch darüber nachdenken kann. Ich höre Deb, die hinter mir flucht, während ich durch die Glastüren der Tankstelle renne und ich verstehe sie, es ist ätzend, an eine Steckdose gefesselt zu sein und Milch abzupumpen, während alle anderen einen potenziellen Kriminellen vor einer Tankstelle jagen.

»Los, hinterher!«, brüllt sie, wie Delia Smith bei einem Spiel des Football-Teams Norwich City. »Los!«

Dylan ist am nächsten dran – meine Beine sind zu kurz –, und Marcus liegt hinten irgendwo in einem Haufen Schokokekse. Ich weiche einer Frau aus, die ihr Benzin bezahlen will. »Achtung!«, ruft sie – und versteckt sich zwischen Autos. Rodney ist nur wenige Meter von dem Mini entfernt. Dylan ist ihm dicht auf den Fersen und erreicht ihn, als er gerade die Tür öffnet, aber Rodney dreht sich beim Einsteigen um und schubst Dylan und der fällt direkt in …

Mich. Wir taumeln rückwärts und landen auf der Motorhaube des Wagens hinter uns. Der Alarm ertönt. Dylans Hinterkopf donnert mir aufs Schlüsselbein, und mein verstauchtes Handgelenk schmerzt so stark, dass ich mich fühle, als wäre meine Hand abgefallen. Ich rolle mich unter Dylans Körper hervor und blicke gerade rechtzeitig auf, dass ich Rodney noch wegfahren sehe – in unserem Auto, mit unseren ganzen Sachen.

»Ich wusste, dass es ein Fehler war, euch Ladies den heimtückischen Plan zu überlassen«, sagt Marcus hinter uns. Ich kann ihn kaum verstehen, weil die Alarmanlage des Autos, auf das wir gestürzt sind, einen Höllenlärm veranstaltet. Ich drehe mich um und schaue Marcus an. Er hat sich nach vorne gekrümmt und stützt sich mit den Händen auf den Oberschenkeln ab.

Als ich mich umdrehe und den Mini Schlangenlinien fahrend auf der A7 sehe, kommt der Schmerz in meinem Handgelenk zurück. Ich japse nach Luft und greife nach meinem Arm. Dylans Hand liegt auf meinem Rücken. Als ich die Tränen weggeblinzelt habe, ist Deb hier. Ihre Kleidung ist wieder voller Muttermilch, und ihr Gesichtsausdruck ist bitterböse.

»Beim nächsten Mal«, sagt sie und stakst zurück zur Tankstelle, »musst du *schneller* rennen.«

Alle sind mürrisch. Wir reden eine Weile nicht. Marcus zahlt die ganzen Kekse, die er zerdrückt hat, und wir sitzen einfach da, neben den Zeitungen vor dem Shop und essen Schokokekse auf einem kleinen schattigen Plätzchen.

»Zumindest wissen wir, wo er hinfährt«, erklärt Dylan und nippt an seinem Kaffee. Gott sei Dank haben wir alle unsere Handys und Portemonnaies bei uns. Ich glaube, nach Debs Erlebnis gestern wird niemand von uns je wieder sein Telefon im Auto liegen lassen.

»Was machen wir jetzt? Rufen wir die Polizei?«, frage ich und verziehe das Gesicht.

»Das wird ewig dauern«, entgegnet Deb. »Auf sie warten, eine Zeugenaussage abgeben … Ich würde sagen, wir schnappen ihn uns einfach selbst. Wie Dylan schon sagt, ist es nicht so, dass wir ihn nicht finden können.«

»Aber dein Auto!«, sage ich und blinzele sie an.

Deb winkt ab. »Das bekommen wir zurück. Wir müssen uns nur überlegen, wie wir zur Hochzeit kommen.«

»Können wir kein Taxi bestellen?«, fragt Marcus.

»Wie weit ist es denn noch?«, frage ich.

Lange Stille, bis uns allen dämmert, dass Rodney uns ja immer die Straßenverhältnisse angesagt hat. Ich rufe Google Maps auf meinem Telefon auf und verziehe das Gesicht.

»Eineinhalb Stunden Fahrt. Und es ist ein langes Wochenende. Das wird uns ein Vermögen kosten, wenn ein Taxi überhaupt innerhalb der nächsten …« Ich schaue nach der Zeit und wimmere. »Oh, Gott, wir werden die Hochzeit verpassen, wenn das Taxi länger als eine halbe Stunde braucht, bis es hier ist.«

Deb ruft bei so vielen lokalen Taxidiensten an, wie sie finden kann. Niemand schafft es in unter einer Stunde hierher. Das überrascht uns nicht. Ich würde behaupten, dass uns inzwischen nichts mehr überrascht.

Wir sitzen schweigend da. Jede Minute zählt, klar, aber irgendwie habe ich nur genug Energie dazu, Schokokekse zu essen und mein schmerzendes Handgelenk zu umklammern. Ich glaube, ich habe noch nie innerhalb von vierundzwanzig Stunden so viele Gefühle gehabt.

»Es gib noch *eine* andere Möglichkeit«, sagt Deb nach einer Weile. »Aber ich weiß natürlich nicht, ob das klappt.«

»Wir nehmen alles, egal, wie unwahrscheinlich es auch sein mag.«

»Hat irgendwer die Nummer von Kevin dem LKW-Fahrer gespeichert?«, fragt Deb. »Weil: Der Typ fährt *echt* einen heißen Reifen.«

## Dylan

Ich bin nicht ganz überzeugt, dass Kevin der Trucker ein echter Mensch ist. Ich glaube, er ist ein Hochzeitskobold – nein, Moment, ein guter Geist –, der zu Hochzeitsgästen in Not geschickt wird. Er war innerhalb von fünfundzwanzig Minuten an der Tankstelle, und jetzt befinden wir uns irgendwo zwischen Carlisle und Ettrick und fahren in einer Geschwindigkeit, die meiner Ansicht nach mit einem Fahrzeug dieses Gewichts und dieser Größe eigentlich nicht möglich sein dürfte.

Wir haben schnell gemerkt, dass das Führerhaus eines Lasters nicht sehr geräumig ist. Addie und ich haben erwogen, hinten bei den Sesseln mitzufahren, doch als die Türen geschlossen wurden, merkten wir, dass wir dann in der absoluten Finsternis sitzen und uns womöglich mit einem Sesselbein erdolchen, wenn Kevin um eine Kurve fährt. Und das wäre ein *extrem* schlechter Zeitpunkt, um zu sterben. Also kauern wir zu viert auf den zwei Beifahrersitzen neben Kevin: Deb sitzt auf Marcus' Schoß, Addie auf meinem.

Es ist eine wundervolle Folter. Jedes Mal, wenn der Laster ruckelt, hüpft sie ganz leicht auf meinem Schoß. Ich versuche, mich ganz auf Marcus und Addies Schwester neben mir zu konzentrieren, aber Addie ist so nah, dass ich ihr Parfum riechen kann, und ich höre, wie ihr ganz leicht der Atem stockt, wenn sie meine Härte unter sich spürt, und …

»Bekomm du mal ein Baby«, sagt Deb zu Marcus. »Mal sehen, wie schwer *du* dann wirst.«

»Ich hab mich noch nie sonderlich für Babys interessiert«, sagt Marcus und zieht eine Grimasse, als Deb auf seinen Schenkeln ihre Position verändert. »Wo hast du deins übrigens her? Du bist ganz offensichtlich Single.«

Er versucht, normal zu tun, aber ich kenne ihn zu gut, um ihm das abzunehmen. Seine Stimme klingt dünn, und er sieht erschöpft aus.

»Entgegen der verbreiteten Meinung kann man ein Baby auch ohne Lebenspartner bekommen«, erklärt Deb.

Marcus gibt einen erstaunten Laut von sich und tut interessiert. Ich starre auf Addies feine Haarsträhnen vor meiner Nase und versuche, mir nicht vorzustellen, wie sie sich zwischen meinen Fingern anfühlen.

»Ich war bei einer Samenbank«, erklärt Deb. »Erst habe ich überlegt, einen Freund zu fragen, aber …« Sie zuckt mit den Schultern. »Ich wollte nicht, dass es kompliziert wird.«

»Samenbanken sind super«, sagt Marcus. »War eine tolle Art, etwas Geld zum Saufen zu verdienen, nachdem Dad und India mir den Geldhahn zugedreht hatten. Ich bin wie ein verdammter Bumerang in der Samenbank von Chichester ein- und ausgegangen. Und? Wie weit sind wir?«, fragt er Kevin, während Deb diese ziemlich schockierende Nachricht verarbeitet. »Wäre schön, wenn wir dort sind, bevor mir die Beine absterben.«

»Das ist die Abfahrt«, sagt Kevin und sieht auf sein Navi. »In einer Viertelstunde sind wir da.«

Eine Viertelstunde. Das halte ich noch durch.

Wir fahren durch ein Schlagloch, und ich schließe die Augen und bemühe mich, nicht zu stöhnen.

»Du bist unser Held«, sagt Addie zu Kevin, als er auf den großen Parkplatz fährt. »Danke. Kommst du mit auf die Party?«

»Denkst du, das ginge?«, fragt Kevin und schenkt mir ein besonders beunruhigendes grimassenhaftes Lächeln.

Ich finde Kevin gerade ziemlich hilfreich. Addie ist von meinem Schoß und aus dem Führerhaus gestiegen, und ehe ich ebenfalls aufstehen kann, muss ich mich noch einen Moment ganz stark auf Kevins lächelnde Grimasse konzentrieren.

Ich bin mir sicher, Krish und Cherry haben nichts dagegen«, sage ich und denke im nächsten Moment, dass sie ganz sicher eine Menge dagegen haben.

»Ich habe Cherry übrigens vorgewarnt«, sagt Deb, die noch immer auf Marcus' Schoß sitzt.

»Was!«, rufen Addie und ich gleichzeitig.

Deb dreht sich mit verwirrtem Blick zu uns um. »Wieso?«

»War sie nicht total panisch?«

»Es war eine Textnachricht. Schwer zu sagen«, erwidert sie und reicht mir ihr Handy. »Du weißt, wie Cherry auf Ausrufezeichen steht.«

Addie verzieht das Gesicht, als ich aus der Führerkabine steige und ihr die Nachricht zeige. Sie beginnt mit einer Reihe Emojis, gefolgt von:

Ruft mich an, sobald ihr da seid!!! Und beeilt euch!!!!

»Ich glaube, sie ist ein kleines bisschen in Panik«, stellt Addie fest.

»Der Mini steht auf dem Parkplatz«, konstatiert Marcus. »Sieht aus, als hätte Rodney geparkt und wäre reingegangen.«

Addie flucht.

»Was jetzt?«, frage ich.

»Den Mini aufbrechen, damit wir uns umziehen können?«, schlägt Marcus vor und blickt voller Abscheu auf seine Klamotten. »So kann ich nicht auf der Hochzeit erscheinen.«

Addie rollt mit den Augen. »Wir müssen auf die Hochzeit und Rodney finden, bevor er irgendwelchen Schaden anrichten kann. Wenn wir nicht schon zu spät kommen.«

»Oh Mann«, sagt Marcus, folgt uns jedoch, als wir den Parkplatz verlassen.

Schilder, die in Schönschrift gemalt und an den Rändern mit Feuerwerksexplosionen aus Wasserfarbe verziert sind, lotsen uns zum Ort der Hochzeit. Wir folgen dem Weg durch ein kleines Pinienwäldchen, und als wir aus ihm hinaustreten, schnappen wir kollektiv nach Luft.

Vor uns steht eine riesige Burg. Es ist ganz offensichtlich keine echte Burg – oder vielmehr ist es eine Burg, doch als sie gebaut wurde, musste das Anwesen nicht mehr vor Überfällen geschützt werden. Nichtsdestotrotz ist sie sehr beeindruckend. An den Türmen hängen Fahnen, dicke Weinreben ranken fast bis zu den Zinnen hinauf.

Sprachlos überqueren wir die Zugbrücke über den Burggraben. Wir wussten alle, dass Cherry und Krish eine aufwendige und extravagante Hochzeit planen, aber das ist etwas anderes.

Auf dem tiefgrünen Rasen vor der Burg tummeln sich bereits die Gäste, ein farbenfrohes Durcheinander: kunstvolle Kopfbedeckungen und Hüte, lange Ballkleider, Saris und Lehengas. Addie sieht an sich herunter, als sei ihr gerade wieder eingefallen, dass sie immer noch dasselbe weiße Hemdblusenkleid mit Gürtel trägt, das sie heute Morgen angezogen hat.

»Mist«, murmelt sie. »Warum muss es auch noch ausgerechnet weiß sein?«

Ich lasse den Blick über die Gästeschar gleiten und suche nach Rodney, doch es sind schon viele Leute da, vielleicht Hunderte, und ich weiß nicht, was er trägt. Er könnte sich einen Anzug angezogen haben, schließlich hatte er Zugang zu dem Gepäck im Mini. Er könnte genauso gut ein Kleid von Deb angezogen haben.

»Addie!«, sagt eine Stimme hinter uns.

Wir wirbeln allesamt herum. Unser synchrones Verhalten wird allmählich unheimlich. Ich glaube, die zwei Tage mit schlechter Luft und endloser Country Musik haben uns irgendwie vereint – schließlich haben wir stundenlang dieselbe abgestandene Luft eingeatmet.

»Ja?«, sagt Addie verwirrt. In unserer Nähe scheint uns niemand anzusehen. Wir befinden uns in der Nähe des Gebäudes, direkt neben einem üppigen Blumenbeet mit rosa und violetten Blumen und … etwas … Weißem.

»Addie«, sage ich und deute auf ein Stück weißen Stoffs, das verräterisch hinter einem großen Busch hervorlugt.

»Addie! Komm her!«, zischt die Stimme.

Es ist Cherry, in ihrem Hochzeitskleid und mit Lockenwicklern im Haar. Einen kurzen Moment lang späht sie mit großen Augen und geröteten Wangen hinter dem Busch hervor.

Wir drängen uns alle um sie. Cherry mustert uns mit der Miene einer Frau, die sich nur noch auf das unmittelbar vor ihr liegende Problem konzentrieren kann, zu mehr fehlt ihr die Kraft. Sie zuckt weder mit der Wimper, als sie den kräftigen Lasterfahrer neben Deb, noch als sie das farbenprächtige Veilchen in Marcus' Gesicht bemerkt.

»Also? Wo ist Rodney?«, zischt sie. »Ist er hier?«

»Alles Gute zum Hochzeitstag«, sage ich und beuge mich

vor, um sie auf die Wange zu küssen, erwische jedoch nur Blätter. »Wie geht's dir?«

»Ich drehe völlig durch«, sagt sie. »Ich bin verrückt. Heirate bloß nie, Dylan. Das macht ein Monster aus dir.«

»Okay, ich merke es mir«, sage ich und versuche mit allen Mitteln, nicht zu Addie zu sehen. »Hör zu, wir haben Rodney noch nicht gefunden, aber ...«

Cherry stöhnt und vergräbt das Gesicht in den Händen.

»Keine Sorge! Wir kümmern uns darum!«, sage ich, während Addie ein Blatt aus Cherrys Haar pflückt. »Kannst du uns einen Hinweis geben, was er womöglich vorhat? Nach allem, was du von ihm weißt?«

»Ich kenne ihn doch gar nicht! Ich habe nur ein einziges Mal mit ihm geschlafen!«

»Einmal ist keinmal«, sagt Deb freundlich.

»Er steht doch auf romantische Gesten, oder? Darum die Gedichte«, sagt Addie. »Denkst du, er versucht, dich vor der Trauung zu finden? Um dich umzustimmen?«

»Warum denkst du wohl, hocke ich in einem verdammten Blumenbeet?«, fragt Cherry. »Das ist von Vivienne Westwood. Und *das ist* Vogeldreck«, sagt sie und zeigt auf ein Blatt, das gefährlich nah neben ihrem Kleid hängt. Ihre Hand ist kunstvoll mit Henna bemalt.

»Wir müssen ihn hervorlocken«, sagt Marcus. »Und dann zuschlagen.«

Er demonstriert das Zuschlagen, und Cherry erschrickt.

»Wo könnte er dich vermuten?«, fragt Addie.

»Ich *sollte* mir eigentlich in der Brautkammer das Haar machen lassen«, sagt sie.

»*Brautkammer*? Das klingt nicht schön«, bemerkt Deb.

»Ja, ich glaube, sie haben es wegen der Burgatmosphäre so

genannt«, sagt Cherry und deutet mit einer vagen Geste auf das Gebäude neben uns. »Aber es ist etwas unglücklich, man denkt irgendwie gleich an Folterkammer, oder?«

»Dann gehen wir dorthin«, sagt Marcus. »Wir verstecken uns, stürzen uns auf ihn …«

»Und fesseln ihn!«, endet Deb triumphierend.

Addie und ich sehen uns an. Der Plan mit dem Fesseln klingt jetzt ziemlich gut, was wohl zeigt, wie tief wir alle gefallen sind. Ich habe das Gefühl, wenn diese Reise noch länger gedauert hätte, wäre sie immer mehr zum *Herr der Fliegen* geworden und Marcus hätte wahrscheinlich jemanden gegessen.

»Addie? Dyl?«, ertönt eine Stimme hinter uns.

Cherry kreischt und duckt sich wieder hinter den Busch. »Bringt ihn weg! Schafft ihn fort!«

»Cherry! Es ist nur Krish«, sagt Addie, als wir uns umdrehen.

Krish hebt etwas verwirrt die Hand zum Gruß. Er trägt einen traditionellen Hochzeits-Sherwani in Gold und dunklem Rot und sieht umwerfend aus. »Ist bei euch alles okay?« Er reckt den Hals. »Ist … Cherry? Bist du das?«

»Du darfst mich nicht sehen! Heute ist unser Hochzeitstag!«, ruft sie. »Geh weg!«

Krish lacht. »Was machst du da hinter dem Busch?«

»Last-Minute-Krise«, erklärt Deb.

»Nichts, worüber du dir Sorgen machen musst«, fügt Addie hinzu, als Krishs Grinsen verblasst. »Alles unter Kontrolle.« Sie steckt einen Zipfel von Cherrys Hochzeitskleid hinter sich.

»Geh du nur und misch dich unter die Leute«, sagt sie mit einer wedelnden Handbewegung. »Wir … klären … das.«

Krish wirkt skeptisch. »Ist es sehr schlimm?«, fragt er. »Ich spüre sehr schlechte Schwingungen.« Sein Blick verharrt auf Kevin, und seine skeptische Miene verstärkt sich.

Ich richte mich auf und tätschele ihm den Arm. »Überhaupt nicht«, sage ich. »Geh du nur und genieß deinen besonderen Tag.«

Er wirkt immer noch nicht überzeugt. Ich blicke über seine Schulter.

»Oh«, sage ich. »Sind das nicht deine Großeltern? Die sich mit Mad Bob unterhalten?«

Krishs Augen weiten sich. Mad Bob lässt Marcus wie die personifizierte Zurückhaltung aussehen: Er ist bekannt dafür, sich jedes Mal, wenn er mehr als drei Drinks intus hat, zwanghaft auszuziehen. Und er ist schon so oft verhaftet worden, dass er keinen Job bekommen würde, auch wenn er ihn unbedingt bräuchte, was nicht der Fall ist, weil er gerade halb Islington geerbt hat.

Damit sind wir Krish los. Aber es lenkt meine Aufmerksamkeit auch auf etwas, das ich bei all der Aufregung, dem Stress und der Freude ganz vergessen hatte.

Mein Vater kommt über den Rasen auf uns zu. In seinem Frack sieht er genauso streng und kantig aus wie sein Zylinder. In sein Gesicht haben sich neue harte Falten gegraben, vor allem rechts und links der Nase, und unter seinen Augen liegen bläuliche Tränensäcke. Meine Mutter ist nirgends zu sehen, was ungewöhnlich ist – normalerweise ist sie stets an der Seite meines Vaters –, und mir wird flau im Magen. Es ist immer sicherer, wenn meine Mutter dabei ist.

»Oh, mein Gott, ist das …«, hebt Addie an. »Sollen wir gehen und euch reden lassen?«

Als sie sich zum Gehen wendet, halte ich sie zurück. »Nein«, sage ich mit Nachdruck, doch mein Herz rast. »Bleib bei mir – bitte. Deb, bring Cherry wieder rein und nimm Kevin mit, okay?«

»Sofort«, sagt Deb. »Komm, Cherry, pass mit der Vogelkacke auf.«

Marcus tritt neben mich, er steht an meiner rechten, Addie an meiner linken Seite. Ich spüre Addies unsicheren Blick auf mir. Sie hält das verstauchte Handgelenk vor ihrer Brust, und ich nehme ihre freie Hand und verschränke meine Finger mit ihren.

»Dylan«, sagt mein Vater.

Ich klammere mich zu sehr an Addies Hand, aber irgendwie kann ich meinen Griff nicht lockern. Ich habe so oft an diesen Moment gedacht, habe mir vorgestellt, wie ich meinem Vater sage: *Sieh nur, wie gut ich ohne dich zurechtkomme.* Oder: *Weißt du, du hättest wenigstens einmal nett sein können.* Ich habe mir vorgestellt, dass ich ihm sage, dass ich nie vergessen werde, wie er Luke immer behandelt hat.

Aber jetzt, wo ich hier stehe, habe ich Angst. Die Wahrheit ist, dass ich *nicht* gut ohne ihn zurechtgekommen bin – jedenfalls nicht nach seinen Maßstäben. Ich bin immer noch ein Masterstudent in Teilzeit mit einem kleinen aber nicht unbedeutenden Schuldenberg auf dem Konto. Ich bin Single, liebe aber eine Frau, von der ich hoffe, dass sie mir noch eine Chance gibt. Auf ihn wirke ich, als würde ich immer noch eine Auszeit machen – der verlorene Sohn wandert durch die Welt, willenlos und verträumt und erreicht nichts.

»Wer ist das?«, fragt Dad mit Blick auf Addie.

»Das ist Addie«, sage ich mit zu hoher Stimme und räuspere mich.

Addie lässt einen Moment meine Hand los, um meinen Vater zu begrüßen. Er mustert sie von oben bis unten, und sein Blick ist so unübersehbar kritisch, dass ich eine vertraute Wut empfinde und zu zittern beginne.

»Ich habe schon von Ihnen gehört«, sagt Dad, als er Addie die Hand schüttelt. »Hast du ihn zurückgenommen?« Er grinst Marcus an. »Joel hat mir erzählt, dass ihr zwei euch verkracht habt – du hast meinen Sohn also auch zurückgenommen?«

»So ganz stimmt das nicht, Miles«, sagt Marcus freundlich.

Mein Vater zieht die Augenbrauen nach oben. »Nein?«

»Nein. Wir haben uns nicht verkracht, es war eher ...«

»Eine Schlägerei?«, unterbricht mein Vater und deutet auf Marcus' blaues Auge. »Aber nein. Das kann eigentlich nicht mein Dylan gewesen sein, dazu fehlt ihm der Mumm.«

Addie nimmt wieder meine Hand.

»Würdest du bitte still sein«, sagt Marcus, »und mich ausreden lassen?«

Es folgt schockiertes Schweigen. Ich sehe zu Marcus und erwarte, dass seine Stimmung wie üblich überraschend umschlägt, doch das tut sie nicht, er ist nicht wütend: Er bemüht sich mit allen Mitteln, nicht zu weinen.

»Dein Vater muss wissen, was für ein Mann du bist, Dylan.«

Marcus ist fast nie ernst, nicht *richtig* ernst; es könnte immer sein, dass er sich nur über einen lustig macht oder einen aufziehen will. Oder dass er eine Rolle spielt, die er gleich wieder ablegt. Bei den wenigen Gelegenheiten, bei denen ihm wirklich wichtig ist, was er sagt, klingt seine Stimme ganz anders – weicher und weniger herablassend. So wie jetzt.

»Ich habe einiges gemacht, was Dylan schrecklich fand – ich habe das Beste in seinem Leben zerstört –, aber er hat mich nicht endgültig aufgegeben.« Er sieht meinen Vater unerschrocken an. »Er hat mir immer gezeigt, dass ich mir nur Mühe geben muss, um mir seine Freundschaft zu verdienen. Und dass ich mich entschuldigen muss.«

»Marcus ...«

Er sieht zu Addie und mir.

»Und das tue ich. Es tut mir leid. Ich bin nicht gut darin, mich zu entschuldigen, aber auch das versuche ich.«

»Das ist alles ziemlich dramatisch«, sagt mein Vater abfällig, als ich mich zu Marcus wende und ihm in die Augen sehe. Er hat Tränen in den Augen und sieht ängstlich aus und irgendwie sehr nackt.

Ich umarme ihn mit meinem freien Arm, aber er weicht kopfschüttelnd zurück; er ist noch nicht fertig.

»Weißt du, was es für eine Leistung ist, so zu werden, nachdem er in deinem Haus aufgewachsen ist?«, sagt Marcus zu meinem Vater und richtet sich auf. Er hält dem Blick meines Vaters mühelos stand, als hätte er überhaupt keine Angst. »Weißt du, wie schwer es ist, ein guter Mann zu werden, wenn jemand einem *ständig* sagt, dass man nicht gut genug ist?«

Mein Vater erstarrt. »Marcus«, sagt er in warnendem Ton.

Ich kenne diesen Ton; mich fröstelt.

»Nein, ich weiß, was du sagen willst und scheiß auf den Job«, sagt Marcus und wischt sich mit dem Arm durchs Gesicht. »Ich finde was anderes. Ich arbeite nicht für dich, wenn du immer noch so auf Dylan herabsiehst. Wenn du Luke immer noch behandelst, als wäre er weniger wert. Gott. Was bist du doch für ein charakterloser Sturkopf und Tyrann.«

Die Augen meines Vaters funkeln, und sofort schnürt sich mir die Kehle zu, als wäre die Luft zu stickig. Er macht einen Schritt auf Marcus zu. Addie und ich weichen zurück, und ich höre, wie sie scharf einatmet, doch Marcus zuckt noch nicht einmal. Er lacht.

»Also«, sagt er. »Ich geh dann mal, dann kannst du jetzt Addie kennenlernen.«

Im Umdrehen fängt Marcus Addies Blick auf. Er wirkt sehr

müde, aber auch jetzt ist noch das Feuer da, die typische Marcus-Energie, die nie ganz versiegt.

»Sie ist ein besserer Mensch, als du oder ich es je sein können«, sagt er, »und Dylan hat großes Glück mit ihr.«

## *Addie*

Ich weiß nichts mit mir anzufangen. Tränen brennen mir in den Augen. Dylan hält meine Hand so fest, dass sie schmerzt, während wir Marcus mit hochgezogenen Schultern weggehen sehen. *Sie ist ein besserer Mensch, als du oder ich es jemals sein könnten.*

Ich habe diesen ganzen Scheiß, den Marcus über mich gesagt hat, so lange mit mir rumgeschleppt. Dass ich nicht gut für Dylan sei. Als hätte ich etwas Schlimmes in mir drin, wie eine lebende Granate. Das hat schon auf mir gelastet, noch bevor Etienne versucht hat, mich zu brechen.

Nun denke ich, dass er auf seine Weise recht hatte. Ich hätte Dylan auf tausend unterschiedliche Arten wehtun können, und manchmal war ich nah dran – und manchmal ist es passiert. Damals, als wir uns alle kennengelernt haben, hätte ich so eine Frau sein können und vielleicht hätte diese Frau einen Mann wie Marcus geliebt. Vielleicht hätte diese Frau Etiennes Kuss erwidert.

Aber ich weiß jetzt, wer ich bin. Ich bin die Frau, die Dylans Hand festhält und zu dem Vater aufblickt, vor dem er immer so große Angst hatte, dass er mich nicht vorgestellt hat. Der Mann, dessen Verachtung für uns beide aus all seinen Poren kommt.

»Nun«, sage ich zu Miles Abbott. »Ich glaube nicht, dass wir uns häufig sehen werden, wenn Sie sich nicht ein Beispiel an Marcus nehmen und Ihren Sohn um Verzeihung bitten. Aber es war schön, Sie kennenzulernen. Genau hier und jetzt. In dem Moment als Ihnen alles um die Ohren geflogen ist.« Ich lächele ihn kurz an, dann drehe ich mich zu Dylan. »Komm schon, Dyl. Wir müssen einen uneingeladenen Hochzeitsgast schnappen.«

Dylan zittert, während wir durch die Gänge laufen und die Brautkammer suchen. Er versucht, seinen Bruder anzurufen, aber Luke geht nicht dran und das verschlimmert Dylans Zustand noch.

»Hey, alles okay mit dir?«, frage ich und bleibe stehen. Wir halten uns immer noch an der Hand. »Du hast es echt gemacht! Du hast ihn gesehen und bist weggegangen.«

Er legt sich die freie Hand auf die Stirn und hat die Augen zu Schlitzen verzogen. »Ich habe noch nicht einmal etwas gesagt.«

»Das musstest du auch nicht. Ruhig zu bleiben ist auch beeindruckend, vor allem, weil er *ganz eindeutig* erwartet hat, dass du angekrochen kommst.« Ich drücke seine Hand. »Marcus und ich stehen hinter dir. Und vielleicht sagst du beim nächsten Mal etwas, wenn du magst – vielleicht bekommst du mit deinem Vater noch die Kurve, so wie mit Marcus.«

Er lehnt sich gegen die Wand und lockert schließlich den Griff um meine Hand und lässt sie dann ganz los. »Stört dich das?«, fragt er ruhig. »Dass ich … dass ich Marcus wieder in mein Leben gelassen habe, nach alldem, was er getan hat?«

Ich denke angestrengt nach. Diese Frage ist zu wichtig, als dass ich darüber hinweggehen könnte, obwohl ich das zunächst am liebsten tun würde.

»Erzähl mir vielleicht, wie es dazu gekommen ist. Nach …«
Ich schlucke. »Nach Etienne.«

Dylans Augen werden ganz sanft, als ich seinen Namen ausspreche. Er streckt seine Hand in meine Richtung. »Darf ich?«, fragt er vorsichtig.

Der Gang um uns herum ist riesig, mit einem hohen Deckengewölbe und rosa Tapete, doch die Welt fühlt sich plötzlich ganz klein an. Als gebe es nur Dylan und mich. Ich gehe zu ihm, und er nimmt mich in die Arme und drückt mich fest. Ich spüre sein Kinn, das auf meinem Kopf liegt. Jede Stelle, an der wir uns berühren, kribbelt vor Glück, meine Kopfhaut, meine Brust, mein Bauch.

»Nachdem ich dich verlassen habe, habe ich es lange nicht aus dem Bett geschafft.«

Ich will mich von ihm lösen, um ihn anzuschauen, aber er drückt mich weiterhin an seine Brust, deswegen entspanne ich mich wieder in seinen Armen. Mein schmerzendes Handgelenk hängt herunter, aber mein anderer Arm ist fest um ihn geschlungen.

»Ich war … ich war depressiv«, sagt er. »Als Marcus mich schließlich zu einem Arztbesuch überreden konnte, meinte der Arzt das.«

»Du hattest schon vorher Depressionen«, sage ich an seiner Brust. Ich höre, dass sein Herzschlag schneller wird. »Bevor wir uns getroffen haben. Und als du gereist bist. Und manchmal … hat dich alles überwältigt, oder nicht, als wir zusammen waren?«

»Ich wusste nicht … ich dachte …«

»Ich wusste, wenn du ein Tief hattest, Dylan. Ich kenne dich. Ich hatte nur … zu viel Angst, glaube ich, um dich darauf anzusprechen.«

»Angst wovor?«, flüstert er und legt eine Wange auf mein Haar.

»Vielleicht, dir zu zeigen, wie wichtig du mir bist. Es hat mir riesige Angst gemacht, dass es Bereiche von dir gab, die ich – im Gegensatz zu Marcus – nicht erreichen konnte.«

»Er war auch beim ersten Mal da, als ich noch ein Teenager war«, sagt Dylan leise. »Er und Luke waren für mich da. Mein Dad …«

»Nicht.«

»Genau«, sagt Dylan traurig. »Er nicht. Das war schwer für mich, klar.«

»Also war Marcus nach unserer Trennung für dich da?«

»Anfangs nicht. Ich habe ihn nicht reingelassen, ich habe ihn gehasst und konnte ihm nicht einmal die Wahrheit über dich sagen, deswegen dachte er immer noch, du hättest mich betrogen und … ich konnte es nicht ertragen, mit ihm zusammen zu sein. Ich habe ihm anfangs die ganze Schuld dafür gegeben, dass ich dich verloren habe. Irgendwann ist er einfach bei mir eingebrochen. Hat mich aus dem Bett gezerrt und zum Arzt gebracht, wo er mir Antidepressiva und einen Therapieplatz besorgt hat.« Ich spüre, wie er lächelt. »Ich bin unter der Bedingung zum Erstgespräch beim Psychologen gegangen, dass er sich auch therapeutische Hilfe sucht. In dieser Zeit hat Marcus noch mehr Dummheiten gemacht – er ist bei Grace aufgetaucht und hat ihr alle möglichen Garstigkeiten entgegengebrüllt, hat Javier geschlagen …«

»*Javier* geschlagen? Warum das denn?«, frage ich und blicke schockiert zu ihm auf.

Dylan verdreht die Augen. »Ich glaube, Marcus ist ausgerastet, weil die Therapie Dinge zutage befördert hat, mit denen er nicht umgehen konnte. Aber ja, Javier und Luke haben sich wegen irgendetwas gestritten, und Marcus hat sich eingemischt.«

»Verdammt.«

»Ich weiß. Deswegen habe ich den Kontakt zu ihm abgebrochen. Meine Therapeutin meinte, das würde helfen und ... es half auch, uns beiden, glaube ich. Deswegen haben Marcus und ich letztes Jahr nicht miteinander gesprochen. Nicht, bis ich ihn angerufen habe und ihn gefragt habe, ob er mit mir gemeinsam zur Hochzeit fahren möchte.«

»Weil du gehört hattest ...«

»Alle meinten es. *Er verändert sich. Er gibt sein Bestes.* Er hat sich bei fast allen entschuldigt – nur nicht bei Grace und mir. Na ja, und bei dir auch nicht.«

Ich lächele verhalten. »Ich weiß nicht, ob ich so gut im Vergeben bin wie du. Ich glaube, ich würde eine Weile brauchen, um ...«

Er drückt mir die Lippen auf den Kopf. »Natürlich. Ich würde es verstehen, wenn du ihn nie wieder in deinem Leben haben wollen würdest. Natürlich würde ich das.«

Ich winde mich kurz aus der Umarmung. Es fühlt sich so gut an in seinen Armen, aber ...

»Wir sollten ...«

»Ja. Genau. Rodney.«

Als wir endlich die Brautkammer finden, sieht es gar nicht so schlimm aus. Eine Wand ist vom Boden bis zur Decke mit Satinrosen bedeckt, und an den anderen hängt dieselbe teuer wirkenden Tapete wie auf dem Gang. Alles ist überladen. So stelle ich mir die Räumlichkeiten vor, in denen Marie Antoinette gelebt hat.

Das alles passt so gut zu Cherry. Sie kommt in einer Wolke aus weißem Satin und Parfum zu uns, um uns zu begrüßen.

»Kommt rein! Kommt rein! Und helft!«, sagt sie.

»Kann ich jetzt anfangen?«, fragt die Friseurin Cherry. »Die Zeremonie beginnt in einer halben Stunde, und ich will dich nicht in Panik versetzen, aber normalerweise mache ich die Haare gern, bevor die Braut ihr Kleid anzieht und du musst auch noch mit dem Standesbeamten sprechen und ...«

»Keine Sorge«, sagt Cherry, »mehr Panik als ich kann man nicht mehr haben.« Sie setzt sich seufzend in ihrem ausladenden Kleid hin. Es sieht wunderschön aus: ein weißes Ballkleid mit Korsage und Blütenblättern aus Satin am Dekolleté und freien Schultern. Ein roter Sari liegt ordentlich gefaltet auf dem Tisch hinter ihr, auf ihm funkeln zahllose Steinchen und er ist mit einem Goldfaden durchwoben. Ich fahre sanft über den Saum. Er sieht *wunderschön* aus.

»Für die Party«, sagt Cherry und beobachtet mich. »Ist der nicht toll? Krishs Mum hat ihn für mich gemacht.«

So ruhig hat sie sich den ganzen Tag lang nicht angehört. Ich hätte wissen müssen, dass man Cherry mit einem Gespräch über Mode beruhigen kann.

»Hast du etwas zum Anziehen, das du mir leihen könntest?«, frage ich sie.

Hinter mir diskutieren Marcus, Deb, Kevin und Dylan, wie man einen Mann am besten fesselt, wenn man nur Tischläufer zur Verfügung hat. Dylan lächelt mich kurz an, als er meinen Blick bemerkt. Er klopft Marcus auf die Schulter, mit einer dieser männlichen umarmungsähnlichen Gesten, die Kerle machen, wenn sie nicht über ihre Gefühle sprechen können.

Cherry blickt mich an. »Oh Gott, klar, *das* kannst du nicht tragen!«, sagt sie entsetzt. »Geh ins Badezimmer, dort liegt mein Koffer für die Flitterwochen. Ich helfe dir.«

»Nein«, sagt die Friseurin und sieht dann selbst überrascht

aus, weil sie sich so bestimmt anhört. Sie zappelt nervös auf der Stelle. »Sorry. Aber kannst du jetzt bitte stillsitzen, damit ich dir die Lockenwickler herausdrehen kann? Bitte?«

Cherry räuspert sich, setzt sich aber wieder hin. »Versuch mal das leuchtend blaue Kleid, Ads«, sagt sie. »Und gib Deb das kleine rote, falls sie heute Abend jemand abschleppen will.«

»Will ich!«, ruft Deb. »Krishna hat mir Singlemänner versprochen.«

»Tonnenweise«, sagt Cherry, während die Friseurin sich ihren Lockenwicklern widmet. »Hier wimmelt es geradezu von ihnen – dieses rote Kleid wird wie ein Blutstropfen im Wasser sein. Ooh, dieser Vergleich war überraschend anschaulich. Wer bist du überhaupt, wenn ich fragen darf?«

»Kevin«, sagt Kevin. »Hi. Ich wünsch dir einen schönen Hochzeitstag. Danke für die Einladung.«

»Gott, du kannst echt nicht hier sein. Es sind eh schon viel zu viele Gäste hier, Brandschutz, weißt du, und wir haben definitiv nicht genug Essen. Addie? Geht das blaue Kleid?«

Ich bin noch gar nicht beim Koffer angekommen. Dieses Badezimmer ist so groß wie das Wohnzimmer meiner Eltern, eine Badewanne auf Füßen steht vor einem riesigen Fenster. Der Boden besteht aus grauen Fliesen. Sie sind beheizt, ich spüre das unter meinen Strümpfen. Cherrys Koffer steht neben der Dusche, er ist auf die Seite gekippt. Er ist so groß, dass ich die beiden darin bequem nach Thailand auf ihre Flitterwochen begleiten könnte.

»Soll ich gehen?«, höre ich Kevin auf der anderen Seite der Tür murmeln.

»Nein«, sagt Deb. »Ich glaube nicht, dass sie das ernst gemeint hat. Versuch einfach, etwas weniger auffällig auszusehen. Setz dir einen Zylinder auf oder so.«

»Und?«, ruft Cherry. »Addie?«

»Sekunde!«, brulle ich und wühle mich durch ihren Koffer.

Ich halte inne, als ich das blaue Kleid finde. Es ist nicht nur ein blaues Kleid, es ist … Kunst. Spaghettiträger, Satin. Der Stil erinnert ein wenig an die Neunziger Jahre – er erinnert mich an das Kleid, das Julia Stiles in *10 Dinge, die ich an dir hasse* beim Abschlussball getragen hat.

Ich schlüpfe aus meinem weißen Kleid und ziehe mir das blaue über. Dieses Etuikleid würde Cherrys Kurven betonen, an mir hängt es einfach hinab. Mir gefällt das. Bei mir ist es außerdem ziemlich lang, bei Cherry wäre es recht kurz.

»Diese ganz zarten silbernen hohen Schuhe«, ruft Cherry durch die Tür, bevor ich die Frage überhaupt stellen kann.

Ich ziehe sie mir umständlich an, versuche, nicht mit meiner verletzten Hand zu greifen. Diese Schuhe sind mir zu groß, und sie werden mir große Schmerzen zufügen, aber im Augenblick ist mir das egal. Ich fühle mich wild und strahlend schön. Natürlich wäre es gut gewesen, noch einmal zu duschen, aber das ist mir egal.

Ich öffne die Badezimmertür, gerade als jemand an die Tür der Hochzeitssuite klopft. Wir erstarren alle. Dylan blickt mich an, und die Luft ist wie aufgeladen. Ich erinnere mich, wie es sich in dem Sommer in Frankreich angefühlt hat. Ich kann die provenzalische Sonne fast *spüren*, die Grillen zirpen hören. Dylans Blick ist feurig. Er blickt mich nicht so an, als hätte er mich noch nie zuvor gesehen – sondern, als hätte er noch nie jemand anderen gesehen.

»Cherry!«, ruft Rodney durch die Tür. »Cherry, bitte mach die Tür auf!«

Dylan reißt seinen Blick von mir los, als Cherry aufsteht und alle ins Bad scheucht. Ich trete zurück, damit alle reinpassen, und Deb zieht vorsichtig die Tür hinter sich zu. Mein Herz schlägt zu schnell. Ich weiß nicht, ob es am Stalker dort draußen oder an Dylan hier drinnen liegt. Ich muss ihn nicht anblicken, um die Verbindung zwischen uns zu spüren. Die Verbindung, die nie wirklich abgerissen ist.

»Sprich mit mir, Cherry«, fleht Rodney durch die Tür. »Bitte, lass mich rein!«

Wir drängen uns an der Tür zusammen. Sogar Marcus sieht ernst aus. Deb und Kevin stehen jetzt zwischen mir und Dylan, aber ich spüre, wie sie mich immer wieder anblicken, während wir uns hinhocken und die Ohren gegen die Tür pressen.

Cherry lässt Rodney ins Zimmer.

»Du solltest wirklich nicht hier sein«, sagt sie.

»Wie um alles in der Welt könnte ich denn woanders sein?«

Dylans Hand liegt auf dem Türknauf, wir alle sind bereit rauszustürmen.

»Ich gehe nirgendwohin, bis du nicht einsiehst, dass diese Hochzeit ein Fehler ist, Cherry!«

Das ist dermaßen unangemessen; er verhält sich wie in einem Theaterstück. Ich bin nicht überrascht, als Cherry lacht.

»Rodney. Bitte. Wie kannst du das denken?«

»Macht er dich wirklich glücklich? Ja?«

»Niemand hat mich jemals auch nur annähernd so glücklich gemacht wie Krishna«, sagt Cherry jetzt ernster. »Er ist mein Ein und Alles. Ich war noch nie so verliebt. Und Rodney – in dich war ich nie verliebt.«

Wir hören Bewegung. Wir machen uns bereit. Ich denke, sie hat sich in seine Richtung bewegt und hält ihm vielleicht die Tür auf?

»Wir gehören zusammen, Cherry!«, sagt Rodney und hört

sich verzweifelter an als jemals zuvor. »Wir sind so wie – wie Dylan und Addie!«

Ich zucke zusammen. Alle schauen mich an.

»Dylan hat Addie verloren, aber er hat sie nicht aufgegeben und sie zurückbekommen.«

Die Stille zieht sich so sehr in die Länge, es ist schmerzhaft.

»Dylan hat Addie nie verloren, Rodney. Und du ›hattest‹ mich nie. Das kann man nicht vergleichen.«

»Ich lasse es einfach nicht zu, dass du das machst«, sagt Rodney. »Ich werde, ich werde, ich werde … einfach hier stehen, hier in dieser Tür! Für immer!«

»Oh, verdammte Axt«, sagt Deb laut. »Wir haben jetzt keine Zeit für diesen Kack.«

Sie öffnet die Tür, und wir purzeln alle heraus.

»Hey!«, ruft Rodney, während wir uns auf ihn stürzen. Dylan schnappt sich einen Arm, Kevin den anderen.

»Komm schon, Rodney, setz dich«, sagt Marcus und greift nach einem Stuhl.

»Was macht ihr da?«

»Wir fesseln dich«, erklärt Deb.

»Was?«

Rodney fängt an, sich zu wehren. Er ist überraschend stark. Deb, Marcus und ich eilen Dylan und Kevin zur Hilfe. Ich bin nicht sonderlich nützlich. Ich fühle mich ein wenig wie diese eine überflüssige Person beim Möbelschleppen: Ich trage zwar an einer Seite mit, hebe aber fast nichts von dem Gewicht.

Irgendwie, unter vielen *Uffs* und Flüchen und Tritten schaffen wir es, dass Rodney sich hinsetzt und wir ihn fesseln können.

»Ich fasse es einfach nicht, dass ihr das macht«, sagt er und starrt seine gefesselten Handgelenke und Knöchel überrascht an. »Das ist lächerlich!«

»Gut, oder?«, sagt Marcus und zieht den Knoten an Rodneys linkem Knöchel fest. »Das habe ich noch nie gemacht.«

»Und wenn ich schreie und jemand kommt, um mich zu retten?«, fragt Rodney und zerrt an seinen Handgelenken.

»Hmm, gute Frage«, sagt Deb. »Sollen wir ihn knebeln?«

Wir starren sie alle an.

»Ich werde nicht schreien«, sagt Rodney schnell. »Ich sitze einfach da.«

»Du könntest ein Hörbuch hören«, schlägt Kevin vor. »Damit vertreibt man sich auch auf langen Fahrten gut die Zeit.«

»Er ist kein besonders furchterregender Bösewicht, oder?«, fragt Cherry und betrachtet Rodney. Sie hat sich aus Angst um ihr Kleid nicht an der Rangelei beteiligt. »Wenn ich mir einen Mann aussuchen müsste, der meine Ehe am Hochzeitstag verhindern sollte, würde ich mir dafür nicht Rodney aussuchen. Tut mir leid, Rodney.«

Rodney sieht verletzt aus. »Ich liebe dich immer noch«, sagt er. »Vielleicht aber inzwischen ein kleines bisschen weniger«, fügt er hinzu und blickt auf seine gefesselten Füße.

Cherry tätschelt ihm den Kopf. »Du liebst mich nicht, Rodney, aber du hast auf jeden Fall ein Problem, um das du dich kümmern solltest, wenn das alles hier vorbei ist. Marcus, lad ihm ein Hörbuch runter, okay? Sein Handy ist in seiner Tasche, leg es so hin, dass er nicht drankommt. Alles in Ordnung mit euch? Addie? Ich muss jetzt schnell zum Standesbeamten.«

»Augenblick.« Ich nehme mir Papier und Stift vom Schminktisch und kritzele eine Nachricht.

*Nicht eintreten! Nur für Braut und Bräutigam ;)*

»Es soll ja niemand die Geisel hier entdecken.« Ich klebe den Zettel an die Tür. »Richtig. So, geh heiraten.« Ich küsse Cherry auf die Wange.

Sie strahlt uns alle an und bemerkt dann die Friseurin, die uns mit offenem Mund aus der Ecke anstarrt.

Hmm. Die haben wir ganz vergessen.

»Sorry«, sagt Cherry und lächelt sie breit an. »Exfreunde, weißt du?«

## Dylan

Krish und Cherry werden auf dem Dach der Burg getraut; die Zinnen sind mit aufwendigen Blumenarrangements geschmückt, die sich wie Wasserfälle über sie ergießen, dahinter erstreckt sich endlos der azurblaue Himmel. Der Wind streicht über den glänzenden Satinstoff von Cherrys Kleid, als ihr Vater sie tiefbewegt den Gang hinunterführt. Unter Tränen lächelt er Krish zu, küsst Cherry auf die Wange und lässt sie gehen, doch Krish sieht ihn nicht, er hat nur Augen für Cherry. Er liebt sie so wie ich Addie, daran lassen seine großen Augen, aus denen er sie voller Bewunderung ansieht, keinen Zweifel.

Krish und Cherry haben sich für eine gekürzte Version der traditionellen Hindu-Trauung entschieden. In einem Kreis aus Feuersteinen wird am Ende des Ganges unter einem hohen Bogen aus Grün und Rosen sorgsam ein kleines Feuer entzündet. Geduldig übersetzt der Pandit so viel wie möglich aus dem Sanskrit ins Englische, während Puffreis und Gewürze in die orangefarbenen Flammen geworfen werden.

Ich weine wie ein Baby, als Krish ehrfürchtig den Kopf neigt und Cherry ihm eine Girlande aus leuchtenden Blumen um den Hals legt, dann neigt sie den Kopf, damit er ihr ebenfalls eine Girlande umhängen kann. Als sie ihre sieben traditionellen Runden um das Feuer beendet haben, werden ihre Handgelenke mit einem Band aus tiefroter Seide zusammengebunden, und mir tropfen Tränen vom Kinn.

»Du bist ein hoffnungsloser Romantiker«, flüstert Addie mir zu, als ich mir über die Wangen wische.

Ich öffne den Mund, um zu antworten.

»Ich bin so froh, dass sich das nicht geändert hat«, sagt sie, und wieder erfolgt in meiner Brust eine kanonenähnliche Explosion. Das Gedicht, das ich vor fast vierhundert Meilen begonnen habe, wächst weiter, und als Addie mich anlächelt, beschließe ich, dass die Worte *unverändert und verändert* als Motiv wiederkehren sollen. Sie sind wie ein Wunsch, den man jedes Mal aufs Neue formuliert, wenn man Kerzen ausbläst oder eine Wimper verliert.

Das Hochzeitsmahl ist ein Fest aus unzähligen Currys, und auf Riesentischen sind Desserts im Überfluss aufgebaut wie Edelsteine, die aus Schatzkisten quellen: Mango Barfi und Feigen Halwa neben Erdbeertrüffeln und winzigen Gläschen mit federleichtem weißem Schokoladenmousse. Dass Cherry dachte, sie hätten nicht genug zu essen für Kevin, ist absolut lachhaft.

Unser Tisch ist bei Weitem der lauteste, was wir hauptsächlich Kevin zu verdanken haben. Die ersten zwei Stunden hat er Deb mit schmachtenden Blicken verfolgt. Dann wurde er Onkel Terry vorgestellt, und zwischen den beiden entstand sofort eine äußerst innige Männerfreundschaft. Deb ist ganz und gar vergessen. Terry und Kevin trinken Schnaps und klopfen sich gegenseitig auf den Rücken, wobei sie so laut lachen, dass sogar Marcus zusammenzuckt. Ich bin mir ziemlich sicher, dass Terry nicht an unserem Tisch sein sollte, aber Kevin genauso wenig. Vermutlich ist die sorgfältig geplante Sitzordnung ohnehin über den Haufen geworfen.

Es ist alles zweifellos herzerwärmend. Aber es ist nichts verglichen mit dem Gefühl, bei Addie zu sein. Sie sitzt mir am Tisch gegenüber, immer wieder treffen sich unsere Blicke über dem gewaltigen Tafelaufsatz, und jedes Mal wird in meinem Bauch ein kleiner Funke entzündet, als würden wir uns berühren. Ich bin so damit beschäftigt, sie über den Tisch hinweg anzustarren, dass ich gar nicht bemerke, dass Cherry kommt, bis sie mit einer Hand vor meinem Gesicht herumwedelt.

»Hallo«, sagt sie. »Hier ist die Braut!«

»Oh, sorry, hallo«, sage ich und drehe mich zu ihr um, als sie sich zu mir herunterbeugt. »Du hast geheiratet!«

»Ich weiß! Wild! Hey, hast du deinen Bruder gesehen?«

Um Luke habe ich mir auch schon Sorgen gemacht. »Nein, und Javier auch nicht.«

Cherry macht ein nachdenkliches Gesicht. »Komisch. Vielleicht haben sie eine Nachricht geschickt. Mein Telefon ist in Krishs Tasche.«

Ich sehe auf mein Handy – noch immer nichts von Luke, obwohl ich inzwischen mehrmals versucht habe, ihn anzurufen.

»Darf ich dich um einen Gefallen bitten?«, fragt Cherry.

»Na, klar. Schieß los.« Ich lasse das Handy zurück in meine Tasche gleiten.

»Könntest du mit Ads meinen Sari und Krishs Smoking holen? Die sind in dem Zimmer bei Rodney, und es könnte sein, dass ich Krishna gesagt habe, dass wir einen Stalker in dem Zimmer gefesselt haben. Jetzt ist er wunderbar dominant und sagt mir, dass ich dort auf keinen Fall hineingehen dürfte. Aber wir wollen uns für heute Abend umziehen, und wir brauchen eine Menge Vorlaufzeit, weil ich nicht ohne die Hilfe von Krishs Mutter in diesen Sari komme.«

Ich weise sie nicht daraufhin, dass man ganz bestimmt nicht zwei Personen braucht, um zwei Outfits aus einem Zimmer zu holen und beuge mich stattdessen vor, um meine Freundin auf die Stirn zu küssen.

»Ja«, sage ich. »Gerne.«

»Keine Eile«, erwidert Cherry und zwinkert mir zu. »Oh, und vielleicht bringt ihr Rodney was zu essen mit? Warum siehst du mich so an? Noch nicht einmal einen Pudding?«

»Du solltest eine einstweilige Verfügung gegen den Mann erwirken, anstatt ihm ein Dessert anzubieten«, sage ich, und sie schmollt.

»Jeder kann sich bessern, Dylan!«, sagt sie und wuschelt im Aufstehen Marcus durchs Haar, dabei wogt ihr Kleid um sie.

»Entschuldigt«, sagt Marcus und lehnt sich zurück. »Aber bitte vergleicht mich nicht mit dieser jämmerlichen Existenz.«

»Du hast recht«, sagt Cherry fröhlich und ist bereits auf dem Weg zum nächsten Tisch. »Du warst wesentlich attraktiver als gruseliger Stalker. Attraktiver und betrunkener. Das ist viel besser!«

Marcus sieht ihr finster hinterher und sinkt auf seinem Stuhl in sich zusammen, da die Gäste um uns herum ihn mit Interesse mustern. »Pah«, macht er.

Deb beugt sich von meiner anderen Seite zu ihm herüber.

»Willkommen im Standard-Moralsystem, *Schatz*«, sagt sie und klaut Marcus den letzten Champagnertrüffel vom Teller.

Ich lasse den Blick über die Gäste gleiten und halte nach Luke und Javier Ausschau – und wo ist eigentlich meine Mutter? Stattdessen entdecke ich eine Frau in einem dramatischen gelben Kleid, die von einem anderen Tisch, an dem Freunde von Cherry sitzen, zu uns herüberkommt. Ihr Haar ist hellviolett gefärbt, und ihr trägerloses Kleid lässt ein Rosen-Tattoo auf ihrer Schulter frei. Grace.

»Ich empfinde …« Marcus nagt an seiner Lippe.

»Schuld?«, schlage ich vor und drehe mich zu ihm um.

»Hä?«

»Scham?«

»Hör auf«, sagt er und reibt sich durchs Gesicht. »Du klingst wie meine Therapeutin. Was ist der *Vorteil* von diesem ganzen Quatsch? Warum sollte ich mich bessern?«

Ich blicke wieder zu Grace. Sie hat in den letzten zwei Jahren ihre ganz eigene Reise zurückgelegt. Entzugsklinik, spirituelles Erwachen, ein geschundenes Herz. Das hat sie verändert. Die Frau, die die seltenen Momente sabotiert, in denen sie sich als Ganzes fühlt, ist verschwunden. Grace wird sich nicht mehr mit einem Mann zufriedengeben, der sie nicht von ganzem Herzen liebt.

Aber sie ist immer noch Grace – sie ist immer noch umwerfend glamourös, immer noch ein bisschen zu leidenschaftlich, immer noch eleganter als wir alle zusammen. Und ihr Blick ruht auf Marcus, so wie immer, auch wenn sie es mit anderen Liebesgeschichten versucht hat. Auch als Marcus' Blick so oft zu Addie gezogen wurde. Sie hat nicht aufgehört, ihn so anzusehen. Sie hat ihn nie ganz aufgegeben.

»Dylan?«, drängt mich Marcus. »Komm schon. Was hat man davon?«

»Ich glaube, wenn du ganz viel Glück hast, findest du es vielleicht heraus«, sage ich.

## Addie

»Wir waren schon einmal in diesem Gang«, sage ich und drehe mich um. »Ich erinnere mich an dieses Portrait.«

Ich zeige auf einen alten Kerl mit einer Krone, der in einem Rahmen an der Wand hängt.

»Tatsächlich?« Dylan neigt den Kopf zur Seite. »Ich bin mir ziemlich sicher, dass das John O'Gaunt ist und ich glaube, der letzte war Richard II.«

»Ich habe vergessen, wie viel du weißt«, sage ich und lache. »Also, links oder rechts?«

»Alles total unnützes Wissen, das kannst du mir glauben. Links«, sagt Dylan und biegt schon in den linken Gang ab.

Ich lächele, er blickt mich an.

»Was?«

»Vor zwei Jahren hättest du gewollt, dass ich entscheide«, sage ich, als wir durch den Gang gehen, bei dem ich mir hundertprozentig sicher bin, dass wir ihn schon einmal gesehen haben. Aber ich will mich nicht beschweren. Sich verlaufen fühlt sich gerade perfekt an.

»Du hast mich immer dazu gedrängt, eigene Entscheidungen zu treffen«, sagt Dylan und schließt zu mir auf. »Das ist mir erst aufgefallen, als wir getrennt waren.«

Seine Hand streift meine, und ich ergreife die Chance und umschließe seine Finger. Mehr als Händchenhalten haben wir noch nicht geschafft, wie ein Paar Siebtklässler. Bei dem Gedanken muss ich lächeln. Er sieht so gut aus – er und Marcus haben ihre Smokings aus dem Auto geholt, als wir Rodney die Schlüssel wieder abgenommen haben, und der Anblick von Dylan in einem Smoking stellt gefährliche Dinge mit meiner Phantasie an.

»Vor dir gab es immer meinen Vater oder Marcus. Jemanden, der mir gesagt hat, was ich zu tun habe«, sagt Dylan und reibt mir beim Gehen mit dem Daumen über den Handrücken. Wir könnten uns nicht noch viel langsamer bewegen – er will diese Schokoladentrüffel ebenso wenig zu Rodney bringen wie ich.

»Und jetzt?«

»Jetzt habe ich eine Therapeutin, die mir sagt, was ich machen soll«, sagt er trocken, und ich lache. »Nein, ich werde schon besser. Ich habe mir ein eigenes Leben aufgebaut. Ich arbeite an meiner Masterarbeit; ich bin in eine winzige Wohnung in der Cooper Street gezogen.«

Ich habe mich so oft gefragt, wo er wohnt. Ich habe mir vorgestellt, ich würde ihm im Bishop's Palace Garden über den Weg laufen oder ihn sehen, während ich auf einen Drink ins Duke & Rye gehe. Habe darüber nachgedacht, wie es sich anfühlen würde, wieder mit ihm in einem Zimmer zu sein und mich gefragt, ob ich es schaffe, ohne in Tränen auszubrechen.

»Ich will alles über deine Masterarbeit wissen«, sage ich. »Werde ich den Titel verstehen?«

»Ich hoffe, sonst mache ich etwas falsch.« Er lächelt. »Ich schreibe über das Konzept der Suche in Spensers *Die Feenkönigin* und den Werken von Philip Sidney. Über Reisen. Oh, hey, da ist die Tür!«

Dylan zeigt auf eine Tür, an der eine Notiz in meiner Handschrift klebt. Irgendwie haben wir es geschafft, zur Brautkammer zu gelangen. Wir beide zögern ein wenig vor der Tür, und Dylan blickt mich kurz an.

»Brauchst du ... eine Minute? Bevor wir reingehen?«

Unter dem Fenster links von uns steht ein Sofa, ein Zweisitzer. Wir setzen uns beide hin, unsere Knie zeigen zueinander. Ich lasse seine Hand nicht los.

»Ich würde gern wissen ...« Dylan räuspert sich. Er blickt zu unseren verschränkten Händen, zu unseren Knien, die sich sanft berühren. »Ob du mir sagen kannst – ob du mir sagen willst –, was passiert ist, nachdem ich dich verlassen habe, nach unserer Trennung ...«

Meine Augen fangen an zu brennen, und ich versuche, langsam zu atmen, aber mein Herz schlägt schon zu schnell.

»Es tut mir leid«, sagt Dylan rasch. »Ich ... ich will nur, dass du weißt: Ich möchte mit dir darüber reden. Wenn du dazu bereit bist. Ich finde es schrecklich, dass ich dir in dieser Lage nicht beistehen konnte, und ich ...« Er schaut mich hilflos an. »Es tut mir leid.«

»Ich weiß.« Ich drücke seine Hand. »Ich habe die Schule verlassen. Ich glaube, das ist nicht überraschend. Ich habe jetzt einen neuen Job – kennst du die Mädchenschule in Fishbourne? Genau, dort. Es ist gut da, weißt du? *Ich* bin gut.« Ich grinse. »Das war ich anfangs nicht, inzwischen aber schon.«

»*Das* hättest du vor zwei Jahren noch nicht gesagt«, erklärt Dylan und lässt sanft sein Knie gegen meins fallen.

»Na ja, jetzt habe ich die Tasse mit der Aufschrift *Beste Lehrerin der Welt*, um es dir zu beweisen.« Ich werde ernster. »Ich habe es mit Dating versucht. Mit Jamie – einem der Lehrer von der Barwood.«

Ich hasse es, dass meine Stimme immer noch wacklig wird,

wenn ich den Namen von Etiennes Schule ausspreche, und ich spreche weiter, als ich merke, dass ich erröte. Dylan ist sehr ruhig.

»Das war ... schrecklich. Er war eine seltsame Wahl – ein anderer Lehrer von Barwood –, ich weiß nicht. In meinem Gehirn war ganz eindeutig etwas nicht ganz in Ordnung. Und er wusste, was passiert war – ich weiß nicht, woher, aber er wusste es.«

»Ich habe erfahren, dass Etienne suspendiert wurde«, sagt Dylan leise. Auch er zögert beim Namen, aber mir gefällt es, dass er ihn ausspricht. *Er ist nicht Voldemort*, erklärt Deb mir, wenn ich seinen Namen nicht aussprechen kann. *Gib ihm nicht diese Macht.*

»Aber du hast keine Anklage gegen ihn erhoben?«

»Nein, das habe ich versucht«, sage ich und runzele die Stirn. »Die Polizei meinte, es würde nicht genügend Beweise geben. Aber für Moira war es dennoch Anlass genug, um sicherzugehen, dass die Schule ihn loswird. Sie war ... Sie war sehr gut zu mir.«

»Und ... Jamie?«, ringt sich Dylan durch.

»Er war niedlich.« Ich drücke Dylans Hand. »Aber es war nie – es hat nie richtig Fahrt aufgenommen. Und wie sich herausstellt, war Sex nach alldem, was passiert ist ...«

Meine Augen brennen schon wieder. Dylan kommt etwas näher zu mir, ganz zaghaft, dann legt er den Arm um mich und ich lehne mich an seine Schulter. Ich lache zittrig.

»Sagen wir mal so: Es war nicht mehr so wie früher.«

Er drückt mich fast schon krampfhaft an sich, als würde es ihm wehtun, das zu hören. Wir setzen uns kurz hin. Er atmet tief ein, um sich zu beruhigen.

»Nun, beim letzten Mal haben wir mit Sex angefangen,

nicht wahr?«, fragt er. »Also sollten wir dieses Mal vielleicht ...«
Er spricht nicht weiter, bemerkt, was er gerade gesagt hat.

Ich lehne mich zurück, sodass ich ihn anblicken kann. Er
kneift die Augen ein wenig zusammen, was bedeutet, dass es
ihm peinlich ist, und ich lächele.

»Und dieses Mal?«, frage ich.

»Ich wollte nichts überstürzen«, sagt er. Er spricht leise.
»Aber ... Addie ...«

Ich schlucke. Er hebt seine Hand und streicht sich die Haare
aus den Augen, obwohl sie gar nicht lang genug sind, um ihm
in die Augen zu fallen – diese Geste kenne ich so gut.

»Addie, denkst du darüber nach? Ich kann verstehen, wenn
du ... aber ... ich habe nie aufgehört, dich zu lieben«, sagt er
überstürzt. »Ich habe nie aufgehört, dich zu lieben, und ich
glaube wirklich nicht, dass ich es jemals tun werde, weißt du,
weil ich alles Mögliche versucht habe, damit es aufhört und
ich es nie geschafft habe. Und ich verstehe voll und ganz,
wenn du mich nach alldem, was ich getan habe und wofür
ich mich zutiefst verachte, nicht mehr zurücknehmen willst,
Addie, und dass ich – falls du mir noch eine Chance gibst –
dass ich dich nie, nie wieder verlassen werde. Ich werde dir immer zuhören. Ich werde dich nie im Stich lassen. Das schwöre
ich.«

Ich lasse das wirken. Schließe nur die Augen und höre die
Worte, die er sagt, das Zittern in seiner Stimme. Wie seine
Hand meine drückt, als würde er mich nie wieder loslassen.

»Du müsstest mir vertrauen«, flüstere ich so leise, dass er sich
näher zu mir beugt, um mich zu verstehen. »Und ich müsste
mir das ... verdienen.«

»Ich vertraue dir«, sagt er direkt, aber ich schüttele den
Kopf.

»Ich werde es dir zeigen«, sage ich. »Ich würde nie wieder – was mit Etienne passiert ist –, ich meine, was davor passiert ist ...« Ich atme frustriert und zitternd ein. »Das Flirten, die Nachrichten. Das war so dumm. Ich glaube, ich hatte Angst vor der Macht, die du über mich hast. Wie sehr ich dich geliebt habe, wie sehr es mir wehgetan hat, als du dich für Marcus entschieden hast. Etienne war eine Notlösung für mich. Der Beweis, dass mich jemand anderes wollen würde. Das war ...«

»Das ist alles vorbei«, sagt Dylan und zieht mich an sich. »Jetzt ist jetzt.«

Ich weine nun, drücke mein Gesicht in die steife Baumwolle seines Kragens und seinen warmen Hals. Er hält mich fest, und das Gefühl seiner Arme um mich herum ist fast mehr, als ich ertragen kann.

*Ich sollte mich ihm so nicht zeigen*, flüstert ein Teil meines Gehirns. Aber ich habe im letzten Jahr hart an mir gearbeitet. Ich weiß jetzt, dass ich nicht auf diese Stimme hören sollte.

»Ich liebe dich«, sage ich und weine. »Ich habe dich sogar geliebt, als ich dich gehasst habe. Ich habe dich geliebt, als alles andere mir lieber gewesen wäre. Dylan, ich kann nicht ...« Ich schluchze an seiner Schulter. »Ich kann es nicht ertragen, den Gedanken daran, dass wir ... Ich würde es nicht überleben, wenn es wieder enden würde.«

Er drückt mich noch enger an sich. »Dann lassen wir das eben nicht zu.«

»Ich bin nicht ... ich bin nicht mehr diejenige, die ich einmal war«, erkläre ich ihm mit tränenerstickter Stimme. »Ich bin jetzt völlig anders.«

»Ich auch. Zumindest hoffe ich das sehr«, sagt er und bringt mich zum Lachen. »Also können wir uns noch einmal kennenlernen. Uns Zeit lassen. Ich lade dich zum Essen ein. Es wird anders sein als früher, weil ich jetzt sehr arm bin, weißt du, das wird also helfen.«

Ich lache nun wirklich laut und setze mich auf, weil ich sonst Schnodder auf seinen Smoking schmiere. Dylan zieht die Serviette hervor, in die wir einige Trüffel für Rodney gewickelt haben, und reicht sie mir. Dankbar nehme ich sie.

»Hörst du auch, dass jemand spricht?«, fragt Dylan und neigt den Kopf.

Ich halte inne. Er hat recht: Eine leise Stimme ertönt aus der Brautkammer. Ich stehe auf, bewege mich zur Tür, um besser zu hören.

*Durch die See, mit beständigen Wogen, frisst die Erde ...*

Dylan stellt sich neben mich, er lächelt immer breiter.

»Was?«, flüstere ich.

»Das ist das Hörbuch«, flüstert Dylan zurück. »Marcus hat ihm das schlimmste Buch ausgesucht, das ihm eingefallen ist.«

»Und zwar?«

»*Die Feenkönigin*«, sagt Dylan grinsend. »Er hört sich *Die Feenkönigin* an.«

Ich beuge mich in Richtung Tür und höre eine Zeile:

*»Denn es geht nichts verloren, das nicht gefunden werden kann, wenn man danach sucht.«*

## Dylan

Rodney ist verhältnismäßig gut gelaunt, braucht allerdings dringend, was Deb als unumgängliche Pause bezeichnen würde. Nachdem wir uns um unseren Gefangenen gekümmert und Cherry und Krishna die gewünschten Kleider in die Hochzeitssuite gebracht haben, gehen Addie und ich noch immer Hand in Hand durch ein Labyrinth aus Korridoren zurück in den Saal.

Wir haben uns den ganzen Tag über kaum losgelassen. Nie wieder werde ich das Gefühl, Addie Gilberts Hand zu halten, als selbstverständlich hinnehmen.

Bei der Rückkehr an unseren Tisch sitzt Grace auf meinem Platz und beugt sich zu Marcus, der mit nach unten gerichtetem Blick mit ihr spricht und sich deutlich unwohl fühlt. Addie und ich halten uns einen Moment im Hintergrund, ehe sie uns bemerken. Es ist so schön, dass Grace wieder so gesund aussieht – noch vor einem Jahr hätte man in dieser Haltung ihre einzelnen Rippen zählen können.

»Meinst du, sie bekommt ihre Entschuldigung?«, fragt Addie mich leise.

»Ich hoffe es.«

»Denkst du … Marcus und Grace …?«

»Ich weiß nicht. Ich weiß nicht, ob er schon dazu bereit ist oder … ob er sie verdient hat.« Ich werfe Addie einen Seitenblick zu, weil mir plötzlich bewusst wird, dass ich über eine

Frau spreche, mit der ich mal geschlafen habe. Addie nickt jedoch zustimmend und legt nachdenklich die Stirn in Falten, woraufhin ich sie auf die Stelle zwischen ihren Augenbrauen küssen möchte.

Da entdeckt uns Grace. Sie steht auf und umarmt zuerst Addie – *Süße*, sagt sie, *du siehst göttlich aus*. Sie geraten in Ekstase über ihre Kleider und neuen Frisuren und fangen sofort ein Gespräch an – Freundinnen, die sich lange nicht gesehen haben.

»Ach, mein Buch?«, sagt Grace und wirft lachend den Kopf in den Nacken. »Verbrannt. Buchstäblich.«

»*Verbrannt?*«, fragt Addie mit großen Augen. »Aber seit ich dich kenne, hast du daran geschrieben! Und hey, du hast mir erzählt, ich käme in Kapitel sieben vor!«

Grace legt Addie eine Hand auf die Wange. »Adeline. Du verdienst das erste Kapitel.«

Addie beginnt zu lachen. »Warum klingt alles, was du sagst, so tiefgründig?«

»Teure Ausbildung«, sagt Grace mit laszivem Lächeln. »Nein, das Buch musste weg. Ich will nicht sagen, dass ich nie wieder eins schreiben werde, aber *dieses* Buch handelte eigentlich nie vom Sommer unseres Lebens. Es handelte nur von einem Mann. Und nachdem mir das einmal klar war, konnte ich es einfach nicht mehr sehen.«

Addie zieht sie vom Tisch fort, wo Terry mit Kevin jetzt so eine Art Seemannslied singt.

»Ich habe versucht, es zu überarbeiten, noch mal neu anzufangen, alles«, fährt Grace fort. »Aber es war immer noch *sein Buch*.«

Sie hebt ganz leicht das Kinn und deutet auf Marcus.

»Ah«, sagt Addie.

»Genau«, sagt Grace seufzend. »Und er hat ganz sicher kein ganzes Buch verdient, oder? Also habe ich es verbrannt. Ich dachte, es würde mir dabei helfen …« Sie deutet mit einer Hand auf ihre Brust.

»Dich zu entlieben?«, hilft Addie.

»Ja«, sagt Grace ernst. »Weil ich es satthabe, einen absoluten Vollidioten zu lieben.«

Addie lacht laut auf. »Hast du ihm das gesagt?«

»Nun ja, das wollte ich gerade«, sagt Grace, »und dann hat er sich *entschuldigt*. *Marcus*. Ich muss dir gestehen, Addie, ich habe mir diesen Moment unzählige Male vorgestellt, *unzählige Male*, und dann, als ich gerade die Hoffnung aufgeben will …«

»Wünschst du dir jetzt, du könntest das Verbrennen des Buches rückgängig machen?«, fragt Addie.

Grace lacht und wirft dabei wieder den Kopf zurück. »Nein«, sagt sie mit Nachdruck. »Ganz bestimmt nicht. Ich bin jetzt eine andere Frau, und wenn er der Held in der Geschichte sein möchte, wird er vorsprechen müssen …«

Addie grinst sie an. »Du hast mir gefehlt«, sagt sie, und ich lächele, weil diese Aufrichtigkeit, diese offene Zuneigung neu bei ihr ist – oder vielmehr ist sie neu für mich.

»Und du mir, meine Süße. Und was ist mit euch beiden?«, fragt Grace mit Blick auf mich. »Ich dachte, der Zug wäre abgefahren, aber …?«

»Wir sind im ersten Kapitel«, sage ich.

Plötzlich übersteuert das Mikro und übertönt ihre Antwort, aber ihr Lächeln sagt genug. Eine zwölfköpfige Band nimmt ihren Platz ein, und die Tische in der Nähe der Tanzfläche werden von einer Armee eifriger Menschen zur Seite geschoben. Krishs Trauzeuge schafft es, das übersteuerte Mikro lange genug im Zaum zu halten, um zu verkünden, dass nun Zeit zum Tanzen sei.

Deb kommt zu uns, und wir bewegen uns in Richtung Tanzfläche. Sie streckt Addie ihr Telefon hin. Auf dem Display ist ein Foto von Riley zu sehen, der mit großen braunen Augen zahnlos in die Kamera grinst. Er ist hinreißend. Ich muss mich schwer beherrschen, um ein plötzliches Verlangen nach Nachwuchs zu unterdrücken. Ein Schritt nach dem anderen, ermahne ich mich. Darin war ich noch nie besonders gut.

»Ich habe gerade über FaceTime mit ihm und Dad gesprochen«, berichtet Deb Addie. »Sie haben irgendeinen albernen Hüpfstuhl gekauft, der ein Vermögen gekostet haben muss. Er wird total verwöhnt.«

Sie zieht eine Grimasse, doch sie strahlt so wie jemand, der nicht nur glücklich ist, sondern sich *als Ganzes* fühlt. Ich werde Riley kennenlernen, denke ich auf einmal. Ich werde zu seinem Leben gehören, und zu Debs, und ich werde all die neuen Seiten von Addies Welt kennenlernen.

»Dyl?«, ruft eine Stimme hinter uns.

Als ich mich umdrehe, beginnt die Musik zu spielen. Krish und Cherrys Song für ihren Hochzeitstanz ist Shania Twains »Forever und for Always« – ich kann mir nur vorstellen, dass Krishna in diesem Punkt kapituliert und Cherry ihren Willen gelassen hat.

Hinter mir stehen Luke und Javier. Sie wirken, als wären sie gerade erst eingetroffen, und Lukes Wangen sind gerötet.

»Dyl«, sagt Luke leise, als sie sich neben uns schieben, um dem Tanz zuzusehen.

Krish tanzt einen erstaunlich guten Walzer zu Shania Twain, obwohl man sieht, wie er die Lippen bewegt und die Schritte zählt; seine äußerst konzentrierte Miene wirkt etwas komisch.

»Dylan, Mum hat Dad verlassen«, sagt Luke leise.

»*Was?*«, frage ich so laut, dass selbst Cherry und Krishna in unsere Richtung blicken.

»Ist alles in Ordnung?«, ruft Cherry mir zu, als sie sich über Krishnas Arm weit nach hinten beugt.

»Ja!«, rufe ich zurück. »Weitermachen! *Was?*«, sage ich zu Luke.

»Es war toll!«, zischt Javier. Er hüpft leicht auf und ab, und seine Haare, die er zu einem hohen Pferdeschwanz zusammengebunden hat, hüpfen mit ihm. »Wir kamen gleichzeitig mit deinen Eltern am Burggraben an, und Lukes Dad wollte in die andere Richtung gehen, damit sie uns nicht begegnen – also, mir – und …«

»Mum ist ausgeflippt«, sagt Luke kopfschüttelnd und lächelt. »Sie hat ihm ihren Hut entgegengeschleudert und ihm erklärt, dass sie auf keinen Fall noch ein gesellschaftliches Ereignis über sich ergehen ließe, bei dem sie so täte, als würde sie ihren Mann lieben. Es würde ihr das Herz brechen, ihre Söhne nicht zu sehen und sie würde nicht mehr hinter ihm stehen. Wir haben sie erst einmal in ein Hotel gebracht und sie beruhigt. Ich schick dir die Adresse, dann kannst du zu ihr fahren. Sie will dich unbedingt sehen.«

Er holt sein Smartphone heraus. Ich blicke abwechselnd zu Krish und Cherry, die weiter Walzer tanzen, und zu Javier und Luke, die ganz aus dem Häuschen sind.

»Deine Mum hat gerade deinen Dad verlassen?«, fragt Addie neben mir. Sie lächelt Luke und Javier schüchtern zu. »Hallo, ihr zwei.«

Der Moment, in dem mein Bruder und sein Verlobter etwas verspätet begreifen, dass Addie und ich uns an den Händen halten, ist wundervoll. Sie strahlen wie auf Kommando, und Luke klopft mir auf die Schulter.

»Oh, *gut*«, sagt Javier. »Dylan schreibt sehr schöne Gedichte, aber ich bin mir nicht sicher, wie viele Gedichte über Herzschmerz ich noch ertrage.«

Ich versetze ihm einen Schubs, und er kichert und versteckt sich hinter Luke.

»Ich könnte dich meiner Mutter vorstellen«, sage ich zu Addie und sehe fragend zu ihr hinunter. »Ohne meinen Vater. Das wäre doch eigentlich … schön.«

Sie lächelt zu mir hoch. »Sehr gern.«

Der erste Tanz ist vorüber – oder zumindest möchte Krishna das gern. Mit leicht verzweifelter Miene winkt er seine Trauzeugen auf die Tanzfläche. Schließlich haben einige Paare Mitleid, und die Menge gesellt sich zu Braut und Bräutigam.

»Darf ich um diesen Tanz bitten?«, frage ich Addie, als die Musik wechselt. Es ist noch ein langsamer Song, aber etwas konventioneller: Jason Mraz »I Won't Give Up«.

Wir betreten die Tanzfläche. Addie verschränkt sanft die Hände in meinem Nacken, und ich lege meine um ihre Taille. Ich sehe in ihre wasserblauen Augen, die mich vom ersten Moment an fasziniert haben, und wir wiegen uns im Takt, während sich die Tanzfläche um uns herum füllt. Ich hebe einen Moment den Kopf und sehe, dass Deb mit Kevin tanzt und Luke mit Javier. Hinter ihnen zieht eine junge Frau in einer grün-rosafarbenen Lehenga eine sehr ordentlich aussehende Frau mittleren Alters in einem Kostüm auf die Tanzfläche, dann erhebt sich Marcus und fordert Grace auf, während Cherrys Vater mit Krishs Mutter tanzt – eine bunte wogende Menge aus Farben, Hüten und Körpern, als wären wir eins.

Ich schaue in Addies Gesicht, die zu mir hochsieht, und kann kaum glauben, dass sie da ist. Plötzlich verspüre ich den Impuls, jede einzelne Sommersprosse zu zählen und mir jede

Schattierung ihres Haars genau einzuprägen, ehe ich mich daran erinnere, dass sie mir ihre Liebe gestanden hat. Sie geht nicht weg.

»Was du vorhin gesagt hast …« Ich presse die Lippen zusammen und beobachte, wie ihr Blick zu meinem Mund gleitet. »Ich weiß, wir haben gesagt, dass wir es mit dem Sex diesmal vielleicht etwas langsamer angehen lassen sollten, aber … darf ich dich fragen, was du jetzt von Küssen hältst?«

Sie lächelt. »Küssen?«

»Ja, nur hypothetisch.«

»Also. Das habe ich in letzter Zeit nicht sehr oft gemacht«, sagt sie, und ihr zartes Lächeln wächst. »Aber ich glaube, gegen Küssen hätte ich nichts.«

Ich senke ganz leicht den Kopf, und sie hebt im selben Moment das Kinn, als ob die Fäden, die uns verbinden, gespannt worden wären.

»Wollen wir es versuchen?«, flüstere ich, meine Lippen dicht an ihren.

Zur Antwort schließt sie die Lücke zwischen uns. Und dort, auf der Tanzfläche, nach dem ganzen Chaos, das hinter uns liegt, und zwischen all unseren Freunden, während Addies Haar silbrig glänzt und mein Herz vor Freude platzt, küsse ich Addie Gilbert zum zweiten ersten Mal.